Classiques Larousse

Collection fondée par Félix Guirand, agrégé des lettres

Madame de Lafayette

La Princesse de Clèves

roman

Édition prése[...]

JEAN-CLAUDE LABORIE
agrégé de lettres modernes

LAROUSSE

© Larousse, 1995.
© Larousse-Bordas, 1997, pour la présente édition.
ISSN 0297-4479.
ISBN 2-03-871225-5.

Sommaire

Une femme dans le siècle

La tradition a figé une image de Mme de Lafayette, créature rêveuse, maladive, que l'on surnommait dans les salons « le brouillard ». Cependant, sa biographie révèle une femme ambitieuse, d'un caractère autoritaire et parfois brutal, se dépensant sans compter pour établir sa famille et sa réputation, dans les salons comme à la cour. Ses contemporains la décrivaient comme une femme dure, cinglante et exigeante, une beauté « aux charmes un peu virils », selon les dires mêmes de son plus constant admirateur, l'écrivain Gilles Ménage (1613-1692).

Aminte en son cabinet, vers 1695.
Gravure de H. Bonnart.
Versailles, bibliothèque municipale.

Une famille en pleine ascension sociale : 1634-1649

Marie-Madeleine Pioche, future Mme de Lafayette, naquit le 18 mars 1634. Son père, Marc Pioche, « sieur de La Vergne », officier au régiment de Picardie, appartenait à la toute petite noblesse. Après un premier mariage stérile, il épouse Isabelle Pena, jeune fille issue d'une grande famille provençale attachée à la puissante duchesse d'Aiguillon, laquelle jouera un grand rôle dans la carrière de la future romancière. Le désir et la stratégie d'ascension sociale du père se matérialisent dans les parrainages nobles choisis pour sa fille, le maréchal de Brézé et la duchesse d'Aiguillon. La famille s'installe en 1635 à Paris, rue de de Vaugirard, où naissent les deux sœurs de Marie-Madeleine. Marc Pioche meurt en 1649 après avoir été nommé maréchal de camp. Sa veuve consacrera le reste de sa vie à établir sa famille. Les deux sœurs, mises au couvent (une pratique courante au XVIIe siècle), laisseront toute la dot à l'aînée, qu'il s'agira de lancer dans le monde.

L'apprentissage du monde :
1650-1654

Jeune, riche, cultivée, Marie-Madeleine fréquente les salons de Mlle de Scudéry et l'hôtel de Rambouillet, centres de la « préciosité ». Grâce à sa marraine, elle devient demoiselle d'honneur de la reine, la régente Anne d'Autriche. Elle est ainsi projetée au cœur de toutes les intrigues de la cour. C'est à cette époque qu'elle se lie d'amitié avec Mme de Sévigné, l'auteur pas encore célèbre des « lettres », parente du chevalier de Sévigné que sa mère venait d'épouser en secondes noces. C'est aussi à ce moment qu'elle conquiert le cœur du vieil érudit Gilles Ménage, qui la courtisera sans succès pendant... 40 ans.

Un mariage heureux mais sans passion :
1655-1658

En 1655, elle a 21 ans et n'est toujours pas mariée. Sa mère va arranger son mariage avec le comte François de Lafayette, un veuf de 38 ans, désargenté mais d'une grande noblesse (sa sœur s'est fait aimer de Louis XIII). Le contrat sera signé le 14 février

1655. Mariage de raison, qui voit donc une grande noblesse ruinée s'allier à la bourgeoisie riche et désireuse d'acquérir des titres prestigieux, illustrant ainsi les mouvements de la société de cette époque. Mariage sans passion, néanmoins tranquille et sans heurt. Les époux vivront en bonne intelligence, Mme de Lafayette dans le monde parisien et le comte le plus souvent sur ses terres d'Auvergne. Deux fils naîtront de cette union, Louis en 1658 et Armand en 1659.

La réussite mondaine :
1658-1661

Cependant, l'essentiel de la vie de Marie-Madeleine est ailleurs. En effet, les années 1658 à 1661 sont celles de la réussite mondaine. Elle se lie d'amitié avec Henriette d'Angleterre, la future duchesse d'Orléans. Elle rencontre Huet (1630-1721), un grand érudit normand auteur de nombreux ouvrages scientifiques, et Segrais (1624-1701), un poète reconnu qui entrera à l'Académie française en 1662. Elle devient ainsi l'une des personnalités les plus en vue des salons littéraires précieux (voir p. 11). En 1661, Henriette d'Angleterre épouse Monsieur, le frère du roi, et son amie, dans son sillage, accède au cercle des intimes du Palais-Royal, alors occupé des menées des Guiche et des Vardes, deux grandes familles qui briguent la faveur de la séduisante princesse. La comtesse joua son rôle dans ces intrigues, se liant aux uns et aux autres et participant activement aux luttes d'influence des partis. Elle ne choisit cependant pas toujours bien ses amis et ses soutiens, aussi connaît-elle des désillusions et des revers comme tous les joueurs de cette partie délicate qu'est la vie de cour. C'est dans cet état d'esprit qu'elle entre en littérature. Sa carrière mondaine n'en continuera pas moins puisqu'en 1665 ; grâce à son amitié avec Jeanne-Baptiste de Nemours, qui épouse Charles-Emmanuel III de Savoie, elle va être mêlée aux intrigues de la cour de Turin.

Henriette d'Angleterre, duchesse d'Orléans.
Portrait par P. Mignard (1612-1695).
Musée Condé, Chantilly.

La carrière littéraire : 1662-1689

La Princesse de Montpensier, une courte nouvelle historique, paraît en août 1662, sans nom d'auteur, mais clairement revendiquée par Mme de Lafayette. En 1664, la rencontre avec La Rochefoucauld (1613-1680), qui vient de publier les *Maximes,* ouvre une amitié qui durera jusqu'à la mort de ce dernier. De 1668 à 1671, Marie-Madeleine rédige avec La Rochefoucauld et Segrais les deux tomes de *Zaïde.* Toujours en 1671, elle obtient un privilège, c'est-à-dire une autorisation royale pour publier chez le célèbre imprimeur Barbin un ouvrage intitulé *le Prince de Clèves.* Celui-ci ne voit effectivement le jour qu'en 1677 avec le titre féminisé. Le succès est immédiat. Cependant, c'est le sommet et déjà pratiquement la fin de la carrière littéraire de la romancière. Elle écrira encore *la Comtesse de Tende,* une courte

La galerie du Palais.
Boutiques du Palais-Royal avec, à gauche, la librairie.
Gravure du XVIIe siècle.

nouvelle d'amour et de sang, qui ne paraîtra qu'en 1724, et *les Mémoires de la cour de France pour les années 1688 et 1689*. Dans ce panorama, on peut constater que *la Princesse de Clèves* constitue l'œuvre centrale, organisant dans un délicat équilibre tous les thèmes et toutes les constantes de l'ensemble des écrits de l'auteur.

Vieillesse, désenchantement et religion : 1680-1693

La fin de la vie de Mme de Lafayette est une suite de deuils et de renoncements. C'est d'abord le vieil et indispensable ami, La Rochefoucauld, qui meurt en 1680 ; en 1683 survient la mort de son mari ; en 1684, la disgrâce de sa protectrice, la duchesse de Savoie, l'évince définitivement de la grande politique. Enfin, sa famille lui donne du souci. En effet, si son fils aîné est entré dans les ordres, le cadet est un ivrogne débauché qu'elle mariera avec beaucoup de peine à une riche héritière en 1689. Quittant le monde, elle se préoccupe de religion et confie la direction de son âme à un homme réputé sévère, l'abbé du Guet. Depuis longtemps malade, elle meurt le 26 mai 1693, solitaire et amère, « avec une piété admirable », comme l'écrira Racine...

Madame de Lafayette

La Princesse
de Montpensier
1662

La Princesse
de Clèves
1678

1634

1693

Racine (1639-1699)

Madame de Sévigné (1626-1696)

Pascal (1623-1662)

Molière (1622-1673)

La Fontaine (1621-1695)

La Rochefoucauld (1613-1680)

Madeleine de Scudéry (1607-1701)

Corneille (1606-1684)

règne de Louis XIII (1617-1643)	régence d'Anne d'Autriche (1643-1661)	règne personnel de Louis XIV (1661-1715)

1648-1653 :
la Fronde

1685 : révocation
de l'édit de Nantes

La création de l'œuvre

Le roman, un genre prolifique mais sans valeur

Pour bien cerner le processus de création de l'œuvre, son originalité et sa cohérence, il convient de le replacer dans son contexte. Le roman n'est pas, au XVIIᵉ siècle, un genre aux contours bien définis. Bien qu'il existe une longue tradition romanesque depuis le XIIᵉ siècle, ce genre n'a jamais donné lieu à une théorie précise. Il constitue encore au XVIIᵉ siècle une forme bâtarde susceptible d'accueillir toutes sortes de contenus, que les écrivains sérieux dédaignent au profit de genres nobles (l'épopée et la tragédie, notamment). Dans *l'Art poétique* de Boileau, qui propose une hiérarchie des genres littéraires, le roman n'est même pas cité. Aujourd'hui, le récit d'événements imaginaires que l'on appelle roman est défini par une série de règles, alors qu'au XVIIᵉ siècle ces textes, qui peuvent s'appeler indifféremment nouvelles, histoires ou récits, n'obéissent qu'à une seule règle, celle de la mode et de l'approbation des lecteurs... Entre 1610 et 1678, plus de mille titres sont publiés et le roman suscite un large engouement du public cultivé.

Un fait de société

La fortune du roman est intimement liée aux salons précieux. Si, aujourd'hui, des connotations péjoratives sont attachées à ce mot, la préciosité fut en fait un grand mouvement d'idées qui, entre 1630 et 1660, domina la vie intellectuelle et mondaine française. Elle constituait l'idéal du raffinement, la préoccupation essentielle de tous les gens à la mode. Être précieux, c'était

savoir parler d'amour et donc, d'une part, connaître toutes les
subtilités des sentiments et, d'autre part, maîtriser un langage
capable d'exprimer toute la gamme des impressions ressenties.
L'amour y apparaissait comme un sentiment éthéré et spirituel,
excluant le corps et ses pulsions. La femme en était l'incarnation
parfaite, elle dont la beauté extérieure témoignait de la
perfection morale. Les salons qui accueillaient les précieux
étaient tous sous l'autorité d'une femme, qui exerçait sa royauté
sur une assemblée de familiers. Les salons les plus célèbres
furent l'hôtel de Rambouillet, sous la houlette de la marquise de
Rambouillet, et, à partir de 1650, le salon de Madeleine de
Scudéry. Mme de Lafayette fréquenta les deux avant de fonder le

Madame de Rambouillet et sa fille, Julie d'Angennes, d'après une
miniature sur velin du XVIIe siècle.
Bibliothèque nationale, coll. E. de Rothschild.

sien, en 1661. C'est dans ces lieux que le roman du XVIIᵉ siècle s'élabora, trouvant là ses lecteurs et les thèmes qui les passionnaient : l'amour et l'analyse psychologique.

Le roman précieux

De 1610 à 1660, la mode est au roman-fleuve. On y trouve toujours les mêmes ingrédients : le merveilleux (les fantômes et les interventions d'êtres surnaturels...), les péripéties incroyablement compliquées (enlèvements, quiproquos, reconnaissances...), les grands monologues (grands sentiments, pleurs, lamentations...) et de longues dissertations sur l'amour. L'action, qui n'a que peu d'importance, se déroule toujours dans un cadre imaginaire, dans l'Antiquité ou chez des bergers. Les titres les plus connus sont l'*Astrée,* d'Honoré d'Urfé (12 volumes, 1610-1629), *Cléopâtre,* de La Calprenède (12 volumes, 1647) et, surtout, les deux romans de Madeleine de Scudéry, *le Grand Cyrus* (15 000 pages, 1648) et *la Clélie* (10 000 pages, 1654, contenant la fameuse Carte du Tendre). Ce type de roman reprend donc les conversations sur l'amour, qui occupent les salons, se contentant de les mettre en situation, sans se préoccuper du degré de crédibilité de l'histoire elle-même.

Dans les années 1660, le public se lasse de ces récits interminables et invraisemblables. Aussi les goûts nouveaux des lecteurs entraînent-ils une redéfinition de la formule romanesque. Le roman précieux ayant pour principal travers son mépris de la réalité du temps, il s'ouvrira à la peinture de la société contemporaine. Les deux plus grandes réussites du genre, *le Roman comique,* de Scarron (1657), et *le Roman bourgeois,* de Furetière (1666), sont de longs récits d'aventures, souvent satiriques, qui mettent l'accent sur la peinture d'un monde trivial. Par ailleurs, un certain nombre d'écrivains, qui sentaient également la nécessité du renouvellement, choisirent une autre voie, celle de la nouvelle historique. Cette dernière offrait deux avantages majeurs : la vraisemblance des faits cautionnés par l'histoire et la brièveté d'une histoire dépouillée de tous les récits secondaires. C'est dans cette direction que Mme de Lafayette s'engage, en 1662, avec sa première œuvre, *la Princesse de Montpensier,* une nouvelle se déroulant sous le règne de Charles IX et racontant en quelques pages la tragique passion d'une jeune fille mariée sans amour, compromise et abandonnée par son brillant mais volage amant : une première ébauche de *la Princesse de Clèves.*

Un véritable laboratoire du roman

L'attribution de l'œuvre à Mme de Lafayette est toujours discutable puisqu'on ne peut affirmer qu'elle a tout écrit de sa main. Il n'est pas rare dans ce siècle de trouver des collaborations actives ou des travaux collectifs ; l'idée de l'écrivain de génie travaillant seul, grâce aux Muses de l'inspiration, est une idée du XIXe siècle. De fait, dès la rédaction de *la Princesse de Montpensier,* on trouve réunie autour de Mme de Lafayette une petite équipe de gens de lettres passionnés par les problèmes du roman. Nous ne pouvons donc pas reconnaître avec certitude la part que chacun

Le duc de La Rochefoucauld (1613-1680). Gravure du XVIIe siècle. Paris, B.N., cabinet des Estampes.

prit à l'œuvre, aussi faut-il se contenter de cerner ce qu'ils avaient en commun. Nous avons cependant la certitude que Mme de Lafayette fut l'âme du groupe, lui insufflant courage et énergie tout en assurant la cohérence du projet.

Gilles Ménage, Segrais, Huet, La Rochefoucauld ont été les plus fidèles amis de Mme de Lafayette. Ils étaient d'accord sur le programme à réaliser : la nécessité du choix d'un sujet historique tiré de l'époque antérieure, la seule qui soit à la fois bien connue et encore intéressante pour les contemporains ; la visée morale du roman ; l'exclusion de toute référence à Dieu et à la religion ; la prise en compte des règles imposées aux genres plus nobles, unité d'action, de lieu et de temps (même si pour ces deux dernières une certaine souplesse était tolérée). Chacun donnait son avis, conseillait, corrigeait parfois, participant ainsi à l'œuvre qui devait illustrer la théorie. La réussite de *la Princesse de Clèves* est la parfaite réalisation de ce programme, à la fois élaboration d'une nouvelle formule du roman et prise en compte de l'esprit de toute une époque.

Gilles Ménage (1613-1692).
Gravure de R. Nanteuil.
Paris, B.N., cabinet des Estampes.

15

L'histoire d'une passion qui brûle et qui dévore

L'ouvrage a été divisé en quatre tomes dans toutes les éditions, alors que le manuscrit de Mme de Lafayette ne donnait aucune subdivision. Cependant, la division en tomes sera conservée pour plus de commodité.

Tome premier : une princesse à la cour

Le récit d'une intégration

Le roman s'ouvre sur une très longue description de la cour d'Henri II, au lendemain du mariage de Marie Stuart et du futur François II, et à la veille des pourparlers de paix entre la France et l'Espagne à Cercamp, donc à la fin de l'année 1558. Cette cour est un tissu d'intrigues et de luttes de pouvoir opposant principalement le parti de la famille des Guises à celui des princes de sang. Apparaît dans ce dangereux univers Mlle de Chartres, une jeune fille de 16 ans que sa mère présente pour la première fois. Riche parti et d'une grande beauté, elle est l'objet des désirs de la plupart des hommes. Après de nombreux retards dus à l'hostilité de la maîtresse du roi envers la famille de Chartres, le mariage avec le prince de Clèves, qui est fou amoureux de la jeune fille depuis leur première entrevue, est conclu. Cependant, Mlle de Chartres n'éprouve à son égard que respect et obéissance. Le mariage est froid comme le mois de décembre 1558 pendant lequel il a lieu.

La naissance de l'amour

Le duc de Nemours, « un chef-d'œuvre de la nature », jusqu'alors éloigné de la cour car occupé de ses négociations galantes avec la reine d'Angleterre, Élisabeth (voir p. 28), revient pour participer aux fêtes données pour le mariage de la seconde fille du roi avec le duc de Lorraine, en février. Le duc et la princesse de Clèves ouvrent le bal. C'est le coup de foudre réciproque. La princesse, en proie à la plus complète confusion des sentiments, éprouve tous les troubles de l'amour naissant.

Sa mère, Mme de Chartres, devine les raisons de ses émotions et tente de l'éloigner du duc. Mais elle ne fait que susciter sa jalousie en lui faisant soupçonner une liaison du duc avec la reine dauphine. Mme de Chartres tombe malade et son mal progresse parallèlement à l'amour de sa fille. Elle meurt non sans avoir mis en garde sa fille contre les malheurs qui la guettent si elle cède à sa passion adultère. Nous sommes au printemps 1559.

Scène galante aux ports de Paris.
Peinture flamande du XVIIe siècle.
Musée Carnavalet, Paris.

Tome II : les premières défaites, les premiers avertissements

Le prince de Clèves raconte à sa femme, retirée à la campagne lors de son deuil, l'histoire de Mme de Tournon et de son amant Sancerre, une histoire amère et cruelle de trahison amoureuse. De retour à Paris, la princesse comprend qu'elle ne pourra lutter contre sa passion et qu'il ne lui reste qu'à la cacher au duc afin de préserver sa vertu.

Lorsque le duc de Nemours, toujours amoureux (mais négligé jusque-là par la narratrice), vole son portrait, la princesse s'en aperçoit sans pouvoir le lui interdire, lui révélant par sa faiblesse la vérité de ses sentiments. La perte d'une lettre de femme compromettante pour le vidame de Chartres, mais attribuée par toute la cour au duc de Nemours, fait éprouver à la princesse de Clèves la brûlure de la jalousie. Elle n'a même plus la force de dissimuler sa passion tant son corps et son visage trahissent son émotion. Le duc comprend la situation et, pour se disculper auprès de la princesse, accepte d'aider le vidame à récupérer la fameuse lettre. En effet, ce dernier est pris dans une intrigue qui lui fait courir de grands risques auprès de la reine, qu'il a trahie pour une autre femme.

Tome III : du bonheur à la douleur solitaire

Nemours réussit à se disculper auprès de la princesse. Celle-ci accepte de l'aider à réécrire une fausse lettre qui brouillerait les pistes et sauverait le vidame. Cette complicité fait éprouver un bonheur incomparable aux deux personnages, mais plonge la princesse dans des abîmes de perplexité. Ne pouvant éclaircir ses sentiments, elle fuit à Coulommiers, dans sa maison de campagne. Là, isolée et désespérée devant la passion irrésistible qui la consume, assaillie par la culpabilité qu'elle ressent à trahir son mari et par là-même tous les idéaux de vertu légués par sa mère, elle choisit d'avouer sa passion au prince de Clèves, sans toutefois lui livrer le nom de l'amant. Le duc de Nemours, qui s'est miraculeusement égaré dans la forêt des alentours, assiste en silence à cet aveu.

Les trois protagonistes sortent de cette situation meurtris et plus solitaires encore. Nemours ayant conté l'aventure en termes généraux au vidame de Chartres, l'affaire s'ébruite sans que l'on en identifie les auteurs. Parallèlement, le prince de Clèves, aiguillonné par la jalousie, découvre que c'est Nemours son véritable rival. La situation est absolument sans issue. Tous se sentent trahis et seuls. Les festivités pour les mariages d'Élisabeth et de Madame (juin 1559) font écran et permettent un instant de détourner chacun de ses souffrances. Lors d'un tournoi, le roi Henri II se blesse mortellement. La succession se prépare et avec elle la victoire du parti des Guises.

Tome IV : la solitude et la douleur

Les méfaits de la jalousie

La nouvelle cour est tout acquise aux Guises. La princesse de Clèves s'écarte définitivement de la vie publique. La jalousie du prince de Clèves redouble et il accuse sa femme de tous ses maux. Le duc de Nemours cherche désespérément à rencontrer la princesse, qui l'évite. Aussi va-t-il tenter de la surprendre à la campagne, où elle s'est retirée. Il y va de nuit et la surprend dans un état de rêverie qui ne laisse aucun doute sur sa passion puisqu'elle manipule une canne qui lui a appartenu et qu'elle contemple un tableau qui le représente. Cependant, il ne peut se résoudre à sortir de sa cachette, jouissant en silence du délice d'être aimé. Mais le prince de Clèves, qui a su le projet de Nemours, le fait suivre jusqu'à Coulommiers. Le rapport de l'espion, pour incertain qu'il soit, convainc le prince qu'il est trahi. Fou de douleur, il tombe malade et meurt bientôt, non sans avoir accablé sa femme de l'accusation de l'avoir tué.

19

Le deuil

Septembre 1559 : la princesse, se sentant totalement coupable, s'éloigne de tous. Nemours, conscient d'avoir été la cause indirecte de la mort du mari, respecte son deuil pendant plusieurs mois. Mais, à la fin de l'automne 1559, une rencontre fortuite entre les deux amants va renouveler l'agitation d'une passion qui est loin d'être éteinte.

Le renoncement

Nemours provoque une entrevue qui sera décisive. La princesse avoue sa passion pour la première fois directement et consciemment. Mais elle refuse un mariage qui serait maintenant possible, en alléguant toutes sortes de raisons qu'elle sait fragiles, et choisit définitivement son repos dans la solitude. En renonçant à sa passion, elle renonce à la vie et se retire dans une maison religieuse dans les Pyrénées, où son existence s'achèvera dans la dévotion. Le temps éteindra la passion du duc.

L'histoire dure donc une année. La princesse de Clèves se retire du monde à 17 ans, après avoir consumé sa vie entière en quelques mois ; mariée en décembre, amoureuse au printemps, heureuse en été, en deuil et coupable en septembre, et enfin dans l'hiver de sa vie au mois de janvier suivant.

L'esprit d'une époque

Quand les contemporains de Mme de Lafayette lurent *la Princesse de Clèves,* ils disposaient de certaines informations qu'il est nécessaire de préciser au lecteur du XXe siècle. De plus, ils baignaient dans une atmosphère intellectuelle et morale qu'il convient de rappeler.

La galanterie

Le terme s'est aujourd'hui considérablement affaibli, jusqu'à ne plus désigner qu'une forme de politesse que les hommes manifestent envers les femmes. Mais, au XVIIe siècle, et plus précisément entre 1650 et 1670, la galanterie recouvre un système de valeurs hérité de l'amour courtois (voir p. 278) du Moyen Âge, dont le respect strict est une marque d'excellence et de distinction. C'est dans l'ordre amoureux que la galanterie est le plus clairement définie. Car, au-delà de la simple politesse formelle, c'est le respect et la mesure que le galant saura conserver, malgré ses sentiments, qui le distingueront. Ces marques signaleront combien il sait se contrôler, s'oublier pour faire passer avant tout la considération d'autrui. La jalousie, les reproches aigres ou l'expression directe de son désir sont donc des comportements bannis de la galanterie. Cependant, la relation amoureuse n'est que le degré le plus civilisé et le plus délicat des relations humaines. Le galant sera donc tenu, dans toutes les autres situations de la vie sociale, de se conformer à l'idéal de « l'honnête homme », qui, par la mesure et la maîtrise dont il sait faire preuve en société, incarne le degré suprême de l'intelligence et de la finesse. Cet idéal social se manifeste en tout premier lieu par le langage puisque ce dernier est la concrétisation la plus évidente de ce qui unit les hommes. La galanterie passe donc au XVIIe siècle par la maîtrise d'un langage, d'un style et d'un vocabulaire spécifiques (voir p. 36).

Le jansénisme

La seconde moitié du XVIIe siècle est fortement empreinte des principes jansénistes inspirés de la pensée du théologien néerlandais Jansénius (1585-1638). Le plus grand défenseur de ce courant de pensée fut Blaise Pascal, dont les idées pénétrèrent profondément la société française et notamment la cour et les courtisans. Mme de Lafayette et ses amis, sans se déclarer ouvertement jansénistes, en subirent l'influence. Le dogme fondamental est celui de la rupture radicale entre l'homme et Dieu puisque l'homme s'est préféré à Dieu. L'homme dominé par l'amour-propre est devenu son propre Dieu. Cette idée fondamentale est une condamnation sans appel du monde terrestre dans lequel les humains ne font que souffrir et s'aveugler eux-mêmes. À la recherche d'une vérité qui n'existe pas en dehors de Dieu, ils vivent d'illusion et d'égoïsme. Aucun sentiment humain n'est véritable ; aussi la passion et l'amour ne sont-ils que des imitations pâles et tragiques du véritable amour, celui de Dieu. Se connaître soi-même avec sincérité n'aboutit dès lors qu'à découvrir sa faiblesse et son malheur.

La plupart des contemporains du jansénisme sont sensibles au désespoir qui se dégage de cette philosophie. La critique de l'amour-propre dirigeant les actions et les sentiments humains est reprise par bon nombre de moralistes. L'impossibilité de se connaître et l'aspect déréglé et tragique des passions humaines se retrouvent dans les ouvrages de Mme de Lafayette. Ce que la plupart des penseurs de ce siècle retinrent du jansénisme peut se résumer à la perte définitive de confiance dans les possibilités de l'être humain à accéder au bonheur et à la vérité. Pour ceux qui n'étaient pas soutenus par la foi en Dieu, il ne restait qu'à constater la condition désespérée de l'être humain, définitivement seul et désarmé face au monde... Cette dépression générale s'accentue à la fin du siècle quand la misère, la peste et la guerre enlaidissent un peu plus encore la face du monde.

Scène de la vie au XVIIᵉ siècle.
Gravure d'époque pour un almanach.

Petit historique

Mme de Lafayette n'a pas choisi au hasard de situer l'action de son roman autour de la mort d'Henri II. En effet, cet événement constitue un tournant historique essentiel.

La cour d'Henri II

François Ier a, au cours de son long règne (1515-1547), transformé la France en État moderne. Il a de plus fait un pas décisif sur la voie de l'absolutisme. Le règne d'Henri II (1547-1559) est en totale continuité avec celui de son père, dont il consolide les acquis. Le règne éphémère de François II (1559-1560) et la longue régence de Catherine de Médicis (la reine, femme d'Henri II dans le roman), mère de Charles IX, vont ouvrir une longue période d'instabilité et de désordre, notamment à cause de la question religieuse et de la guerre civile qui, de 1559 à 1598 (édit de Nantes), déchireront la France.

La cour en 1559 est le théâtre de luttes d'influence qui ont pour enjeu la faveur royale. Les partis s'organisent autour de trois femmes : la reine Catherine de Médicis, la Dauphine Marie Stuart et la maîtresse du roi Mme de Valentinois (Diane de Poitiers). Tous les grands du royaume ont dans le champ clos de la cour à se situer par rapport à ces grandes dames. Les diverses prises de position politiques sont, dans le roman, passées sous silence. En effet, le roi seul prend des décisions. Les autres n'ont, dans cet univers délétère et étouffant, qu'à s'occuper de survivre le mieux possible. Le peu de pouvoir qu'ils ont est ironiquement signalé par la première phrase du roman. Il ne reste en effet à ces grands personnages privés de pouvoir réel que la « magnificence et la galanterie » pour continuer à exister. Le coup de lance de

24

Montgomery, suivi de la mort du roi, ouvrira donc la boîte de Pandore, et ceux qui s'affrontaient par des billets ou des regards vont s'empoigner sans plus de retenue.

La politique internationale

On s'aperçoit que le jeu des alliances à la cour de France est traversé, redoublé ou contrarié par la grande politique des alliances européennes. L'Angleterre et l'Espagne constituent un arrière-plan nécessaire pour comprendre la politique française de ces années-là. En Angleterre, une fille d'Henri VIII succède à sa sœur en 1559. Marie Tudor, dite « la Sanglante » à cause des massacres qui ont marqué son règne, meurt et la Couronne échoit à Élisabeth Ière. La France tient à se rapprocher de l'Angleterre pour empêcher celle-ci de glisser dans le camp protestant, mais également parce que Marie Stuart, reine

Tournoi et mort d'Henri II, en juin 1559.
Gravure de l'époque. Bibliothèque nationale, Paris.

d'Écosse, qui a épousé le dauphin de France, pourrait faire valoir ses droits à la Couronne d'Angleterre. C'est le sens de la démarche du duc de Nemours qui est encouragé par le roi. D'autre part, il y a Philippe II d'Espagne, le fils de Charles Quint, avec lequel la France est en guerre depuis des années. Lors du traité de Cateau-Cambrésis, Élisabeth de Valois, fille d'Henri II, servira de monnaie d'échange pour la paix en épousant le roi d'Espagne.

Ainsi cette période voit les alliances avec l'Angleterre échouer et la paix avec l'Espagne se dessiner enfin. Les désirs des uns et des autres sont soumis aux nécessités de la politique. Marie Stuart sera exécutée en 1587 par Élisabeth d'Angleterre ; Élisabeth de Valois mourra à vingt-trois ans, empoisonnée, selon la rumeur, par son mari. Les guerres de Religion vont commencer. Le pouvoir royal sera contesté et malmené par les Guises. Un ordre s'écroule donc, entraînant dans sa chute bon nombre de victimes innocentes.

Pourquoi avoir choisi cette année-là ?

Cette période de rupture intéresse beaucoup Mme de Lafayette, qui y voit une situation analogue à celle qu'elle vit en 1678. Le pouvoir royal de Louis XIV, jusque-là triomphant, se trouve confronté à des défaites à l'extérieur. La cour est déchirée par des conflits de partis, et les signes de désordre et de décadence s'accumulent dans le ciel du Roi-Soleil. Savant jeu de miroirs entre les époques, *la Princesse de Clèves* est une nouvelle historique d'un genre très particulier puisque l'histoire n'y est plus un simple décor figé. On peut affirmer qu'il y a une vision historique très précise dans le roman, un discours sur le présent à la lumière du passé.

Lexique des personnages

Les lecteurs du XVIIe siècle connaissent parfaitement tous les lignages des grandes familles de la cour d'Henri II. Un simple courtisan possède sur le bout des doigts toutes les généalogies des grands du siècle précédent (voir les tableaux p. 32 et 34).

Les principaux personnages historiques

Anne Boleyn (Anne de Boulen, dans le texte), v. 1507-1536 : supposée avoir été la maîtresse de François Ier, fille d'honneur de la reine d'Angleterre, elle devint la maîtresse puis l'épouse en 1533 d'Henri VIII, le roi d'Angleterre. Mère de la future reine Élisabeth, elle est supplantée par Jane Seymour et meurt exécutée après avoir été accusée d'adultère.

Carlos (Don), 1545-1563 : infant d'Espagne (c'est-à-dire fils aîné du souverain appelé à régner), fils de Philippe II d'Espagne. D'abord emprisonné, on dit qu'il a ensuite été empoisonné par son père. Il ne régna pas.

Charles IX, 1550-1574 : fils d'Henri II et de Catherine de Médicis, roi de France en 1560, à la mort de son frère François II.

Chartres (le vidame de), 1524-1560 ou 62 : François de Vendôme, prince de Chabanais, fils de Louis de Vendôme et d'Hélène Hangest-Genlis. Marié à Jeanne d'Estissac, mort sans descendance. Fut incarcéré à la Bastille sous François II.

Claude de France (Madame), 1547-1575 : Mme de Lorraine, fille d'Henri II et de Catherine de Médicis. Mariée le 22 janvier 1558 à Charles II de Lorraine, et non le 5 février comme cela est dit dans le roman.

Clèves (prince de), 1544-1564 : Jacques de Clèves, marquis de

L'Isle, fils cadet de François de Clèves, duc de Nevers, et de Marguerite de Bourbon, fille du duc de Vendôme. Duc de Nevers depuis 1562, à la mort de son frère aîné, il meurt sans descendance, à Montigny, près de Lyon, en 1564, et non en 1559, comme dans le roman.

Le Dauphin (Monsieur), 1544-1560 : c'est le roi qui succède à Henri II, le 10 juillet 1559, sous le nom de François II. Fils aîné d'Henri II, marié le 24 avril 1558 à Marie Stuart d'Écosse. Il meurt en 1560.

Marie Stuart (la Dauphine), 1542-1587 : fille de Jacques V d'Écosse et de Marie de Lorraine, sœur du duc de Guise, mariée en 1558 à François, Dauphin de France. À la mort de François, en 1560, elle regagne l'Écosse, où, vaincue par les rebelles écossais, puis emprisonnée par Élisabeth d'Angleterre, elle est décapitée en 1587.

Élisabeth (la reine d'Angleterre), 1533-1603 : Élisabeth Tudor, fille d'Henri VIII et d'Anne Boleyn, reine à la mort de Marie Tudor, sa demi-sœur, en 1558.

Guises (famille des)

• François de Lorraine, 1519-1563 : second duc de Guise, brillant homme de guerre, surnommé, comme plus tard son fils, « le Balafré ». Devint influent lorsque son neveu par alliance François II accéda au trône. Catholique intransigeant, il déclencha la première des guerres de Religion (1559-1598). Il fut assassiné au siège d'Orléans par Poltrot de Méré.

• Charles de Lorraine, 1525-1574 : cardinal de Lorraine en 1547, archevêque de Reims. Il eut un rôle politique très important après la mort d'Henri II et fut l'un des plus acharnés dans la lutte contre les protestants.

• Louis de Lorraine, 1527-1578 : frère du duc de Guise, cardinal de Guise en 1553, archevêque de Sens et évêque d'Albi.

• **François de Lorraine**, 1534-1563 : frère du duc de Guise, chevalier de Malte puis grand prieur de France.

Henri II, 1518-1559 : roi de 1547 à 1559, second fils de François Ier et de Claude de France. Succède à son père car son frère aîné François meurt (1536) avant la mort de leur père.

Henri VIII, 1491-1547 : roi d'Angleterre de 1509 à 1547, il devint célèbre pour deux raisons : il provoqua le schisme religieux en 1534, fondant l'anglicanisme, une religion catholique qui n'obéit pas au pape de Rome. Mais il reste fameux pour avoir incarné une sorte de « Barbe-Bleue », épousant huit femmes, dont quatre d'entre elles furent exécutées.

Élisabeth de France (Madame), 1545-1568 : fille aînée d'Henri II, mariée le 22 juin 1559 à Philippe II d'Espagne, après avoir été destinée à Don Carlos. Aurait été également empoisonnée par le roi d'Espagne, son époux.

Madame : ce titre est aussi employé pour désigner Marguerite, la sœur d'Henri II, mariée le 9 juillet 1559 à Emmanuel-Philibert, duc de Savoie.

Nemours (duc de), 1531-1585 : Jacques de Savoie, fils de Philippe de Savoie et de Charlotte d'Orléans-Longueville, marié en 1566 à Anne d'Este, veuve de François de Lorraine.

Catherine de Médicis, la reine, 1519-1589 : fille de Laurent II de Médicis, elle épouse le duc d'Orléans, futur Henri II en 1533 et joue un rôle politique essentiel à partir de la mort de François Ier en 1547.

Saint-André (maréchal de), 1512-1562 : Jacques d'Albon, marquis de Fronsac, maréchal de France en 1547, favori d'Henri II, mort à la bataille de Dreux, en 1562.

Valentinois (Mme de), 1499-1566 : Diane de Poitiers, fille aînée de Jean de Poitiers, mariée en 1514 à Louis de Brézé, veuve en 1531. Maîtresse probable de François Ier puis de son fils, le futur Henri II, avant 1540. Elle joue un rôle politique de premier plan pendant son règne.

Quelques personnages purement imaginaires

Chartres (famille de) : la mère comme la fille sont des personnages imaginaires, bien que portant un patronyme connu.

Estouteville : nom de famille connu, mais aucun personnage historique ne ressemble à celui du roman.

Tournon (Mme de) : personnage imaginaire, bien que la famille de Tournon soit également connue.

Portrait de Diane de Poitiers
par Francesco Primaticio (1504-1570).
Château d'Anet.

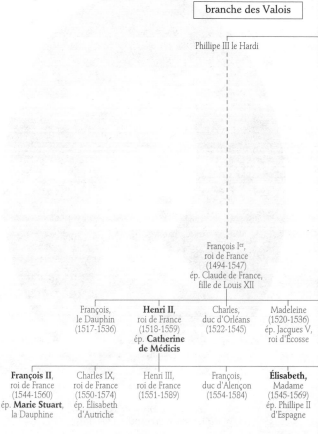

branche des Valois

Phillipe III le Hardi

François Ier,
roi de France
(1494-1547)
ép. Claude de France,
fille de Louis XII

François, le Dauphin (1517-1536)	**Henri II**, roi de France (1518-1559) ép. **Catherine de Médicis**	Charles, duc d'Orléans (1522-1545)	Madeleine (1520-1536) ép. Jacques V, roi d'Écosse

François II, roi de France (1544-1560) ép. **Marie Stuart**, la Dauphine	Charles IX, roi de France (1550-1574) ép. Élisabeth d'Autriche	Henri III, roi de France (1551-1589)	François, duc d'Alençon (1554-1584)	**Élisabeth,** Madame (1545-1569) ép. Phillipe II d'Espagne

(les personnages mentionnés **en gras** sont cités dans *la Princesse de Clèves*.)

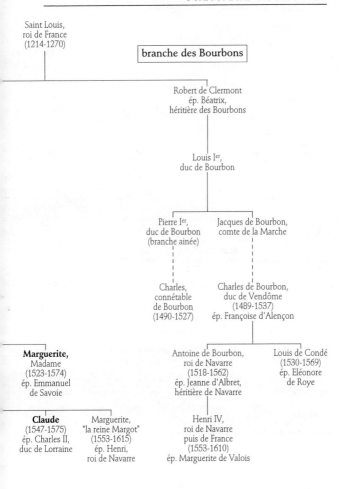

Saint Louis,
roi de France
(1214-1270)

branche des Bourbons

Robert de Clermont
ép. Béatrix,
héritière des Bourbons

Louis Iᵉʳ,
duc de Bourbon

Pierre Iᵉʳ,
duc de Bourbon
(branche ainée)

Jacques de Bourbon,
comte de la Marche

Charles,
connétable
de Bourbon
(1490-1527)

Charles de Bourbon,
duc de Vendôme
(1489-1537)
ép. Françoise d'Alençon

Marguerite,
Madame
(1523-1574)
ép. Emmanuel
de Savoie

Antoine de Bourbon,
roi de Navarre
(1518-1562)
ép. Jeanne d'Albret,
héritière de Navarre

Louis de Condé
(1530-1569)
ép. Eléonore
de Roye

Claude
(1547-1575)
ép. Charles II,
duc de Lorraine

Marguerite,
"la reine Margot"
(1553-1615)
ép. Henri,
roi de Navarre

Henri IV,
roi de Navarre
puis de France
(1553-1610)
ép. Marguerite de Valois

33

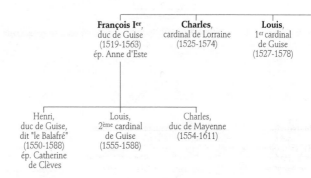

Antoine,
duc de Lorraine
(1489-1544)

François Ier,
duc de Guise
(1519-1563)
ép. Anne d'Este

Charles,
cardinal de Lorraine
(1525-1574)

Louis,
1er cardinal
de Guise
(1527-1578)

Henri,
duc de Guise,
dit "le Balafré"
(1550-1588)
ép. Catherine
de Clèves

Louis,
2ème cardinal
de Guise
(1555-1588)

Charles,
duc de Mayenne
(1554-1611)

(Les personnages mentionnés **en gras** sont cités dans *la Princesse de Clèves*.)

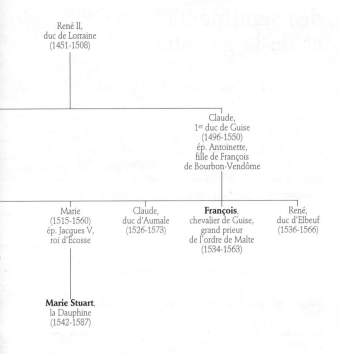

René II,
duc de Lorraine
(1451-1508)

Claude,
1er duc de Guise
(1496-1550)
ép. Antoinette,
fille de François
de Bourbon-Vendôme

Marie
(1515-1560)
ép. Jacques V,
roi d'Écosse

Claude,
duc d'Aumale
(1526-1573)

François,
chevalier de Guise,
grand prieur
de l'ordre de Malte
(1534-1563)

René,
duc d'Elbeuf
(1536-1566)

Marie Stuart,
la Dauphine
(1542-1587)

Petit lexique
des sentiments
et de la galanterie

aimable : qui a toutes les qualités pour être aimé.

amant : qui aime et est aimé, sans qu'il y ait pour autant des rapports sexuels.

attachement : sentiment durable d'amitié, d'affection, d'amour.

cœur, courage : deux termes souvent équivalents, en français classique, pour désigner l'amour ou un désir intérieur.

cruauté, rigueur : indifférence amoureuse.

engagement : liaison amoureuse, secrète ou publique, obligation née de la vie sociale.

feux, flamme : sentiments amoureux, amour.

foi : parole donnée, fidélité (et non foi religieuse).

galant(e) : distingué(e), élégant(e), raffiné(e).

gloire : sentiment que l'on a de sa propre valeur.

inclination : sentiment amoureux irrépressible.

inhumaine : qualifie une femme qui repousse l'amour qu'on lui offre.

inquiétude : agitation violente causée par l'incertitude ou la contrariété.

légèreté : inconstance des sentiments.

maîtresse : femme que l'on aime et qui aime.

passion : amour violent et irrépressible ; mot souvent connoté péjorativement.

repos, tranquillité : absence d'agitation intérieure, paix des sentiments et du cœur.

sensibilité : réceptivité à l'amour dont la femme est l'objet (le terme ne s'emploie que pour les femmes ; l'homme sera, lui, amoureux).

soin : attention portée à celui ou à celle que l'on aime.

tendresse : ferveur et délicatesse du sentiment amoureux.

toucher : émouvoir, toucher par les sentiments.

transports : mouvements passionnels, sentiments violents qui arrachent celui qui aime à lui-même.

trouble : profond bouleversement de l'âme.

vertu : intégrité morale, qui va bien au-delà de la chasteté.

Marie Magd.ne Pioche de Lavergne
Comtesse de la Fayette,
morte a Paris en May 1693

Portrait de Marie-Madeleine Pioche de La Vergne,
comtesse de Lafayette.

MADAME DE LA FAYETTE

La Princesse de Clèves

roman
publié pour la première fois
en 1677

Le libraire au lecteur

Quelque approbation qu'ait eue cette histoire dans les lectures qu'on en a faites, l'auteur n'a pu se résoudre à se déclarer ; il a craint que son nom ne diminuât le succès de son livre. Il sait par expérience que l'on condamne quelquefois les ouvrages sur la médiocre opinion qu'on a de l'auteur et il sait aussi que la réputation de l'auteur donne souvent du prix aux ouvrages. Il demeure donc dans l'obscurité où il est, pour laisser les jugements plus libres et plus équitables, et il se montrera néanmoins si cette histoire est aussi agréable au public que je l'espère.

Tome premier

L<small>A MAGNIFICENCE</small>[1] et la galanterie[2] n'ont jamais paru en France avec tant d'éclat que dans les dernières années du règne de Henri second[3]. Ce prince était galant, bien fait et amoureux ; quoique sa passion pour Diane de Poitiers, duchesse de Valentinois, eût
5 commencé il y avait plus de vingt ans, elle n'en était pas moins violente, et il n'en donnait pas des témoignages moins éclatants.

Comme il réussissait admirablement dans tous les exercices du corps, il en faisait une de ses plus grandes occupations. C'étaient tous les jours des parties de chasse et de paume[4], des
10 ballets, des courses de bagues[5], ou de semblables divertissements ; les couleurs et les chiffres[6] de M<small>me</small> de Valentinois paraissaient partout, et elle paraissait elle-même avec tous les ajustements[7] que pouvait avoir M<small>lle</small> de La Marck, sa petite-fille, qui était alors à marier.
15 La présence de la reine autorisait la sienne. Cette princesse[8] était belle, quoiqu'elle eût passé la première jeunesse ; elle aimait la grandeur, la magnificence et les plaisirs. Le roi l'avait

---

1. *La magnificence* : disposition à dépenser avec largesse pour apparaître à son avantage.
2. *La galanterie* : voir p. 21.
3. *Henri second* : se référer au tableau p. 32.
4. Le jeu de paume consistait à se renvoyer une balle de part et d'autre d'un filet avec la main.
5. *Courses de bagues* : courses équestres où les cavaliers devaient s'emparer au galop d'un anneau.
6. *Les couleurs et les chiffres* : les couleurs distinctives et les signes composés de lettres entrelacées arborées par les cavaliers dans les tournois en l'honneur de leur dame.
7. *Ajustements* : ornements achevant la parure vestimentaire.
8. *Cette princesse* : la reine (sa présence justifie celle de la maîtresse).

épousée lorsqu'il était encore duc d'Orléans, et qu'il avait pour
aîné le Dauphin[1], qui mourut à Tournon, prince que sa naissance
20 et ses grandes qualités destinaient à remplir dignement la place
du roi François premier, son père.

L'humeur ambitieuse de la reine lui faisait trouver une grande
douceur à régner ; il semblait qu'elle souffrît[2] sans peine
l'attachement du roi pour la duchesse de Valentinois, et elle n'en
25 témoignait aucune jalousie, mais elle avait une si profonde
dissimulation qu'il était difficile de juger de ses sentiments, et la
politique l'obligeait d'approcher cette duchesse de sa personne,
afin d'en approcher aussi le roi. Ce prince aimait le commerce[3]
des femmes, même de celles dont il n'était pas amoureux ; il
30 demeurait tous les jours chez la reine à l'heure du cercle[4], où tout
ce qu'il y avait de plus beau et de mieux fait, de l'un et de l'autre
sexe, ne manquait pas de se trouver.

Jamais cour n'a eu tant de belles personnes et d'hommes
admirablement bien faits, et il semblait que la nature eût pris
35 plaisir à placer ce qu'elle donne de plus beau dans les plus
grandes princesses et dans les plus grands princes. Mme Élisabeth
de France, qui fut depuis reine d'Espagne, commençait à faire
paraître un esprit surprenant et cette incomparable beauté qui
lui a été si funeste. Marie Stuart, reine d'Écosse, qui venait
40 d'épouser M. le Dauphin[5], et qu'on appelait la reine Dauphine,
était une personne parfaite pour l'esprit et pour le corps ; elle
avait été élevée à la cour de France, elle en avait pris toute la
politesse[6], et elle était née avec tant de dispositions pour toutes
les belles choses, que, malgré sa grande jeunesse, elle les aimait

---

1. *Le Dauphin* : le fils aîné de François Ier, François II, mort au château de
Tournon le 10 août 1536, qui n'a donc jamais régné.
2. *Souffrît* : supportât (sens classique).
3. *Le commerce* : la fréquentation.
4. *L'heure du cercle* : l'heure de la réunion quotidienne des familiers de la reine.
5. *M. le Dauphin* : le fils aîné d'Henri II.
6. *La politesse* : le raffinement et l'excellence du comportement social.

Portrait d'Henri II (1519-1559).
Peinture de 1555. Musée Crozatier, Le Puy-en-Velay.

45 et s'y connaissait mieux que personne. La reine, sa belle-mère,
et Madame, sœur du roi, aimaient aussi les vers, la comédie[1] et
la musique. Le goût que le roi François premier avait eu pour la
poésie et pour les lettres régnait encore en France, et le roi son
fils aimant les exercices du corps, tous les plaisirs étaient à la
50 cour, mais ce qui rendait cette cour belle et majestueuse était le
nombre infini de princes et de grands seigneurs d'un mérite
extraordinaire. Ceux que je vais nommer étaient, en des
manières différentes, l'ornement et l'admiration de leur siècle.
   Le roi de Navarre[2] attirait le respect de tout le monde par la
55 grandeur de son rang et par celle qui paraissait en sa personne. Il
excellait dans la guerre, et le duc de Guise lui donnait une
émulation qui l'avait porté plusieurs fois à quitter sa place de
général, pour aller combattre auprès de lui comme un simple
soldat, dans les lieux les plus périlleux. Il est vrai aussi que ce duc
60 avait donné des marques d'une valeur si admirable et avait eu de
si heureux succès qu'il n'y avait point de grand capitaine qui ne
dût le regarder avec envie. Sa valeur était soutenue de toutes les
autres grandes qualités, il avait un esprit vaste et profond, une
âme noble et élevée, et une égale capacité pour la guerre et pour
65 les affaires. Le cardinal de Lorraine, son frère, était né avec une
ambition démesurée, avec un esprit vif et une éloquence
admirable, et il avait acquis une science profonde, dont il se
servait pour se rendre considérable en défendant la religion
catholique qui commençait d'être attaquée. Le chevalier de
70 Guise, que l'on appela depuis le grand prieur, était un prince
aimé de tout le monde, bien fait, plein d'esprit, plein d'adresse,
et d'une valeur célèbre par toute l'Europe. Le prince de Condé,
dans un petit corps peu favorisé de la nature, avait une âme
grande et hautaine, et un esprit qui le rendait aimable aux yeux
75 même des plus belles femmes. Le duc de Nevers, dont la vie était

---

1. *La comédie :* le théâtre en général.
2. *Le roi de Navarre :* Antoine de Bourbon, père d'Henri IV (voir p. 32).

glorieuse par la guerre et par les grands emplois qu'il avait eus, quoique dans un âge un peu avancé, faisait les délices de la cour. Il avait trois fils parfaitement bien faits : le second, qu'on appelait le prince de Clèves, était digne de soutenir la gloire de son nom,
80 il était brave et magnifique, et il avait une prudence[1] qui ne se trouve guère avec la jeunesse. Le vidame de Chartres, descendu de cette ancienne maison de Vendôme, dont les princes du sang[2] n'ont point dédaigné de porter le nom, était également distingué dans la guerre et dans la galanterie. Il était beau, de bonne mine,
85 vaillant, hardi, libéral[3] ; toutes ces bonnes qualités étaient vives et éclatantes ; enfin il était seul digne d'être comparé au duc de Nemours, si quelqu'un lui eût pu être comparable. Mais ce prince était un chef-d'œuvre de la nature, ce qu'il avait de moins admirable, c'était d'être l'homme du monde le mieux fait et le
90 plus beau. Ce qui le mettait au-dessus des autres était une valeur incomparable, et un agrément[4] dans son esprit, dans son visage et dans ses actions que l'on n'a jamais vu qu'à lui seul ; il avait un enjouement qui plaisait également aux hommes et aux femmes, une adresse extraordinaire dans tous ses exercices, une manière
95 de s'habiller qui était toujours suivie de tout le monde, sans pouvoir être imitée, et enfin un air dans toute sa personne qui faisait qu'on ne pouvait regarder que lui dans tous les lieux où il paraissait. Il n'y avait aucune dame dans la cour dont la gloire n'eût été flattée de le voir attaché à elle ; peu de celles à qui il
100 s'était attaché se pouvaient vanter de lui avoir résisté, et même plusieurs à qui il n'avait point témoigné de passion, n'avaient pas laissé d'en avoir[5] pour lui. Il avait tant de douceur et tant de disposition à la galanterie qu'il ne pouvait refuser quelques soins

---

1. *La prudence* : la sagesse et la justesse du jugement.
2. *Princes de sang* : princes issus de la famille royale par les hommes.
3. *Libéral* : généreux.
4. *Agrément* : charme, attrait, grâce.
5. *N'avaient pas laissé d'en avoir* : n'avaient pas renoncé à, ne s'étaient pas lassées d'en avoir.

à celles qui tâchaient de lui plaire ; ainsi il avait plusieurs
105 maîtresses, mais il était difficile de deviner celle qu'il aimait
véritablement. Il allait souvent chez la reine dauphine ; la beauté
de cette princesse, sa douceur, le soin qu'elle avait de plaire à
tout le monde et l'estime particulière qu'elle témoignait à ce
prince avaient souvent donné lieu de croire qu'il levait les yeux
110 jusqu'à elle. MM. de Guise, dont elle était nièce, avaient
beaucoup augmenté leur crédit et leur considération par son
mariage ; leur ambition les faisait aspirer à s'égaler aux princes
du sang et à partager le pouvoir du connétable de
Montmorency[1]. Le roi se reposait sur lui de la plus grande partie
115 du gouvernement des affaires et traitait le duc de Guise et le
maréchal de Saint-André comme ses favoris, mais ceux que la
faveur ou les affaires approchaient de sa personne, ne s'y
pouvaient maintenir qu'en se soumettant à la duchesse de
Valentinois, et, quoiqu'elle n'eût plus de jeunesse ni de beauté,
120 elle le gouvernait avec un empire si absolu que l'on peut dire
qu'elle était maîtresse de sa personne et de l'État.

Le roi avait toujours aimé le connétable, et sitôt qu'il avait
commencé à régner, il l'avait rappelé de l'exil où le roi François
premier l'avait envoyé. La cour était partagée entre MM. de
125 Guise et le connétable, qui était soutenu des princes du sang.
L'un et l'autre partis avaient toujours songé à gagner la duchesse
de Valentinois. Le duc d'Aumale, frère du duc de Guise, avait
épousé une de ses filles ; le connétable aspirait à la même
alliance. Il ne se contentait pas d'avoir marié son fils aîné avec
130 Mme Diane, fille du roi et d'une dame de Piémont, qui se fit
religieuse aussitôt qu'elle fut accouchée. Ce mariage avait eu
beaucoup d'obstacles, par les promesses que M. de

---

1. *Connétable de Montmorency* : Anne, duc de Montmorency (1492-1567),
connétable de France (chef suprême des armées), favori de François Ier. Sous
Henri II, il soutint activement la paix du Cateau-Cambrésis puis s'allia aux
Guises, avec qui il poussa à la guerre contre les protestants.

Montmorency[1] avait faites à Mlle de Piennes, une des filles
d'honneur de la reine, et, bien que le roi les eût surmontés avec
135 une patience et une bonté extrêmes, ce connétable ne se trouvait
pas encore assez appuyé, s'il ne s'assurait de Mme de Valentinois,
et s'il ne la séparait de MM. de Guise, dont la grandeur
commençait à donner de l'inquiétude à cette duchesse. Elle avait
retardé, autant qu'elle avait pu, le mariage du Dauphin avec la
140 reine d'Écosse ; la beauté et l'esprit capable et avancé de cette
jeune reine, et l'élévation que ce mariage donnait à MM. de
Guise, lui étaient insupportables. Elle haïssait particulièrement
le cardinal de Lorraine ; il lui avait parlé avec aigreur, et même
avec mépris. Elle voyait qu'il prenait des liaisons[2] avec la reine,
145 de sorte que le connétable la trouva disposée à s'unir avec lui, et
à entrer dans son alliance par le mariage de Mlle de La Marck[3], sa
petite-fille, avec M. d'Anville[4], son second fils, qui succéda
depuis à sa charge sous le règne de Charles IX. Le connétable ne
crut pas trouver d'obstacles dans l'esprit de M. d'Anville pour un
150 mariage, comme il en avait trouvé dans l'esprit de M. de
Montmorency, mais, quoique les raisons lui en fussent cachées,
les difficultés n'en furent guère moindres. M. d'Anville était
éperdument amoureux de la reine dauphine, et, quelque peu
d'espérance qu'il eût dans cette passion, il ne pouvait se résoudre
155 à prendre un engagement qui partagerait ses soins. Le maréchal
de Saint-André était le seul dans la cour qui n'eût point pris de
parti. Il était un des favoris, et sa faveur ne tenait qu'à sa
personne ; le roi l'avait aimé dès le temps qu'il était dauphin, et
depuis, il l'avait fait maréchal de France, dans un âge où l'on n'a

---

1. *M. de Montmorency* : le fils du connétable, François (1530-1579), devint
maréchal de France.
2. *Prenait des liaisons* : faisait alliance.
3. *Mlle de La Marck* : petite-fille de Mme de Valentinois.
4. *D'Anville* : Henri, le deuxième fils du connétable de Montmorency
(1534-1614).

160 pas encore accoutumé de prétendre aux moindres dignités. Sa
faveur lui donnait un éclat qu'il soutenait par son mérite et par
l'agrément de sa personne, par une grande délicatesse pour sa
table et pour ses meubles, et par la plus grande magnificence
qu'on eût jamais vue en un particulier. La libéralité du roi
165 fournissait à cette dépense, ce prince allait jusqu'à la prodigalité
pour ceux qu'il aimait, il n'avait pas toutes les grandes qualités,
mais il en avait plusieurs, et surtout celle d'aimer la guerre et de
l'entendre[1] ; aussi avait-il eu d'heureux succès, et, si on en
excepte la bataille de Saint-Quentin, son règne n'avait été
170 qu'une suite de victoires. Il avait gagné en personne la bataille de
Renty, le Piémont avait été conquis, les Anglais avaient été
chassés de France, et l'empereur Charles Quint avait vu finir sa
bonne fortune devant la ville de Metz, qu'il avait assiégée
inutilement avec toutes les forces de l'Empire et de l'Espagne.
175 Néanmoins, comme le malheur de Saint-Quentin avait diminué
l'espérance de nos conquêtes, et que, depuis, la fortune avait
semblé se partager entre les deux rois, ils se trouvèrent
insensiblement disposés à la paix[2].

La duchesse douairière de Lorraine avait commencé à en faire
180 des propositions dans le temps du mariage de M. le Dauphin ; il
y avait toujours eu depuis quelque négociation secrète. Enfin,
Cercamp, dans le pays d'Artois, fut choisi pour le lieu où l'on
devait s'assembler. Le cardinal de Lorraine, le connétable de
Montmorency et le maréchal de Saint-André s'y trouvèrent
185 pour le roi, le duc d'Albe et le prince d'Orange, pour Philippe II,

---

1. *Entendre :* comprendre. Le sens est resté dans les expressions « s'entendre
à », « s'y entendre à ».
2. Commencées sous François Ier, les guerres contre Charles Quint continuent
sous Henri II. La France et l'Espagne se disputent l'héritage allemand et
hollandais de Charlemagne. C'est une guerre interminable sans vainqueur ni
vaincu, Charles Quint ayant un avantage qu'Henri II réduisit à néant à la bataille
de Metz. Aussi la paix de Quercy, inaugurant les négociations entre les deux
camps, fatigués de la guerre, fut-elle la bienvenue.

et le duc et la duchesse de Lorraine furent les médiateurs. Les principaux articles étaient le mariage de Mme Élisabeth de France avec Don Carlos, infant d'Espagne, et celui de Madame, sœur du roi, avec M. de Savoie.

190   Le roi demeura cependant sur la frontière et il y reçut la nouvelle de la mort de Marie, reine d'Angleterre[1]. Il envoya le comte de Randan à Élisabeth, sur son avènement à la couronne, elle le reçut avec joie. Ses droits étaient si mal établis qu'il lui était avantageux de se voir reconnue par le roi. Ce comte la

195   trouva instruite des intérêts de la cour de France et du mérite de ceux qui la composaient, mais surtout il la trouva si remplie de la réputation du duc de Nemours, elle lui parla tant de fois de ce prince, et avec tant d'empressement que, quand M. de Randan fut revenu, et qu'il rendit compte au roi de son voyage, il lui dit

200   qu'il n'y avait rien que M. de Nemours ne pût prétendre auprès de cette princesse, et qu'il ne doutait point qu'elle ne fût capable de l'épouser. Le roi en parla à ce prince dès le soir même ; il lui fit conter par M. de Randan toutes ses conversations avec Élisabeth et lui conseilla de tenter cette grande fortune[2]. M. de Nemours

205   crut d'abord que le roi ne lui parlait pas sérieusement, mais comme il le vit le contraire :

« Au moins, Sire, lui dit-il, si je m'embarque dans une entreprise chimérique par le conseil et pour le service de Votre Majesté, je la supplie de me garder le secret jusqu'à ce que le

210   succès me justifie envers le public, et de vouloir bien ne me pas faire paraître rempli d'une assez grande vanité pour prétendre qu'une reine, qui ne m'a jamais vu, me veuille épouser par amour. »

---

1. Marie Tudor meurt le 17 novembre 1558. À la reine catholique, qui s'était rapprochée de la France, succède une reine anglicane.
2. *Fortune* : réussite d'une entreprise, en général d'ordre amoureux. On dit un « homme à bonnes fortunes » d'un homme qui fait beaucoup de conquêtes. Parfois aussi le mot désigne « le hasard ».

Le roi lui promit de ne parler qu'au connétable de ce dessein,
215 et il jugea même le secret nécessaire pour le succès. M. de
Randan conseillait à M. de Nemours d'aller en Angleterre sur le
simple prétexte de voyager, mais ce prince ne put s'y résoudre. Il
envoya Lignerolles qui était un jeune homme d'esprit, son
favori, pour voir les sentiments de la reine, et pour tâcher de
220 commencer quelque liaison. En attendant l'événement[1] de ce
voyage, il alla voir le duc de Savoie, qui était alors à Bruxelles
avec le roi d'Espagne. La mort de Marie d'Angleterre apporta de
grands obstacles à la paix ; l'assemblée se rompit à la fin de
novembre, et le roi revint à Paris.

225 Il parut alors une beauté à la cour, qui attira les yeux de tout le
monde, et l'on doit croire que c'était une beauté parfaite,
puisqu'elle donna de l'admiration[2] dans un lieu où l'on était si
accoutumé à voir de belles personnes. Elle était de la même
maison que le vidame de Chartres et une des plus grandes
230 héritières de France. Son père était mort jeune, et l'avait laissée
sous la conduite de Mme de Chartres, sa femme, dont le bien, la
vertu et le mérite étaient extraordinaires. Après avoir perdu son
mari, elle avait passé plusieurs années sans revenir à la cour.
Pendant cette absence, elle avait donné ses soins à l'éducation de
235 sa fille, mais elle ne travailla pas seulement à cultiver son esprit et
sa beauté, elle songea aussi à lui donner de la vertu et à la lui
rendre aimable. La plupart des mères s'imaginent qu'il suffit de
ne parler jamais de galanterie devant les jeunes personnes pour
les en éloigner. Mme de Chartres avait une opinion opposée, elle
240 faisait souvent à sa fille des peintures de l'amour, elle lui
montrait ce qu'il a d'agréable pour la persuader plus aisément
sur ce qu'elle lui en apprenait de dangereux, elle lui contait le peu
de sincérité des hommes, leurs tromperies et leur infidélité, les

---

1. *Événement* : issue.
2. *Donna de l'admiration* : se fit admirer. Le mot admiration a un sens très fort
au XVIIe siècle.

malheurs domestiques où plongent les engagements, et elle lui
245 faisait voir, d'un autre côté, quelle tranquillité suivait la vie d'une
honnête femme, et combien la vertu donnait d'éclat et
d'élévation à une personne qui avait de la beauté et de la
naissance, mais elle lui faisait voir aussi combien il était difficile
de conserver cette vertu, que par une extrême défiance de
250 soi-même et par un grand soin de s'attacher à ce qui seul peut
faire le bonheur d'une femme, qui est d'aimer son mari et d'en
être aimée.

Cette héritière était alors un des grands partis qu'il y eût en
France, et quoiqu'elle fût dans une extrême jeunesse, l'on avait
255 déjà proposé plusieurs mariages. Mme de Chartres, qui était
extrêmement glorieuse[1], ne trouvait presque rien digne de sa
fille. La voyant dans sa seizième année, elle voulut la mener à la
cour. Lorsqu'elle arriva, le vidame alla au-devant d'elle ; il fut
surpris de la grande beauté de Mlle de Chartres, et il en fut surpris
260 avec raison. La blancheur de son teint et ses cheveux blonds lui
donnaient un éclat que l'on n'a jamais vu qu'à elle ; tous ses
traits étaient réguliers, et son visage et sa personne étaient pleins
de grâce et de charmes.

Le lendemain qu'elle fut arrivée, elle alla pour assortir des
265 pierreries chez un Italien qui en trafiquait[2] par tout le monde.
Cet homme était venu de Florence avec la reine, et s'était
tellement enrichi dans son trafic que sa maison paraissait plutôt
celle d'un grand seigneur que d'un marchand. Comme elle y
était, le prince de Clèves y arriva. Il fut tellement surpris de sa
270 beauté qu'il ne put cacher sa surprise, et Mlle de Chartres ne put
s'empêcher de rougir en voyant l'étonnement[3] qu'elle lui avait
donné. Elle se remit néanmoins, sans témoigner d'autre
attention aux actions de ce prince que celle que la civilité lui

---

1. *Glorieuse :* fière.
2. *Trafiquait :* faisait commerce.
3. *Étonnement :* violente émotion, surprise très forte.

Mademoiselle de Chartres (Marina Vlady),
dans l'adaptation cinématographique de Jean Delannoy,
la Princesse de Clèves, 1961.

devait donner pour un homme tel qu'il paraissait. M. de Clèves
275 la regardait avec admiration, et il ne pouvait comprendre qui
était cette belle personne qu'il ne connaissait point. Il voyait bien
par son air, et par tout ce qui était à sa suite, qu'elle devait être
d'une grande qualité[1]. Sa jeunesse lui faisait croire que c'était
une fille[2], mais, ne lui voyant point de mère, et l'Italien qui ne la
280 connaissait point l'appelant madame, il ne savait que penser, et il
la regardait toujours avec étonnement. Il s'aperçut que ses
regards l'embarrassaient, contre l'ordinaire des jeunes personnes
qui voient toujours avec plaisir l'effet de leur beauté ; il lui parut
même qu'il était cause qu'elle avait de l'impatience de s'en aller,
285 et en effet elle sortit assez promptement. M. de Clèves se
consola de la perdre de vue dans l'espérance de savoir qui elle
était, mais il fut bien surpris quand il sut qu'on ne la connaissait
point. Il demeura si touché de sa beauté et de l'air modeste qu'il
avait remarqué dans ses actions, qu'on peut dire qu'il conçut
290 pour elle dès ce moment une passion et une estime
extraordinaires. Il alla le soir chez Madame, sœur du roi.

Cette princesse était dans une grande considération par le
crédit qu'elle avait sur le roi, son frère, et ce crédit était si grand
que le roi, en faisant la paix, consentait à rendre le Piémont pour
295 lui faire épouser le duc de Savoie. Quoiqu'elle eût désiré tout sa
vie de se marier, elle n'avait jamais voulu épouser qu'un
souverain, et elle avait refusé pour cette raison le roi de Navarre
lorsqu'il était duc de Vendôme, et avait toujours souhaité M. de
Savoie ; elle avait conservé de l'inclination pour lui depuis
300 qu'elle l'avait vu à Nice à l'entrevue du roi François premier et du
pape Paul troisième[3]. Comme elle avait beaucoup d'esprit et un
grand discernement pour les belles choses, elle attirait tous les

---

1. *Qualité* : noblesse de la naissance et toutes les vertus qui y sont attachées.
2. *Fille* : demoiselle noble de la suite d'une grande dame. Souvent aussi une jeune fille, par opposition à une femme mariée.
3. François Ier a rencontré le pape Paul III à Nice en juin 1538.

honnêtes gens, et il y avait de certaines heures où toute la cour était chez elle.

305 M. de Clèves y vint comme à l'ordinaire, il était si rempli de l'esprit et de la beauté de Mlle de Chartres qu'il ne pouvait parler d'autre chose. Il conta tout haut son aventure, et ne pouvait se lasser de donner des louanges à cette personne qu'il avait vue, qu'il ne connaissait point. Madame lui dit qu'il n'y avait point de 310 personne comme celle qu'il dépeignait et que, s'il y en avait quelqu'une, elle serait connue de tout le monde. Mme de Dampierre, qui était sa dame d'honneur et amie de Mme de Chartres, entendant cette conversation, s'approcha de cette princesse et lui dit tout bas que c'était sans doute Mlle de 315 Chartres que M. de Clèves avait vue. Madame se retourna vers lui et lui dit que, s'il voulait revenir chez elle le lendemain, elle lui ferait voir cette beauté dont il était si touché. Mlle de Chartres parut en effet le jour suivant ; elle fut reçue des reines avec tous les agréments qu'on peut s'imaginer, et avec une telle admiration 320 de tout le monde, qu'elle n'entendait autour d'elle que des louanges. Elle les recevait avec une modestie si noble qu'il ne semblait pas qu'elle les entendît ou, du moins, qu'elle en fût touchée. Elle alla ensuite chez Madame, sœur du roi. Cette princesse, après avoir loué sa beauté, lui conta l'étonnement 325 qu'elle avait donné à M. de Clèves. Ce prince entra un moment après :

« Venez, lui dit-elle, voyez si je ne vous tiens pas ma parole et si, en vous montrant Mlle de Chartres, je ne vous fais pas voir cette beauté que vous cherchiez, remerciez-moi au moins de lui 330 avoir appris l'admiration que vous aviez déjà pour elle. »

M. de Clèves sentit de la joie de voir que cette personne, qu'il avait trouvée si aimable, était d'une qualité proportionnée à sa beauté ; il s'approcha d'elle et il la supplia de se souvenir qu'il avait été le premier à l'admirer et que, sans la connaître, il avait 335 eu pour elle tous les sentiments de respect et d'estime qui lui étaient dus.

Le chevalier de Guise et lui, qui étaient amis, sortirent

ensemble de chez Madame. Ils louèrent d'abord Mlle de Chartres
sans se contraindre. Ils trouvèrent enfin qu'ils la louaient trop, et
340 ils cessèrent l'un et l'autre de dire ce qu'ils en pensaient, mais ils
furent contraints d'en parler les jours suivants partout où ils se
rencontrèrent. Cette nouvelle beauté fut longtemps le sujet de
toutes les conversations. La reine lui donna de grandes louanges
et eut pour elle une considération extraordinaire ; la reine
345 dauphine en fit une de ses favorites et pria Mme de Chartres de la
mener souvent chez elle. Mesdames, filles du roi, l'envoyaient
chercher pour être de tous leurs divertissements. Enfin, elle était
aimée et admirée de toute la cour, excepté de Mme de Valentinois.
Ce n'est pas que cette beauté lui donnât de l'ombrage ; une trop
350 grande expérience lui avait appris qu'elle n'avait rien à craindre
auprès du roi, mais elle avait tant de haine pour le vidame de
Chartres qu'elle avait souhaité d'¹attacher à elle par le mariage
d'une de ses filles, et qui s'était attaché à la reine, qu'elle ne
pouvait regarder favorablement une personne qui portait son
355 nom et pour qui il faisait paraître une grande amitié.

Le prince de Clèves devint passionnément amoureux de
Mlle de Chartres et souhaitait ardemment l'épouser, mais il
craignait que l'orgueil de Mme de Chartres ne fût blessé de donner
sa fille à un homme qui n'était pas l'aîné de sa maison.
360 Cependant cette maison était si grande, et le comte d'Eu, qui en
était l'aîné, venait d'épouser une personne si proche de la
maison royale que c'était plutôt la timidité que donne l'amour
que de véritables raisons qui causaient les craintes de M. de
Clèves. Il avait un grand nombre de rivaux : le chevalier de Guise
365 lui paraissait le plus redoutable par sa naissance, par son mérite
et par l'éclat que la faveur donnait à sa maison. Ce prince était
devenu amoureux de Mlle de Chartres le premier jour qu'il l'avait
vue, il s'était aperçu de la passion de M. de Clèves, comme M. de

---

1. « Souhaiter de » : ce verbe est de construction indirecte dans la langue
classique, directe aujourd'hui.

Clèves s'était aperçu de la sienne. Quoiqu'ils fussent amis,
370 l'éloignement que donnent les mêmes prétentions ne leur avait
pas permis de s'expliquer ensemble, et leur amitié s'était
refroidie sans qu'ils eussent eu la force de s'éclaircir. L'aventure
qui était arrivée à M. de Clèves, d'avoir vu le premier Mlle de
Chartres, lui paraissait un heureux présage et semblait lui
375 donner quelque avantage sur ses rivaux, mais il prévoyait de
grands obstacles par le duc de Nevers, son père. Ce duc avait
d'étroites liaisons avec la duchesse de Valentinois, elle était
ennemie du vidame, et cette raison était suffisante pour
empêcher le duc de Nevers de consentir que son fils pensât à sa
380 nièce.

Mme de Chartres, qui avait eu tant d'application pour inspirer
la vertu à sa fille, ne discontinua pas de prendre les mêmes soins
dans un lieu où ils étaient si nécessaires et où il y avait tant
d'exemples si dangereux. L'ambition et la galanterie étaient
385 l'âme de cette cour, et occupaient également les hommes et les
femmes. Il y avait tant d'intérêts et tant de cabales[1] différentes,
et les dames y avaient tant de part que l'amour était toujours
mêlé aux affaires et les affaires à l'amour. Personne n'était
tranquille, ni indifférent, on songeait à s'élever, à plaire, à servir
390 ou à nuire, on ne connaissait ni l'ennui, ni l'oisiveté, et on était
toujours occupé des plaisirs ou des intrigues. Les dames avaient
des attachements particuliers pour la reine, pour la reine
dauphine, pour la reine de Navarre[2], pour Madame, sœur du roi,
ou pour la duchesse de Valentinois. Les inclinations, les raisons
395 de bienséance ou le rapport d'humeur faisaient ces différents

---

1. *Cabales :* manœuvres secrètes, parfois aussi groupes d'individus qui
trament ces manigances.
2. *La reine de Navarre :* Jeanne d'Albret, fille du roi de Navarre, Henri d'Albret,
épouse Antoine de Bourbon en 1548 et donne naissance au futur Henri IV. Elle a
toujours, dit-on, dicté la politique à son mari (voir l'euphémisme lignes 400-401).

attachements. Celles qui avaient passé la première jeunesse et qui faisaient profession d'une vertu plus austère, étaient attachées à la reine. Celles qui étaient plus jeunes et qui cherchaient la joie et la galanterie, faisaient leur cour à la reine
400 dauphine. La reine de Navarre avait ses favorites ; elle était jeune et elle avait du pouvoir sur le roi son mari : il était joint au connétable, et avait par là beaucoup de crédit. Madame, sœur du roi, conservait encore de la beauté et attirait plusieurs dames auprès d'elle. La duchesse de Valentinois avait toutes celles
405 qu'elle daignait regarder, mais peu de femmes lui étaient agréables ; et excepté quelques-unes, qui avaient sa familiarité et sa confiance, et dont l'humeur avait du rapport avec la sienne, elle n'en recevait chez elle que les jours où elle prenait plaisir à avoir une cour comme celle de la reine.
410 Toutes ces différentes cabales avaient de l'émulation et de l'envie les unes contre les autres ; les dames qui les composaient avaient aussi de la jalousie entre elles, ou pour la faveur, ou pour les amants ; les intérêts de grandeur et d'élévation se trouvaient souvent joints à ces autres intérêts moins importants, mais qui
415 n'étaient pas moins sensibles. Ainsi il y avait une sorte d'agitation sans désordre dans cette cour, qui la rendait très agréable, mais aussi très dangereuse pour une jeune personne. Mme de Chartres voyait ce péril et ne songeait qu'aux moyens d'en garantir sa fille. Elle la pria, non pas comme sa mère, mais
420 comme son amie, de lui faire confidence de toutes les galanteries qu'on lui dirait, et elle lui promit de lui aider à se conduire dans des choses où l'on était souvent embarrassée quand on était jeune.
Le chevalier de Guise fit tellement paraître les sentiments et
425 les desseins qu'il avait pour Mlle de Chartres qu'ils ne furent ignorés de personne. Il ne voyait néanmoins que de l'impossibilité dans ce qu'il désirait, il savait bien qu'il n'était point un parti qui convînt à Mlle de Chartres, par le peu de biens qu'il avait pour soutenir son rang, et il savait bien aussi que ses
430 frères n'approuveraient pas qu'il se mariât, par la crainte de

l'abaissement que les mariages des cadets apportent d'ordinaire dans les grandes maisons[1]. Le cardinal de Lorraine lui fit bientôt voir qu'il ne se trompait pas, il condamna l'attachement qu'il témoignait pour Mlle de Chartres avec une chaleur
435 extraordinaire, mais il ne lui en dit pas les véritables raisons. Ce cardinal avait une haine pour le vidame, qui était secrète alors, et qui éclata depuis. Il eût plutôt consenti à voir son frère entrer dans toute autre alliance que dans celle de ce vidame, et il déclara si publiquement combien il en était éloigné que
440 Mme de Chartres en fut sensiblement offensée. Elle prit de grands soins de faire voir que le cardinal de Lorraine n'avait rien à craindre, et qu'elle ne songeait pas à ce mariage. Le vidame prit la même conduite et sentit[2], encore plus que Mme de Chartres, celle du cardinal de Lorraine, parce qu'il en savait mieux la cause.

445 Le prince de Clèves n'avait pas donné des marques moins publiques de sa passion qu'avait fait le chevalier de Guise. Le duc de Nevers apprit cet attachement avec chagrin ; il crut néanmoins qu'il n'avait qu'à parler à son fils pour le faire changer de conduite, mais il fut bien surpris de trouver en lui le dessein
450 formé d'épouser Mlle de Chartres. Il blâma ce dessein, il s'emporta, et cacha si peu son emportement que le sujet s'en répandit bientôt à la cour et alla jusqu'à Mme de Chartres. Elle n'avait pas mis en doute que M. de Nevers ne regardât le mariage de sa fille comme un avantage pour son fils ; elle fut bien
455 étonnée que la maison de Clèves et celle de Guise craignissent son alliance, au lieu de la souhaiter. Le dépit qu'elle eut lui fit penser à trouver un parti pour sa fille, qui la mît au-dessus de ceux qui se croyaient au-dessus d'elle. Après avoir tout examiné,

---

1. Les cadets sont sans fortune ni titre. Dans les grandes familles, ils ne pouvaient prétendre à un bon parti. S'ils se mariaient, ils multipliaient la division du patrimoine. L'entrée en religion ou le bannissement du domaine les privaient généralement de tous leurs droits.
2. *Sentit* : ressentit, éprouva.

elle s'arrêta au prince dauphin, fils du duc de Montpensier. Il
460 était lors à marier, et c'était ce qu'il y avait de plus grand à la
cour. Comme Mme de Chartres avait beaucoup d'esprit, qu'elle
était aidée du vidame qui était dans une grande considération, et
qu'en effet sa fille était un parti considérable, elle agit avec tant
d'adresse et tant de succès, que M. de Montpensier parut
465 souhaiter ce mariage, et il semblait qu'il ne s'y pouvait trouver
de difficultés.

Le vidame, qui savait l'attachement de M. d'Anville pour la
reine dauphine, crut néanmoins qu'il fallait employer le pouvoir
que cette princesse avait sur lui, pour l'engager à servir Mlle de
470 Chartres auprès du roi et auprès du prince de Montpensier, dont
il était ami intime. Il en parla à cette reine, et elle entra avec joie
dans une affaire où il s'agissait de l'élévation d'une personne
qu'elle aimait beaucoup, elle le témoigna au vidame, et l'assura
que, quoiqu'elle sût bien qu'elle ferait une chose désagréable au
475 cardinal de Lorraine, son oncle, elle passerait avec joie
par-dessus cette considération parce qu'elle avait sujet de se
plaindre de lui et qu'il prenait tous les jours les intérêts de la
reine contre les siens propres.

Les personnes galantes sont toujours bien aises qu'un prétexte
480 leur donne lieu de parler à ceux qui les aiment. Sitôt que le
vidame eut quitté Mme la Dauphine, elle ordonna à Chastelart
qui était favori de M. d'Anville, et qui savait la passion qu'il
avait pour elle, de lui aller dire de sa part de se trouver le soir
chez la reine. Chastelart reçut cette commission avec beaucoup
485 de joie et de respect. Ce gentilhomme était d'une bonne
maison de Dauphiné, mais son mérite et son esprit le mettaient
au-dessus de sa naissance. Il était reçu et bien traité de tout ce
qu'il y avait de grands seigneurs à la cour, et la faveur de
la maison de Montmorency l'avait particulièrement attaché à
490 M. d'Anville. Il était bien fait de sa personne, adroit à toutes
sortes d'exercices ; il chantait agréablement, il faisait des vers,
et avait un esprit galant et passionné qui plut si fort à
M. d'Anville, qu'il le fit confident de l'amour qu'il avait pour

la reine dauphine. Cette confidence l'approchait de cette prin-
495 cesse, et ce fut en la voyant souvent qu'il prit le commencement
de cette malheureuse passion qui lui ôta la raison et qui lui coûta
enfin la vie[1].

M. d'Anville ne manqua pas d'être le soir chez la reine, il se
trouva heureux que Mme la Dauphine l'eût choisi pour travailler à
500 une chose qu'elle désirait, et il lui promit d'obéir exactement à
ses ordres, mais Mme de Valentinois, ayant été avertie du dessein
de ce mariage, l'avait traversé[2] avec tant de soin, et avait
tellement prévenu le roi que, lorsque M. d'Anville lui en parla, il
lui fit paraître qu'il ne l'approuvait pas et lui ordonna même de le
505 dire au prince de Montpensier. L'on peut juger ce que sentit
Mme de Chartres, par la rupture d'une chose qu'elle avait tant
désirée, dont le mauvais succès donnait un si grand avantage à
ses ennemis et faisait un si grand tort à sa fille.

La reine dauphine témoigna à Mlle de Chartres, avec beaucoup
510 d'amitié, le déplaisir qu'elle avait de lui avoir été inutile :

« Vous voyez, lui dit-elle, que j'ai un médiocre pouvoir ; je suis
si haïe de la reine et de la duchesse de Valentinois, qu'il est
difficile que, par elles ou par ceux qui sont dans leur dépendance,
elles ne traversent toujours toutes les choses que je désire.
515 Cependant, ajouta-t-elle, je n'ai jamais pensé qu'à leur plaire ;
aussi elles ne me haïssent qu'à cause de la reine ma mère[3], qui
leur a donné autrefois de l'inquiétude et de la jalousie. Le roi en
avait été amoureux avant qu'il le fût de Mme de Valentinois, et
dans les premières années de son mariage, qu'il n'avait point
520 encore d'enfants, quoiqu'il aimât cette duchesse, il parut quasi
résolu de se démarier pour épouser la reine ma mère. Mme de

---

1. L'amour de Chastelart pour Marie Stuart le conduisit à des extravagances.
Elle le fit décapiter en 1561.
2. *L'avait traversé* : s'y était opposé.
3. *La reine ma mère* : Marie de Lorraine, sœur du duc de Guise, mariée en
1558 à Jacques V Stuart, roi d'Écosse, et morte en 1560.

Valentinois qui craignait une femme qu'il avait déjà aimée, et
dont la beauté et l'esprit pouvaient diminuer sa valeur, s'unit au
connétable, qui ne souhaitait pas aussi que le roi épousât une
525 sœur de MM. de Guise. Ils mirent le feu roi dans leurs
sentiments, et quoiqu'il haït mortellement la duchesse de
Valentinois, comme il aimait la reine, il travailla avec eux pour
empêcher le roi de se démarier, mais, pour lui ôter absolument la
pensée d'épouser la reine ma mère, ils firent son mariage avec le
530 roi d'Écosse, qui était veuf de Mme Madeleine, sœur du roi[1], et ils
le firent parce qu'il était le plus prêt à conclure, et manquèrent
aux engagements qu'on avait avec le roi d'Angleterre, qui la
souhaitait ardemment. Il s'en fallait peu même que ce
manquement ne fît une rupture entre les deux rois. Henri VIII ne
535 pouvait se consoler de n'avoir pas épousé la reine ma mère, et,
quelque autre princesse française qu'on lui proposât, il disait
toujours qu'elle ne remplacerait jamais celle qu'on lui avait ôtée.
Il est vrai aussi que la reine, ma mère, était une parfaite beauté,
et que c'est une chose remarquable que, veuve d'un duc de
540 Longueville, trois rois aient souhaité de l'épouser ; son malheur
l'a donnée au moindre et l'a mise dans un royaume où elle ne
trouve que des peines. On dit que je lui ressemble ; je crains de
lui ressembler aussi par sa malheureuse destinée[2], et, quelque
bonheur qui semble se préparer pour moi, je ne saurais croire
545 que j'en jouisse. »

Mlle de Chartres dit à la reine que ces tristes pressentiments
étaient si mal fondés qu'elle ne les conserverait pas longtemps,
et qu'elle ne devait point douter que son bonheur ne répondît
aux apparences.

550 Personne n'osait plus penser à Mlle de Chartres par la crainte de
déplaire au roi ou par la pensée de ne pas réussir auprès d'une

---

1. *Sœur du roi :* la sœur d'Henri II.
2. *Malheureuse destinée :* Marie Stuart sera faite prisonnière par les Anglais en
1568 et décapitée le 8 février 1587.

personne qui avait espéré un prince du sang. M. de Clèves ne fut
retenu par aucune de ces considérations. La mort du duc de
Nevers, son père, qui arriva alors[1], le mit dans une entière liberté
555 de suivre son inclination, et, sitôt que le temps de la bienséance
du deuil fut passé, il ne songea plus qu'aux moyens d'épouser
Mlle de Chartres. Il se trouvait heureux d'en faire la proposition
dans un temps où ce qui s'était passé avait éloigné les autres
partis et où il était quasi assuré qu'on ne la lui refuserait pas. Ce
560 qui troublait sa joie était la crainte de ne lui être pas agréable, et il
eût préféré le bonheur de lui plaire à la certitude de l'épouser
sans en être aimé.

Le chevalier de Guise lui avait donné quelque sorte de
jalousie, mais comme elle était plutôt fondée sur le mérite de ce
565 prince que sur aucune des actions de Mlle de Chartres, il songea
seulement à tâcher de découvrir s'il était assez heureux pour
qu'elle approuvât la pensée qu'il avait pour elle. Il ne la voyait
que chez les reines ou aux assemblées. Il était difficile d'avoir
une conversation particulière ; il en trouva pourtant les moyens
570 et il lui parla de son dessein et de sa passion avec tout le respect
imaginable ; il la pressa de lui faire connaître quels étaient les
sentiments qu'elle avait pour lui, et il lui dit que ceux qu'il avait
pour elle étaient d'une nature qui le rendrait éternellement
malheureux si elle n'obéissait que par devoir aux volontés de
575 madame sa mère.

Comme Mlle de Chartres avait le cœur très noble et très bien
fait, elle fut véritablement touchée de reconnaissance du
procédé du prince de Clèves. Cette reconnaissance donna à ses
réponses et à ses paroles un certain air de douceur qui suffisait
580 pour donner de l'espérance à un homme aussi éperdument
amoureux que l'était ce prince, de sorte qu'il se flatta d'une
partie de ce qu'il souhaitait.

---

1. Il est en fait mort en février 1562.

Elle rendit compte à sa mère de cette conversation, et Mme de
Chartres lui dit qu'il y avait tant de grandeur et de bonnes
585 qualités dans M. de Clèves et qu'il faisait paraître tant de sagesse
pour son âge, que, si elle sentait son inclination portée à
l'épouser, elle y consentirait avec joie. Mlle de Chartres
répondit qu'elle lui remarquait les mêmes bonnes qualités,
qu'elle l'épouserait, même avec moins de répugnance qu'un
590 autre, mais qu'elle n'avait aucune inclination particulière pour sa
personne.

Dès le lendemain, ce prince fit parler à Mme de Chartres ; elle
reçut la proposition qu'on lui faisait et elle ne craignit point de
donner à sa fille un mari qu'elle ne pût aimer en lui donnant le
595 prince de Clèves. Les articles furent conclus, on parla au roi, et ce
mariage fut su de tout le monde.

M. de Clèves se trouvait heureux sans être néanmoins
entièrement content[1]. Il voyait avec beaucoup de peine que les
sentiments de Mlle de Chartres ne passaient pas ceux de l'estime
600 et de la reconnaissance, et il ne pouvait se flatter qu'elle en
cachât de plus obligeants, puisque l'état où ils étaient lui
permettait de les faire paraître sans choquer son extrême
modestie. Il ne se passait guère de jour qu'il ne lui en fît ses
plaintes :
605 « Est-il possible, lui disait-il, que je puisse n'être pas heureux
en vous épousant ? Cependant il est vrai que je ne le suis pas.
Vous n'avez pour moi qu'une sorte de bonté qui ne me peut
satisfaire, vous n'avez ni impatience, ni inquiétude, ni chagrin[2],
vous n'êtes pas plus touchée de ma passion que vous le seriez
610 d'un attachement qui ne serait fondé que sur les avantages de
votre fortune et non pas sur les charmes de votre personne.

---

1. *Heureux ... content* : satisfait mais pas comblé.
2. *Chagrin* : mélancolie, contrariété ; un signe de passion.

— Il y a de l'injustice à vous plaindre, lui répondit-elle, je ne sais ce que vous pouvez souhaiter au-delà de ce que je fais, et il me semble que la bienséance ne permet pas que j'en fasse
615 davantage.

— Il est vrai, lui répliqua-t-il, que vous me donnez de certaines apparences dont je serais content s'il y avait quelque chose au-delà, mais, au lieu que la bienséance vous retienne, c'est elle seule qui vous fait faire ce que vous faites. Je ne touche
620 ni votre inclination, ni votre cœur, et ma présence ne vous donne ni de plaisir, ni de trouble.

— Vous ne sauriez douter, reprit-elle, que je n'aie de la joie de vous voir, et je rougis si souvent en vous voyant que vous ne sauriez douter aussi que votre vue ne me donne du trouble.

625 — Je ne me trompe pas à votre rougeur, répondit-il, c'est un sentiment de modestie, et non pas un mouvement de votre cœur, et je n'en tire que l'avantage que j'en dois tirer.

Mlle de Chartres ne savait que répondre, et ces distinctions étaient au-dessus de ses connaissances. M. de Clèves ne voyait
630 que trop combien elle était éloignée d'avoir pour lui des sentiments qui le pouvaient satisfaire, puisqu'il lui paraissait même qu'elle ne les entendait pas.

Le chevalier de Guise revint d'un voyage peu de jours avant les noces. Il avait vu tant d'obstacles insurmontables au dessein
635 qu'il avait eu d'épouser Mlle de Chartres, qu'il n'avait pu se flatter d'y réussir, et néanmoins il fut sensiblement affligé de la voir devenir la femme d'un autre. Cette douleur n'éteignit pas sa passion et il ne demeura pas moins amoureux. Mlle de Chartres n'avait pas ignoré les sentiments que ce prince avait eus pour
640 elle. Il lui fit connaître à son retour qu'elle était cause de l'extrême tristesse qui paraissait sur son visage, et il avait tant de mérite et tant d'agréments qu'il était difficile de le rendre malheureux sans en avoir quelque pitié. Aussi ne se pouvait-elle défendre d'en avoir, mais cette pitié ne la conduisait pas à
645 d'autres sentiments ; elle contait à sa mère la peine que lui donnait l'affection de ce prince.

Mme de Chartres admirait la sincérité de sa fille, et elle
l'admirait avec raison, car jamais personne n'en a eu une si
grande et si naturelle, mais elle n'admirait pas moins que son
650 cœur ne fût point touché, et d'autant plus qu'elle voyait bien que
le prince de Clèves ne l'avait touchée, non plus que les autres.
Cela fut cause qu'elle prit de grands soins de l'attacher à son
mari et de lui faire comprendre ce qu'elle devait à l'inclination
qu'il avait eue pour elle avant que de la connaître et à la passion
655 qu'il lui avait témoignée en la préférant à tous les autres partis,
dans un temps où personne n'osait plus penser à elle.

Ce mariage s'acheva, la cérémonie s'en fit au Louvre, et le soir,
le roi et les reines vinrent souper chez Mme de Chartres avec
toute la cour, où ils furent reçus avec une magnificence
660 admirable. Le chevalier de Guise n'osa se distinguer des autres et
ne pas assister à cette cérémonie, mais il y fut si peu maître de sa
tristesse qu'il était aise de la remarquer.

M. de Clèves ne trouva pas que Mlle de Chartres eût changé de
sentiment en changeant de nom. La qualité de mari lui donna de
665 plus grands privilèges, mais elle ne lui donna pas une autre place
dans le cœur de sa femme. Cela fit aussi que, pour être son mari,
il ne laissa pas d'être son amant, parce qu'il avait toujours
quelque chose à souhaiter au-delà de sa possession, et,
quoiqu'elle vécût parfaitement bien avec lui, il n'était pas
670 entièrement heureux. Il conservait pour elle une passion violente
et inquiète qui troublait sa joie ; la jalousie n'avait point de part à
ce trouble : jamais mari n'a été si loin d'en prendre et jamais
femme n'a été si loin d'en donner. Elle était néanmoins exposée
au milieu de la cour ; elle allait tous les jours chez les reines et
675 chez Madame. Tout ce qu'il y avait d'hommes jeunes et galants
la voyait chez elle et chez le duc de Nevers, son beau-frère, dont
la maison était ouverte à tout le monde, mais elle avait un air qui
inspirait un si grand respect et qui paraissait si éloigné de la
galanterie, que le maréchal de Saint-André, quoique audacieux
680 et soutenu de la faveur du roi, était touché de sa beauté, sans
oser le lui faire paraître que par des soins et des devoirs. Plusieurs

autres étaient dans le même état, et Mme de Chartres joignait à
la sagesse de sa fille une conduite si exacte pour toutes les
bienséances, qu'elle achevait de la faire paraître une personne où
685 l'on ne pouvait atteindre[1].

La duchesse de Lorraine, en travaillant à la paix, avait aussi
travaillé pour le mariage du duc de Lorraine, son fils. Il avait été
conclu avec Mme Claude de France, seconde fille du roi. Les noces
en furent résolues pour le mois de février.
690 Cependant le duc de Nemours était demeuré à Bruxelles,
entièrement rempli et occupé de ses desseins pour l'Angleterre.
Il en recevait ou y envoyait continuellement des courriers ; ses
espérances augmentaient tous les jours, et enfin Lignerolles lui
manda[2] qu'il était temps que sa présence vînt achever ce qui
695 était si bien commencé. Il reçut cette nouvelle avec toute la joie
que peut avoir un jeune homme ambitieux qui se voit porté au
trône par sa seule réputation. Son esprit s'était insensiblement
accoutumé à la grandeur de cette fortune et, au lieu qu'il l'avait
rejetée d'abord comme une chose où il ne pouvait parvenir, les
700 difficultés s'étaient effacées de son imagination et il ne voyait
plus d'obstacles.

Il envoya en diligence[3] à Paris donner tous les ordres
nécessaires pour faire un équipage magnifique, afin de paraître
en Angleterre avec un éclat proportionné au dessein qui l'y
705 conduisait, et il se hâta lui-même de venir à la cour pour assister
au mariage de M. de Lorraine.

Il arriva la veille des fiançailles, et, dès le même soir qu'il fut
arrivé, il alla rendre compte au roi de l'état de son dessein et
recevoir ses ordres et ses conseils pour ce qu'il lui restait à faire.
710 Il alla ensuite chez les reines. Mme de Clèves n'y était pas, de
sorte qu'elle ne le vit point et ne sut pas même qu'il fût arrivé.

---

1. *Où l'on ne pouvait atteindre* : à laquelle on ne pouvait prétendre.
2. *Manda* : avertit par lettre.
3. *En diligence* : rapidement.

Elle avait ouï parler de ce prince à tout le monde comme de ce qu'il y avait de mieux fait et de plus agréable à la cour, et surtout Mme la Dauphine le lui avait dépeint d'une sorte et lui en avait
715 parlé tant de fois qu'elle lui avait donné de la curiosité, et même de l'impatience de le voir.

Elle passa tout le jour des fiançailles chez elle à se parer, pour se trouver le soir au bal et au festin royal qui se faisait au Louvre. Lorsqu'elle arriva, l'on admira sa beauté et sa parure ; le bal
720 commença et, comme elle dansait avec M. de Guise, il se fit un assez grand bruit vers la porte de la salle, comme de quelqu'un qui entrait et à qui on faisait place. Mme de Clèves acheva de

Bal à la cour des Valois.
Peinture du XVIe siècle.
Musée des Beaux-Arts et d'Archéologie, Rennes.

danser et, pendant qu'elle cherchait des yeux quelqu'un qu'elle avait dessein de prendre, le roi lui cria de prendre celui qui
725 arrivait. Elle se tourna et vit un homme qu'elle crut d'abord ne pouvoir être pour M. de Nemours, qui passait par-dessus quelques sièges pour arriver où l'on dansait. Ce prince était fait d'une sorte qu'il était difficile de n'être pas surprise de le voir quand on ne l'avait jamais vu, surtout ce soir-là, où
730 le soin qu'il avait pris de se parer, augmentait encore l'air brillant qui était dans sa personne, mais il était difficile aussi de voir Mme de Clèves pour la première fois sans avoir un grand étonnement.

M. de Nemours fut tellement surpris de sa beauté que,
735 lorsqu'il fut proche d'elle et qu'elle lui fit la révérence, il ne put s'empêcher de donner des marques de son admiration. Quand ils commencèrent à danser, il s'éleva dans la salle un murmure de louanges. Le roi et les reines se souvinrent qu'ils ne s'étaient jamais vus, et trouvèrent quelque chose de singulier de les voir
740 danser ensemble sans se connaître. Ils les appelèrent quand ils eurent fini sans leur donner le loisir de parler à personne et leur demandèrent s'ils n'avaient pas bien envie de savoir qui ils étaient et s'ils ne s'en doutaient point.

« Pour moi, madame, dit M. de Nemours, je n'ai pas
745 d'incertitude, mais comme Mme de Clèves n'a pas les mêmes raisons pour deviner qui je suis que celles que j'ai pour la reconnaître, je voudrais bien que Votre Majesté eût la bonté de lui apprendre mon nom.

— Je crois, dit Mme la Dauphine, qu'elle le sait aussi bien que
750 vous savez le sien.

— Je vous assure, madame, reprit Mme de Clèves, qui paraissait un peu embarrassée, que je ne devine pas si bien que vous pensez.

— Vous devinez fort bien, répondit Mme la Dauphine, et il
755 y a même quelque chose d'obligeant pour M. de Nemours à ne vouloir pas avouer que vous le connaissez sans l'avoir jamais vu. »

La reine les interrompit pour faire continuer le bal, M. de
Nemours prit la reine dauphine. Cette princesse était d'une
760 parfaite beauté et avait paru telle aux yeux de M. de Nemours
avant qu'il allât en Flandre, mais, de tout le soir, il ne put admirer
que Mme de Clèves.

Le chevalier de Guise, qui l'adorait toujours, était à ses pieds,
et ce qui se venait de passer lui avait donné une douleur
765 sensible[1]. Il le prit comme un présage que la fortune destinait
M. de Nemours à être amoureux de Mme de Clèves, soit qu'en
effet il eût paru quelque trouble sur son visage, ou que la jalousie
fît voir au chevalier de Guise au-delà de la vérité, il crut qu'elle
avait été touchée de la vue de ce prince, et il ne put s'empêcher
770 de lui dire que M. de Nemours était bien heureux de commencer
à être connu d'elle par une aventure qui avait quelque chose de
galant et d'extraordinaire.

Mme de Clèves revint chez elle l'esprit si rempli de tout ce qui
s'était passé au bal, que, quoiqu'il fût fort tard, elle alla dans la
775 chambre de sa mère pour lui en rendre compte ; et elle lui loua
M. de Nemours avec un certain air, qui donna à Mme de Chartres
la même pensée qu'avait eue le chevalier de Guise.

Le lendemain, la cérémonie des noces se fit. Mme de Clèves y
vit le duc de Nemours avec une mine et une grâce si admirables
780 qu'elle en fut encore plus surprise.

Les jours suivants, elle le vit chez la reine dauphine, elle le vit
jouer à la paume avec le roi, elle le vit courre[2] la bague, elle
l'entendit parler, mais elle le vit toujours surpasser de si loin tous
les autres et se rendre tellement maître de la conversation dans
785 tous les lieux où il était, par l'air de sa personne et par l'agrément
de son esprit, qu'il fit en peu de temps une grande impression
dans son cœur.

---

1. *Sensible :* profonde.
2. *Courre :* courir.

Il est vrai aussi que, comme M. de Nemours sentait pour elle
une inclination violente, qui lui donnait cette douceur et cet
790 enjouement qu'inspirent les premiers désirs de plaire, il était
encore plus aimable qu'il n'avait accoutumé de l'être, de sorte
que, se voyant souvent, et se voyant l'un et l'autre ce qu'il y avait
de plus parfait à la cour, il était difficile qu'ils ne se plussent
infiniment.

795 La duchesse de Valentinois était de toutes les parties de plaisir,
et le roi avait pour elle la même vivacité et les mêmes soins que
dans les commencements de sa passion. Mme de Clèves, qui était
dans cet âge où l'on ne croit pas qu'une femme puisse être aimée
quand elle a passé vingt-cinq ans, regardait avec un extrême
800 étonnement l'attachement que le roi avait pour cette duchesse,
qui était grand-mère, et qui venait de marier sa petite-fille. Elle
en parlait souvent à Mme de Chartres :

« Est-il possible, madame, lui disait-elle, qu'il y ait si
longtemps que le roi en soit amoureux ? Comment s'est-il pu
805 attacher à une personne qui était beaucoup plus âgée que lui, qui
avait été maîtresse de son père, et qui l'est encore de beaucoup
d'autres, à ce que j'ai ouï dire ?

— Il est vrai, répondit-elle, que ce n'est ni le mérite, ni la
fidélité de Mme de Valentinois qui a fait naître la passion du roi, ni
810 qui l'a conservée, et c'est aussi en quoi il n'est pas excusable ; car
si cette femme avait eu de la jeunesse et de la beauté jointes à sa
naissance, qu'elle eût eu le mérite de n'avoir jamais rien aimé,
qu'elle eût aimé le roi avec une fidélité exacte, qu'elle l'eût aimé
par rapport à sa seule personne sans intérêt de grandeur, ni de
815 fortune, et sans se servir de son pouvoir que pour des choses
honnêtes ou agréables au roi même, il faut avouer qu'on aurait
eu de la peine à s'empêcher de louer ce prince du grand
attachement qu'il a pour elle. Si je ne craignais, continua Mme de
Chartres, que vous dissiez de moi ce que l'on dit de toutes les
820 femmes de mon âge, qu'elles aiment à conter les histoires de leur
temps, je vous apprendrais le commencement de la passion du
roi pour cette duchesse, et plusieurs choses de la cour du feu roi

qui ont même beaucoup de rapport avec celles qui se passent encore présentement.

825 — Bien loin de vous accuser, reprit Mme de Clèves, de redire les histoires passées, je me plains, madame, que vous ne m'ayez pas instruite des présentes et que vous ne m'avez point appris les divers intérêts et les diverses liaisons de la cour. Je les ignore si entièrement que je croyais, il y a peu de jours, que M. le
830 connétable était fort bien avec la reine.

— Vous aviez une opinion bien opposée à la vérité, répondit Mme de Chartres. La reine hait M. le connétable, et si elle a jamais quelque pouvoir, il ne s'en apercevra que trop. Elle sait qu'il a dit plusieurs fois au roi que, de tous ses enfants, il n'y avait que les
835 naturels qui lui ressemblassent.

— Je n'eusse jamais soupçonné cette haine, interrompit Mme de Clèves, après avoir vu le soin que la reine avait d'écrire à M. le connétable pendant sa prison, la joie qu'elle a témoignée à son retour, et comme elle l'appelle toujours *mon compère*[1], aussi
840 bien que le roi.

— Si vous jugez sur les apparences en ce lieu-ci, répondit Mme de Chartres, vous serez souvent trompée ; ce qui paraît n'est presque jamais la vérité.

Mais, pour revenir à Mme de Valentinois, vous savez qu'elle
845 s'appelle Diane de Poitiers ; sa maison est très illustre, elle vient des anciens ducs d'Aquitaine, son aïeule était fille naturelle de Louis XI et enfin il n'y a rien que de grand dans sa naissance. Saint-Vallier, son père, se trouva embarrassé dans l'affaire du connétable de Bourbon, dont vous avez ouï parler. Il fut
850 condamné à avoir la tête tranchée et conduit sur l'échafaud. Sa fille, dont la beauté était admirable, et qui avait déjà plu au feu roi[2], fit si bien, je ne sais par quels moyens, qu'elle obtint la vie de son père. On lui porta sa grâce comme il n'attendait que le

---

1. *Compère :* le parrain.
2. *Feu roi :* toujours François Ier.

coup de la mort, mais la peur l'avait tellement saisi qu'il n'avait
855 plus de connaissance, et il mourut peu de jours après. Sa fille
parut à la cour comme la maîtresse du roi. Le voyage d'Italie et la
prison de ce prince interrompirent cette passion. Lorsqu'il revint
d'Espagne et que madame la régente alla au-devant de lui à
Bayonne, elle mena toutes ses filles, parmi lesquelles était Mlle de
860 Pisseleu, qui a été depuis la duchesse d'Étampes. Le roi en devint
amoureux. Elle était inférieure en naissance, en esprit et en
beauté à Mme de Valentinois, et elle n'avait au-dessus d'elle que
l'avantage de la grande jeunesse. Je lui ai ouï dire plusieurs fois
qu'elle était née le jour que Diane de Poitiers avait été mariée ; la
865 haine le lui faisait dire, et non pas la vérité, car je suis bien
trompée si la duchesse de Valentinois n'épousa M. de Brézé,
grand sénéchal de Normandie, dans le même temps que le roi
devint amoureux de Mme d'Étampes. Jamais il n'y a eu une si
grande haine que l'a été celle de ces deux femmes. La duchesse
870 de Valentinois ne pouvait pardonner à Mme d'Étampes de lui
avoir ôté le titre de maîtresse du roi. Mme d'Étampes avait une
jalousie violente contre Mme de Valentinois, parce que le roi
conservait un commerce avec elle. Ce prince n'avait pas une
fidélité exacte pour ses maîtresses ; il y en avait toujours une qui
875 avait le titre et les honneurs, mais les dames que l'on appelait de
la petite bande[1] le partageaient tour à tour. La perte du Dauphin,
son fils, qui mourut à Tournon, et que l'on crut empoisonné, lui
donna une sensible affliction. Il n'avait pas la même tendresse, ni
le même goût, pour son second fils, qui règne présentement ; il
880 ne lui trouvait pas assez de hardiesse, ni assez de vivacité. Il s'en
plaignit un jour à Mme de Valentinois, et elle lui dit qu'elle voulait
le faire devenir amoureux d'elle pour le rendre plus vif et plus
agréable. Elle y réussit comme vous le voyez, il y a plus de vingt
ans que cette passion dure sans qu'elle ait été altérée ni par le
885 temps, ni par les obstacles.

---

1. *La petite bande* : le cercle des intimes.

Le feu roi s'y opposa d'abord, et soit qu'il eût encore assez d'amour pour Mme de Valentinois pour avoir de la jalousie, ou qu'il fût poussé par la duchesse d'Étampes, qui était au désespoir que M. le Dauphin fût attaché à son ennemie, il est certain qu'il
890 vit cette passion avec une colère et un chagrin dont il donnait tous les jours des marques. Son fils ne craignit ni sa colère, ni sa haine, et rien ne put l'obliger à diminuer son attachement, ni à le cacher ; il fallut que le roi s'accoutumât à le souffrir. Aussi cette opposition à ses volontés l'éloigna encore de lui et l'attacha
895 davantage au duc d'Orléans, son troisième fils. C'était un prince bien fait, beau, plein de feu et d'ambition, d'une jeunesse fougueuse, qui avait besoin d'être modéré, mais qui eût fait aussi un prince d'une grande élévation, si l'âge eût mûri son esprit.

Le rang d'aîné qu'avait le Dauphin, et la faveur du roi qu'avait
900 le duc d'Orléans, faisaient entre eux une sorte d'émulation qui allait jusqu'à la haine. Cette émulation avait commencé dès leur enfance et s'était toujours conservée. Lorsque l'empereur[1] passa en France, il donna une préférence entière au duc d'Orléans sur M. le Dauphin, qui la ressentit si vivement que, comme cet
905 empereur était à Chantilly, il voulut obliger M. le connétable à l'arrêter sans attendre le commandement du roi. M. le connétable ne le voulut pas, le roi le blâma dans la suite de n'avoir pas suivi le conseil de son fils, et lorsqu'il l'éloigna de la cour, cette raison y eut beaucoup de part.

910 La division des deux frères donna la pensée à la duchesse d'Étampes de s'appuyer de M. le duc d'Orléans pour la soutenir auprès du roi contre Mme de Valentinois. Elle y réussit ; ce prince, sans être amoureux d'elle, n'entra guère moins dans ses intérêts que le Dauphin était dans ceux de Mme de Valentinois. Cela fit
915 deux cabales dans la cour, telles que vous pouvez vous les imaginer, mais ces intrigues ne se bornèrent pas seulement à des démêlés de femmes.

---

1. *L'empereur* : Charles Quint.

L'empereur, qui avait conservé de l'amitié pour le duc d'Orléans, avait offert plusieurs fois de lui remettre le duché de
920 Milan. Dans les propositions qui se firent depuis pour la paix, il faisait espérer de lui donner les dix-sept provinces [1] et de lui faire épouser sa fille. M. le Dauphin ne souhaitait ni la paix, ni ce mariage. Il se servit de M. le connétable, qu'il a toujours aimé, pour faire voir au roi de quelle importance il était de ne pas
925 donner à son successeur un frère aussi puissant que le serait un duc d'Orléans avec l'alliance de l'empereur et les dix-sept provinces. M. le connétable entra d'autant mieux dans les sentiments de M. le Dauphin qu'il s'opposait par là à ceux de Mme d'Étampes, qui était son ennemie déclarée, et qui souhaitait
930 ardemment l'élévation de M. le duc d'Orléans.

M. le Dauphin commandait alors l'armée du roi en Champagne et avait réduit celle de l'empereur en une telle extrémité qu'elle eût péri entièrement si la duchesse d'Étampes, craignant que de trop grands avantages ne nous fissent refuser la
935 paix et l'alliance de l'empereur pour M. le duc d'Orléans, n'eût fait secrètement avertir les ennemis de surprendre Épernay et Château-Thierry qui étaient pleins de vivres. Ils le firent et sauvèrent par ce moyen toute leur armée.

Cette duchesse ne jouit pas longtemps du succès de sa
940 trahison. Peu après, M. le duc d'Orléans mourut à Farmoutier d'une espèce de maladie contagieuse. Il aimait une des plus belles femmes de la cour et en était aimé. Je ne vous la nommerai pas, parce qu'elle a vécu depuis avec tant de sagesse et qu'elle a même caché avec tant de soin la passion qu'elle avait pour ce
945 prince, qu'elle a mérité que l'on conserve sa réputation. Le hasard fit qu'elle reçut la nouvelle de la mort de son mari le même jour qu'elle apprit celle de M. d'Orléans, de sorte qu'elle

---

1. *Les dix-sept provinces* : les différentes provinces qui composent les Pays-Bas.

eut ce prétexte pour cacher sa véritable affliction, sans avoir la peine de se contraindre.

950 Le roi ne survécut guère au prince son fils ; il mourut deux ans après. Il recommanda à M. le Dauphin de se servir du cardinal de Tournon et de l'amiral d'Annebauld, et ne parla point de M. le connétable, qui était pour lors relégué à Chantilly. Ce fut néanmoins la première chose que fit le roi, son fils, de le rappeler
955 et de lui donner le gouvernement des affaires.

Mme d'Étampes fut chassée et reçut tous les mauvais traitements qu'elle pouvait attendre d'une ennemie toute-puissante ; la duchesse de Valentinois se vengea alors pleinement, et de cette duchesse, et de tous ceux qui lui avaient
960 déplu. Son pouvoir parut plus absolu sur l'esprit du roi, qu'il ne paraissait encore pendant qu'il était dauphin. Depuis douze ans que ce prince règne, elle est maîtresse absolue de toutes choses ; elle dispose des charges et des affaires ; elle a fait chasser le cardinal de Tournon, le chancelier Olivier, et Villeroy. Ceux qui
965 ont voulu éclairer le roi sur sa conduite ont péri dans cette entreprise. Le comte de Taix, grand maître de l'artillerie, qui ne l'aimait pas, ne put s'empêcher de parler de ses galanteries et surtout de celle du comte de Brissac, dont le roi avait déjà eu beaucoup de jalousie ; néanmoins elle fit si bien que le comte de
970 Taix fut disgracié, on lui ôta sa charge, et, ce qui est presque incroyable, elle la fit donner au comte de Brissac et l'a fait ensuite maréchal de France. La jalousie du roi augmenta néanmoins d'une telle sorte qu'il ne put souffrir que ce maréchal demeurât à la cour, mais la jalousie, qui est aigre et violente en tous les
975 autres, est douce et modérée en lui par l'extrême respect qu'il a pour sa maîtresse, en sorte qu'il n'osa éloigner son rival que sur le prétexte de lui donner le gouvernement de Piémont. Il y a passé plusieurs années ; il revint, l'hiver dernier, sur le prétexte de demander des troupes et d'autres choses nécessaires pour
980 l'armée qu'il commande. Le désir de revoir Mme de Valentinois, et la crainte d'en être oublié avaient peut-être beaucoup de part à ce voyage. Le roi le reçut avec une grande froideur. Messieurs de

Guise qui ne l'aiment pas, mais qui n'osent le témoigner à cause
de Mme de Valentinois, se servirent de monsieur le vidame, qui
985 est son ennemi déclaré, pour empêcher qu'il n'obtînt aucune des
choses qu'il était venu demander. Il n'était pas difficile de lui
nuire ; le roi le haïssait, et sa présence lui donnait de
l'inquiétude, de sorte qu'il fut contraint de s'en retourner sans
remporter aucun fruit de son voyage, que d'avoir peut-être
990 rallumé dans le cœur de Mme de Valentinois des sentiments que
l'absence commençait d'éteindre. Le roi a bien eu d'autres sujets
de jalousie, mais ou il ne les a pas connus, ou il n'a osé s'en
plaindre.

Je ne sais, ma fille, ajouta Mme de Chartres, si vous ne
995 trouverez point que je vous ai plus appris de choses que vous
n'aviez envie d'en savoir.

— Je suis très éloignée, madame, de faire cette plainte,
répondit Mme de Clèves, et, sans la peur de vous importuner, je
vous demanderais encore plusieurs circonstances que j'ignore. »
1000 La passion de M. de Nemours pour Mme de Clèves fut d'abord
si violente qu'elle lui ôta le goût et même le souvenir de toutes
les personnes qu'il avait aimées et avec qui il avait conservé des
commerces pendant son absence. Il ne prit pas seulement le soin
de chercher des prétextes pour rompre avec elles, il ne put se
1005 donner la patience d'écouter leurs plaintes et de répondre à leurs
reproches. Mme la Dauphine, pour qui il avait eu des sentiments
assez passionnés, ne put tenir dans son cœur contre Mme de
Clèves. Son impatience pour le voyage d'Angleterre commença
même à se ralentir et il ne pressa plus avec tant d'ardeur les
1010 choses qui étaient nécessaires pour son départ. Il allait souvent
chez la reine dauphine, parce que Mme de Clèves y allait souvent,
et il n'était pas fâché de laisser imaginer ce que l'on avait cru de
ses sentiments pour cette reine. Mme de Clèves lui paraissait d'un
si grand prix qu'il se résolut de manquer plutôt à lui donner des
1015 marques de sa passion que de hasarder de la faire connaître au
public. Il n'en parla pas même au vidame de Chartres, qui était
son ami intime, et pour qui il n'avait rien de caché. Il prit une

conduite si sage et s'observa avec tant de soin que personne ne le soupçonna d'être amoureux de Mme de Clèves, que le chevalier de Guise, et elle aurait eu peine à s'en apercevoir elle-même, si l'inclination qu'elle avait pour lui ne lui eût donné une attention particulière pour ses actions, qui ne lui permît pas d'en douter.

Elle ne se trouva pas la même disposition à dire à sa mère ce qu'elle pensait des sentiments de ce prince qu'elle avait eue à lui parler de ses autres amants ; sans avoir un dessein formé de lui cacher, elle ne lui en parla point. Mais Mme de Chartres ne le voyait que trop, aussi bien que le penchant que sa fille avait pour lui. Cette connaissance lui donna une douleur sensible ; elle jugeait bien le péril où était cette jeune personne, d'être aimée d'un homme fait comme M. de Nemours pour qui elle avait de l'inclination. Elle fut entièrement confirmée dans les soupçons qu'elle avait de cette inclination par une chose qui arriva peu de jours après.

Le maréchal de Saint-André, qui cherchait toutes les occasions de faire voir sa magnificence, supplia le roi, sur le prétexte de lui montrer sa maison, qui ne venait que d'être achevée, de lui vouloir faire l'honneur d'y aller souper avec les reines. Ce maréchal était bien aise aussi de faire paraître aux yeux de Mme de Clèves cette dépense éclatante qui allait jusqu'à la profusion.

Quelques jours avant celui qui avait été choisi pour ce souper, le roi dauphin, dont la santé était assez mauvaise, s'était trouvé mal, et n'avait vu personne. La reine, sa femme, avait passé tout le jour auprès de lui. Sur le soir, comme il se portait mieux, il fit entrer toutes les personnes de qualité qui étaient dans son antichambre. La reine dauphine s'en alla chez elle ; elle y trouva Mme de Clèves et quelques autres dames qui étaient les plus dans sa familiarité.

Comme il était déjà assez tard, et qu'elle n'était point habillée, elle n'alla pas chez la reine ; elle fit dire qu'on ne la voyait point, et fit apporter ses pierreries afin d'en choisir pour le bal du

77

maréchal de Saint-André et pour en donner à Mme de Clèves, à qui elle en avait promis. Comme elles étaient dans cette occupation, le prince de Condé arriva. Sa qualité lui rendait toutes les entrées libres. La reine dauphine lui dit qu'il venait sans doute de chez le roi son mari et lui demanda ce que l'on y faisait.

« L'on dispute contre M. de Nemours, madame, répondit-il, et il défend avec tant de chaleur la cause qu'il soutient qu'il faut que ce soit la sienne. Je crois qu'il a quelque maîtresse qui lui donne de l'inquiétude quand elle est au bal, tant il trouve que c'est une chose fâcheuse pour un amant, que d'y voir la personne qu'il aime.

— Comment ! reprit Mme la Dauphine, M. de Nemours ne veut pas que sa maîtresse aille au bal ? J'avais bien cru que les maris pouvaient souhaiter que leurs femmes n'y allassent pas, mais, pour les amants, je n'avais jamais pensé qu'ils pussent être de ce sentiment.

— M. de Nemours trouve, répliqua le prince de Condé, que le bal est ce qu'il y a de plus insupportable pour les amants, soit qu'ils soient aimés ou qu'ils ne le soient pas. Il dit que, s'ils sont aimés, ils ont le chagrin de l'être moins pendant plusieurs jours ; qu'il n'y a point de femme que le soin de sa parure n'empêche de songer à son amant ; qu'elles en sont entièrement occupées ; que ce soin de se parer est pour tout le monde aussi bien que pour celui qu'elles aiment ; que, lorsqu'elles sont au bal, elles veulent plaire à tous ceux qui les regardent ; que, quand elles sont contentes de leur beauté, elles en ont une joie dont leur amant ne fait pas la plus grande partie. Il dit aussi que, quand on n'est point aimé, on souffre encore davantage de voir sa maîtresse dans une assemblée ; que, plus elle est admirée du public, plus on se trouve malheureux de n'en être point aimé ; que l'on craint toujours que sa beauté ne fasse naître quelque amour plus heureux que le sien. Enfin il trouve qu'il n'y a point de souffrance pareille à celle de voir sa maîtresse au bal, si ce n'est de savoir qu'elle y est et de n'y être pas. »

Mme de Clèves ne faisait pas semblant d'entendre ce que disait le prince de Condé, mais elle l'écoutait avec attention. Elle
1090 jugeait aisément quelle part elle avait à l'opinion que soutenait M. de Nemours, et surtout à ce qu'il disait du chagrin de n'être pas au bal où était sa maîtresse, parce qu'il ne devait pas être à celui du maréchal de Saint-André, et que le roi l'envoyait au-devant du duc de Ferrare.
1095 La reine dauphine riait avec le prince de Condé et n'approuvait pas l'opinion de M. de Nemours.

« Il n'y a qu'une occasion, madame, lui dit ce prince, où M. de Nemours consente que sa maîtresse aille au bal, c'est alors que c'est lui qui le donne ; et il dit que, l'année passée qu'il en donna
1100 un à Votre Majesté, il trouva que sa maîtresse lui faisait une faveur d'y venir, quoiqu'elle ne semblât que vous y suivre ; que c'est toujours faire une grâce à un amant que d'aller prendre sa part à un plaisir qu'il donne ; que c'est aussi une chose agréable pour l'amant, que sa maîtresse le voie le maître d'un lieu où est
1105 toute la cour, et qu'elle le voie se bien acquitter d'en faire les honneurs.

— M. de Nemours avait raison, dit la reine dauphine en souriant, d'approuver que sa maîtresse allât au bal. Il y avait alors un si grand nombre de femmes à qui il donnait cette qualité
1110 que, si elles n'y fussent point venues, il y aurait eu peu de monde. »

Sitôt que le prince de Condé avait commencé à conter les sentiments de M. de Nemours sur le bal, Mme de Clèves avait senti une grande envie de ne point aller à celui du maréchal de
1115 Saint-André. Elle entra aisément dans l'opinion qu'il ne fallait pas aller chez un homme dont on était aimée, et elle fut bien aise d'avoir une raison de sévérité pour faire une chose qui était une faveur pour M. de Nemours ; elle emporta néanmoins la parure que lui avait donnée la reine dauphine, mais, le soir, lorsqu'elle la
1120 montra à sa mère, elle lui dit qu'elle n'avait pas dessein de s'en servir, que le maréchal de Saint-André prenait tant de soin de faire voir qu'il était attaché à elle qu'elle ne doutait point qu'il ne

voulût aussi faire croire qu'elle aurait part au divertissement qu'il devait donner au roi et que, sous prétexte de faire l'honneur de
1125 chez lui, il lui rendrait des soins dont peut-être elle serait embarrassée.

Mme de Chartres combattit quelque temps l'opinion de sa fille, comme la trouvant particulière[1], mais, voyant qu'elle s'y opiniâtrait, elle s'y rendit, et lui dit qu'il fallait donc qu'elle
1130 fît la malade pour avoir un prétexte de n'y pas aller, parce que les raisons qui l'en empêchaient ne seraient pas approuvées et qu'il fallait même empêcher qu'on ne les soupçonnât. Mme de Clèves consentit volontiers à passer quelques jours chez elle pour ne point aller dans un lieu où M. de Nemours ne devrait
1135 pas être, et il partit sans avoir le plaisir de savoir qu'elle n'irait pas.

Il revint le lendemain du bal, il sut qu'elle ne s'y était pas trouvée, mais comme il ne savait pas que l'on eût redit devant elle la conversation de chez le roi dauphin, il était bien éloigné de
1140 croire qu'il fût assez heureux pour l'avoir empêchée d'y aller.

Le lendemain, comme il était chez la reine et qu'il parlait à Mme la Dauphine, Mme de Chartres et Mme de Clèves y vinrent et s'approchèrent de cette princesse. Mme de Clèves était un peu négligée, comme une personne qui s'était trouvée mal, mais son
1145 visage ne répondait pas à son habillement.

« Vous voilà si belle, lui dit Mme la Dauphine, que je ne saurais croire que vous ayez été malade. Je pense que M. le prince de Condé, en vous contant l'avis de M. de Nemours sur le bal, vous a persuadée que vous feriez une faveur au maréchal de
1150 Saint-André d'aller chez lui et que c'est ce qui vous a empêchée d'y venir. »

Mme de Clèves rougit de ce que Mme la Dauphine devinait si juste et de ce qu'elle disait devant M. de Nemours ce qu'elle avait deviné.

---

1. *Particulière :* ici, renfermée, secrète.

1155   Mme de Chartres vit dans ce moment pourquoi sa fille n'avait pas voulu aller au bal, et, pour empêcher que M. de Nemours ne le jugeât aussi bien qu'elle, elle prit la parole avec un air qui semblait être appuyé sur la vérité.

    « Je vous assure, madame, dit-elle à Mme la Dauphine, que
1160 Votre Majesté fait plus d'honneur à ma fille qu'elle n'en mérite. Elle était véritablement malade, mais je crois que, si je ne l'en eusse empêchée, elle n'eût pas laissé de vous suivre et de se montrer aussi changée qu'elle était, pour avoir le plaisir de voir tout ce qu'il y a eu d'extraordinaire au divertissement d'hier au
1165 soir. »

    Mme la Dauphine crut ce que disait Mme de Chartres, M. de Nemours fut bien fâché d'y trouver de l'apparence ; néanmoins la rougeur de Mme de Clèves lui fit soupçonner que ce que Mme la Dauphine avait dit n'était pas entièrement éloigné de la vérité.
1170 Mme de Clèves avait d'abord été fâchée que M. de Nemours eût lieu de croire que c'était lui qui l'avait empêchée d'aller chez le maréchal de Saint-André, mais ensuite elle sentit quelque espèce de chagrin que sa mère lui en eût entièrement ôté l'opinion.

1175   Quoique l'assemblée de Cercamp eût été rompue, les négociations pour la paix avaient toujours continué et les choses s'y disposèrent d'une telle sorte que, sur la fin de février, on se rassembla à Cateau-Cambrésis[1]. Les mêmes députés y retournèrent, et l'absence du maréchal de Saint-André défit
1180 M. de Nemours du rival qui lui était plus redoutable, tant par l'attention qu'il avait à observer ceux qui approchaient Mme de Clèves, que par le progrès qu'il pouvait faire auprès d'elle.

---

1. L'entrevue a eu lieu en janvier 1559 et non en février. Le 2 avril y fut signé le traité entre la France et l'Angleterre qui restituait Calais à Henri II, contre une rançon. Le 3 avril, un autre traité entre la France et l'Espagne mettait fin à la guerre ; Metz, Toul et Verdun revenaient à la France, qui cédait en échange la Savoie et le Piémont. Les mariages respectifs d'Élisabeth de France et de Marguerite concluaient les accords.

   Mme de Chartres n'avait pas voulu laisser voir à sa fille qu'elle
connaissait ses sentiments pour ce prince, de peur de se rendre
1185 suspecte sur les choses qu'elle avait envie de lui dire. Elle se mit
un jour à parler de lui ; elle lui en dit du bien et y mêla beaucoup
de louanges empoisonnées sur la sagesse qu'il avait d'être
incapable de devenir amoureux et sur ce qu'il ne se faisait qu'un
plaisir et non pas un attachement sérieux du commerce des
1190 femmes. Ce n'est pas, ajouta-t-elle, que l'on ne l'ait soupçonné
d'avoir une grande passion pour la reine dauphine ; je vois même
qu'il y va très souvent, et je vous conseille d'éviter, autant que
vous pourrez, de lui parler, et surtout en particulier, parce que,
Mme la Dauphine vous traitant comme elle fait, on dirait bientôt
1195 que vous êtes leur confidente, et vous savez combien cette
réputation est désagréable. Je suis d'avis, si ce bruit continue,
que vous alliez un peu moins chez Mme la Dauphine, afin de ne
vous pas trouver mêlée dans les aventures de galanterie.
   Mme de Clèves n'avait jamais ouï parler de M. de Nemours et
1200 de Mme la Dauphine ; elle fut si surprise de ce que lui dit sa mère,
et elle crut si bien voir combien elle s'était trompée dans tout ce
qu'elle avait pensé des sentiments de ce prince, qu'elle en
changea de visage. Mme de Chartres s'en aperçut ; il vint du
monde dans ce moment, Mme de Clèves s'en alla chez elle et
1205 s'enferma dans son cabinet[1]. L'on ne peut exprimer la douleur
qu'elle sentit de connaître, par ce que lui venait de dire sa mère,
l'intérêt qu'elle prenait à M. de Nemours ; elle n'avait encore osé
se l'avouer à elle-même. Elle vit alors que les sentiments qu'elle
avait pour lui étaient ceux que M. de Clèves lui avait tant
1210 demandés ; elle trouva combien il était honteux de les avoir pour
un autre que pour un mari qui les méritait. Elle se sentit blessée
et embarrassée de la crainte que M. de Nemours ne la voulût

---

1. *Cabinet* : petite pièce attenante à la chambre, qui est le lieu le plus privé de la
maison.

faire servir de prétexte à Mme la Dauphine, et cette pensée la détermina à conter à Mme de Chartres ce qu'elle ne lui avait point
1215 encore dit.

Elle alla le lendemain matin dans sa chambre pour exécuter ce qu'elle avait résolu, mais elle trouva que Mme de Chartres avait un peu de fièvre, de sorte qu'elle ne voulut pas lui parler. Ce mal paraissait néanmoins si peu de chose que Mme de Clèves ne laissa
1220 pas d'aller l'après-dînée chez Mme la Dauphine : elle était dans son cabinet avec deux ou trois dames qui étaient le plus avant dans sa familiarité.

« Nous parlions de M. de Nemours, lui dit cette reine en la voyant, et nous admirions combien il est changé depuis son
1225 retour de Bruxelles. Devant que[1] d'y aller il avait un nombre infini de maîtresses, et c'était même un défaut en lui, car il ménageait également celles qui avaient du mérite et celles qui n'en avaient pas. Depuis qu'il est revenu, il ne connaît ni les unes ni les autres ; il n'y a jamais eu un si grand changement ; je
1230 trouve même qu'il y en a dans son humeur, et qu'il est moins gai que de coutume. »

Mme de Clèves ne répondit rien, et elle pensait avec honte qu'elle aurait pris tout ce que l'on disait du changement de ce prince pour des marques de sa passion, si elle n'avait point été
1235 détrompée. Elle se sentait quelque aigreur contre Mme la Dauphine de lui voir chercher des raisons et s'étonner d'une chose dont apparemment elle savait mieux la vérité que personne. Elle ne put s'empêcher de lui en témoigner quelque chose, et, comme les autres dames s'éloignèrent, elle s'approcha
1240 d'elle et lui dit tout bas :

« Est-ce aussi pour moi, madame, que vous venez de parler, et voudriez-vous me cacher que vous fussiez celle qui a fait changer de conduite à M. de Nemours ?

---

1. *Devant que* : avant que.

— Vous êtes injuste, lui dit Mme la Dauphine, vous savez
1245 que je n'ai rien de caché pour vous. Il est vrai que M. de
Nemours, devant que d'aller à Bruxelles, a eu, je crois,
intention de me laisser entendre qu'il ne me haïssait pas, mais,
depuis qu'il est revenu, il ne m'a pas même paru qu'il se
souvînt des choses qu'il avait faites, et j'avoue que j'ai de la
1250 curiosité de savoir ce qui l'a fait changer. Il sera bien difficile
que je ne le démêle, ajouta-t-elle ; le vidame de Chartres, qui est
son ami intime, est amoureux d'une personne sur qui j'ai
quelque pouvoir, et je saurai par ce moyen ce qui a fait ce
changement. »
1255 Mme la Dauphine parla d'un air qui persuada Mme de Clèves, et
elle se trouva, malgré elle, dans un état plus calme et plus doux
que celui où elle était auparavant.

Lorsqu'elle revint chez sa mère, elle sut qu'elle était beaucoup
plus mal qu'elle ne l'avait laissée. La fièvre lui avait redoublé et,
1260 les jours suivants, elle augmenta de telle sorte qu'il parut que ce
serait une maladie considérable. Mme de Clèves était dans une
affliction extrême, elle ne sortait point de la chambre de sa
mère ; M. de Clèves y passait aussi presque tous les jours et, par
l'intérêt qu'il prenait à Mme de Chartres, et pour empêcher sa
1265 femme de s'abandonner à la tristesse, mais pour avoir aussi le
plaisir de la voir ; sa passion n'était point diminuée.

M. de Nemours, qui avait toujours eu beaucoup d'amitié pour
lui, n'avait pas cessé de lui en témoigner depuis son retour de
Bruxelles. Pendant la maladie de Mme de Chartres, ce prince
1270 trouva le moyen de voir plusieurs fois Mme de Clèves en faisant
semblant de chercher son mari ou de le venir prendre pour le
mener promener. Il le cherchait même à des heures où
il savait bien qu'il n'y était pas et, sous le prétexte de
l'attendre, il demeurait dans l'antichambre de Mme de Chartres
1275 où il y avait toujours plusieurs personnes de qualité. Mme de
Clèves y venait souvent et, pour être affligée, elle n'en paraissait
pas moins belle à M. de Nemours. Il lui faisait voir combien il
prenait d'intérêt à son affliction et il lui en parlait avec un air si

doux et si soumis qu'il la persuadait aisément que ce n'était pas
1280 de Mme la Dauphine dont il était amoureux.

Elle ne pouvait s'empêcher d'être troublée de sa vue, et d'avoir
pourtant du plaisir à le voir, mais, quand elle ne le voyait plus et
qu'elle pensait que ce charme qu'elle trouvait dans sa vue était le
commencement des passions, il s'en fallait peu qu'elle ne crût le
1285 haïr par la douleur que lui donnait cette pensée.

Mme de Chartres empira si considérablement `que l'on
commença à désespérer de sa vie ; elle reçut ce que les médecins
lui dirent du péril où elle était avec un courage digne de sa vertu
et de sa piété. Après qu'ils furent sortis, elle fit retirer tout le
1290 monde et appeler Mme de Clèves.

« Il faut nous quitter, ma fille, lui dit-elle, en lui tendant la
main ; le péril où je vous laisse et le besoin que vous avez de moi
augmentent le déplaisir que j'ai de vous quitter. Vous avez de
l'inclination pour M. de Nemours ; je ne vous demande point de
1295 me l'avouer ; je ne suis plus en état de me servir de votre
sincérité pour vous conduire. Il y a déjà longtemps que je me
suis aperçue de cette inclination, mais je ne vous en ai pas
voulu parler d'abord, de peur de vous en faire apercevoir
vous-même. Vous ne la connaissez que trop présentement, vous
1300 êtes sur le bord du précipice, il faut de grands efforts et de
grandes violences pour vous retenir. Songez ce que vous devez à
votre mari ; songez ce que vous vous devez à vous-même, et
pensez que vous aller perdre cette réputation que vous
vous êtes acquise et que je vous ai tant souhaitée. Ayez de la
1305 force et du courage, ma fille, retirez-vous de la cour, obligez
votre mari de vous emmener ; ne craignez point de prendre
des partis trop rudes et trop difficiles ; quelque affreux
qu'ils vous paraissent d'abord, ils seront plus doux dans les
suites que les malheurs d'une galanterie. Si d'autres
1310 raisons que celles de la vertu et de votre devoir vous pouvaient
obliger à ce que je souhaite, je vous dirais que, si quelque chose
était capable de troubler le bonheur que j'espère en sortant
de ce monde, ce serait de vous voir tomber comme les autres

femmes, mais, si ce malheur vous doit arriver, je reçois la mort
1315 avec joie, pour n'en être pas le témoin. »

Mme de Clèves fondait en larmes sur la main de sa mère, qu'elle
tenait serrée entre les siennes, et Mme de Chartres se sentant
touchée elle-même :

« Adieu, ma fille, lui dit-elle, finissons une conversation qui
1320 nous attendrit trop l'une et l'autre, et souvenez-vous, si vous
pouvez, de tout ce que je viens de vous dire. »

Elle se tourna de l'autre côté en achevant ces paroles et
commanda à sa fille d'appeler ses femmes, sans vouloir l'écouter,
ni parler davantage. Mme de Clèves sortit de la chambre de sa
1325 mère en l'état que l'on peut s'imaginer, et Mme de Chartres ne
songea plus qu'à se préparer à la mort. Elle vécut encore deux
jours, pendant lesquels elle ne voulut plus revoir sa fille, qui était
la seule chose à quoi elle se sentait attachée.

Mme de Clèves était dans une affliction extrême ; son mari ne
1330 la quittait point et, sitôt que Mme de Chartres fut expirée, il
l'emmena à la campagne, pour l'éloigner d'un lieu qui ne faisait
qu'aigrir sa douleur. On n'en a jamais vu de pareille ; quoique la
tendresse et la reconnaissance y eussent la plus grande part, le
besoin qu'elle sentait qu'elle avait de sa mère, pour se défendre
1335 contre M. de Nemours ne laissait pas d'y en avoir beaucoup. Elle
se trouvait malheureuse d'être abandonnée à elle-même, dans
un temps où elle était si peu maîtresse de ses sentiments et où
elle eût tant souhaité d'avoir quelqu'un qui pût la plaindre et lui
donner de la force. La manière dont M. de Clèves en usait pour
1340 elle lui faisait souhaiter plus fortement que jamais de ne
manquer à rien de ce qu'elle lui devait. Elle lui témoignait aussi
plus d'amitié et plus de tendresse qu'elle n'avait encore fait ; elle
ne voulait point qu'il la quittât, et il lui semblait qu'à force de
s'attacher à lui, il la défendrait contre M. de Nemours.

1345 Ce prince vint voir M. de Clèves à la campagne. Il fit ce qu'il
put pour rendre aussi une visite à Mme de Clèves, mais elle ne le
voulut point recevoir et, sentant bien qu'elle ne pouvait
s'empêcher de le trouver aimable, elle avait fait une forte

résolution de s'empêcher de le voir et d'en éviter toutes les
1350 occasions qui dépendraient d'elle.

M. de Clèves vint à Paris pour faire sa cour et promit à sa
femme de s'en retourner le lendemain ; il ne revint néanmoins
que le jour d'après.

« Je vous attendis tout hier, lui dit Mme de Clèves, lorsqu'il
1355 arriva, et je vous dois faire des reproches de n'être pas venu
comme vous me l'aviez promis. Vous savez que si je pouvais
sentir une nouvelle affliction en l'état où je suis, ce serait la mort
de Mme de Tournon, que j'ai apprise ce matin. J'en aurais été
touchée quand je ne l'aurais point connue ; c'est toujours une
1360 chose digne de pitié qu'une femme jeune et belle comme celle-là
soit morte en deux jours, mais, de plus, c'était une des personnes
du monde qui me plaisaient davantage et qui paraissaient avoir
autant de sagesse que de mérite.

— Je fus très fâché de ne pas revenir hier, répondit M. de
1365 Clèves, mais j'étais si nécessaire à la consolation d'un
malheureux, qu'il m'était impossible de le quitter. Pour Mme de
Tournon, je ne vous conseille pas d'en être affligée, si vous la
regrettez comme une femme pleine de sagesse et digne de votre
estime.

1370 — Vous m'étonnez, reprit Mme de Clèves, et je vous ai ouï dire
plusieurs fois qu'il n'y avait point de femme à la cour que vous
estimassiez davantage.

— Il est vrai, répondit-il, mais les femmes sont
incompréhensibles et, quand je les vois toutes, je me trouve si
1375 heureux de vous avoir, que je ne saurais assez admirer mon
bonheur.

— Vous m'estimez plus que je ne vaux, répliqua Mme de
Clèves en soupirant, et il n'est pas encore temps de me trouver
digne de vous. Apprenez-moi, je vous en supplie, ce qui vous a
1380 détrompé de Mme de Tournon.

— Il y a longtemps que je le suis, répliqua-t-il, et que je sais
qu'elle aimait le comte de Sancerre, à qui elle donnait des
espérances de l'épouser.

— Je ne saurais croire, interrompit Mme de Clèves, que Mme de
1385 Tournon, après cet éloignement si extraordinaire qu'elle a
témoigné pour le mariage depuis qu'elle est veuve, et après les
déclarations publiques qu'elle a faites de ne se remarier jamais,
ait donné des espérances à Sancerre.

— Si elle n'en eût donné qu'à lui, réplique M. de Clèves, il ne
1390 faudrait pas s'étonner, mais ce qu'il y a de surprenant, c'est
qu'elle en donnait aussi à Estouteville dans le même temps, et je
vais vous apprendre toute l'histoire. »

La scène d'exposition (l. 1 à 224)

LE CHAMP CLOS DES INTRIGUES ET DES MENSONGES

1. Que recouvrent et excluent les deux premiers termes du texte ?

2. Quel semble être le grand sujet de préoccupation des membres de cette cour ?

3. À quoi servent les mariages ? Qu'est-ce qui les détermine ? Citez le texte à l'appui de votre réponse.

LES RIVAUX

4. L'auteur présente les deux personnages principaux qui vont se disputer le cœur de la princesse : M. de Clèves (p. 45 : « Il avait trois fils... ») et le duc de Nemours (p. 45 : « Mais ce prince... »). Qu'ont-ils en commun et qu'est-ce qui les différencie ?

5. À quoi sert l'histoire du duc et de la reine d'Angleterre (p. 49-50, l. 190 à 224) ? Qu'apprend-elle au lecteur sur le duc ?

AMOUR ET MARIAGE

6. Précisez les différentes formes de l'amour qui sont évoquées dans cette présentation de la cour.

7. Comment les sentiments entrent-ils en ligne de compte dans les affaires matrimoniales ? Quelles en sont les conséquences ?

8. Relevez les termes qui sont ceux de la galanterie (voir p. 21 et 36).

LA TECHNIQUE DE L'EXPOSITION

9. Étudiez l'ordre des personnages, que pouvons-nous en conclure sur ce qui a guidé l'auteur ? Quel est le rôle du roi ?

10. Quels renseignements a-t-on sur les divers personnages et, surtout, quelles informations manquent ? Relevez quelques exemples d'hyperboles (voir p. 280).

11. Quelles sont les qualités des personnages mises en avant ? Vous discernerez celles qui sont partagées par tous et celles qui sont particulières à l'un des personnages. Y a-t-il une différence de traitement entre les hommes et les femmes ? (Citez le texte.)

12. Pourquoi commencer par cette longue description ? Pourquoi la princesse n'y figure-t-elle pas ? Quel effet cela crée-t-il ?

La scène du bal (l. 717 à 772)

LA SURPRISE DE L'AMOUR

1. Montrez ce que cette scène a de romanesque (voir p. 282).

2. Que se passe-t-il effectivement entre les deux personnages ?

3. Quels sont les éléments qui indiquent au lecteur que l'amour est absolument inévitable ?

4. Étudiez les réactions des spectateurs. Que sentent-ils ?

5. Quelle est la raison du murmure qui s'élève de l'assistance ?

6. Par rapport au tableau de la cour et aux intrigues de mariages, qu'est-ce que cette scène apporte de nouveau ? On rapprochera utilement cette scène d'autres premières rencontres amoureuses de la littérature (Manon Lescaut et Des Grieux, Tristan et Iseult, etc.).

LE COUP DE FOUDRE RÉCIPROQUE

7. Comparez cette scène à la rencontre du prince de Clèves et de Mlle de Chartres chez le joaillier (p. 51 à 53).

8. Discernez ce qui les différencie radicalement. Peut-on en attendre les mêmes résultats ? Vous justifierez votre réponse en étudiant les lieux, les personnes présentes, les réactions des deux protagonistes, l'action et sa conclusion.

Ensemble du tome I : le récit d'une intégration

1. Divisez le texte en trois séquences (voir p. 282). Justifiez votre découpage en donnant des titres à chacun des passages.

2. En quoi la passion naissante de la princesse est-elle déjà menacée de sombrer dans le malheur ? Vous répondrez à cette question en commentant l'ordre des séquences choisi par l'auteur.

3. Quelle est la fonction du mariage dans l'univers de la cour d'Henri II ?

4. Pourquoi la mère de la princesse doit-elle mourir et quelle est la force qui la pousse hors du roman ? Quelles valeurs incarnait-elle ?

5. Comment apparaît la princesse dans ce tome ? Faites le compte de ce qu'elle dit, de ce qu'elle fait de sa propre volonté. On peut la comparer à Agnès, dans l'*École des femmes,* de Molière (1662). Étudiez les forces qui se disputent sa personne et analysez le rôle de la princesse.

Monsieur de Clèves (Jean Marais)
dans l'adaptation cinématographique du roman
de Mme de Lafayette par Jean Delannoy, 1961.

92

Tome II

« Vous savez l'amitié qu'il y a entre Sancerre et moi ; néanmoins il devint amoureux de Mme de Tournon, il y a environ deux ans, et me le cacha avec beaucoup de soin, aussi bien qu'à tout le reste du monde. J'étais bien éloigné de le soupçonner. Mme
5 de Tournon paraissait encore inconsolable de la mort de son mari et vivait dans une retraite austère. La sœur de Sancerre était quasi la seule personne qu'elle vît, et c'était chez elle qu'il en était devenu amoureux.

Un soir qu'il devait y avoir une comédie au Louvre et que l'on
10 n'attendait plus que le roi et Mme de Valentinois pour commencer, l'on vint dire qu'elle s'était trouvée mal, et que le roi ne viendrait pas. On jugea aisément que le mal de cette duchesse était quelque démêlé avec le roi. Nous savions les jalousies qu'il avait eues du maréchal de Brissac pendant qu'il avait été à la
15 cour, mais il était retourné en Piémont depuis quelques jours, et nous ne pouvions imaginer le sujet de cette brouillerie.

Comme j'en parlais avec Sancerre, M. d'Anville arriva dans la salle et me dit tout bas que le roi était dans une affliction et dans une colère qui faisaient pitié ; qu'en un raccommodement, qui
20 s'était fait entre lui et Mme de Valentinois, il y avait quelques jours, sur des démêlés qu'ils avaient eus pour le maréchal de Brissac, le roi lui avait donné une bague et l'avait priée de la porter ; que, pendant qu'elle s'habillait pour venir à la comédie, il avait remarqué qu'elle n'avait point cette bague, et lui en avait
25 demandé la raison ; qu'elle avait paru étonnée de ne la pas avoir, qu'elle l'avait demandée à ses femmes, lesquelles, par malheur, ou faute d'être bien instruites, avaient répondu qu'il y avait quatre ou cinq jours qu'elles ne l'avaient vue.

Ce temps est précisément celui du départ du maréchal de
30 Brissac, continua M. d'Anville ; le roi n'a point douté qu'elle ne lui ait donné la bague en lui disant adieu. Cette pensée a réveillé

si vivement toute cette jalousie, qui n'était pas encore bien éteinte, qu'il s'est emporté contre son ordinaire et lui a fait mille reproches. Il vient de rentrer chez lui très affligé, mais je ne sais
35 s'il l'est davantage de l'opinion que Mme de Valentinois a sacrifié sa bague que de la crainte de lui avoir déplu par sa colère.

Sitôt que M. d'Anville eut achevé de me conter cette nouvelle, je me rapprochai de Sancerre pour la lui apprendre ; je la lui dis comme un secret que l'on venait de me confier et dont je lui
40 défendais de parler.

Le lendemain matin, j'allai d'assez bonne heure chez ma belle-sœur[1] ; je trouvai Mme de Tournon au chevet de son lit. Elle n'aimait pas Mme de Valentinois, et elle savait bien que ma belle-sœur n'avait pas sujet de s'en louer. Sancerre avait été chez
45 elle au sortir de la comédie. Il lui avait appris la brouillerie du roi avec cette duchesse, et Mme de Tournon était venue la conter à ma belle-sœur, sans savoir ou sans faire réflexion que c'était moi qui l'avais apprise à son amant.

Sitôt que je m'approchai de ma belle-sœur, elle dit à Mme de
50 Tournon que l'on pouvait me confier ce qu'elle venait de lui dire et, sans attendre la permission de Mme de Tournon, elle me conta mot pour mot tout ce que j'avais dit à Sancerre le soir précédent. Vous pouvez juger comme j'en fus étonné. Je regardai Mme de Tournon, elle me parut embarrassée. Son embarras me donna du
55 soupçon ; je n'avais dit la chose qu'à Sancerre, il m'avait quitté au sortir de la comédie sans m'en dire la raison, je me souvins de lui avoir ouï extrêmement louer Mme de Tournon. Toutes ces choses m'ouvrirent les yeux, et je n'eus pas de peine à démêler qu'il avait une galanterie avec elle et qu'il l'avait vue depuis qu'il
60 m'avait quitté.

Je fus si piqué[2] de voir qu'il me cachait cette aventure que je

---

1. *Ma belle-sœur* : Anne de Bourbon-Montpensier.
2. *Piqué* : vexé. Métaphore car le verbe piquer a ici un sens abstrait.

dis plusieurs choses qui firent connaître[1] à Mme de Tournon
l'imprudence qu'elle avait faite ; je la remis à son carrosse et je
l'assurai, en la quittant, que j'enviais le bonheur de celui qui lui
65 avait appris la brouillerie du roi et de Mme de Valentinois.

Je m'en allai à l'heure même trouver Sancerre, je lui fis des
reproches et je lui dis que je savais sa passion pour Mme de
Tournon, sans lui dire comment je l'avais découverte. Il fut
contraint de me l'avouer ; je lui contai ensuite ce qui me l'avait
70 apprise, et il m'apprit aussi le détail de leur aventure ; il me dit
que, quoiqu'il fût cadet de sa maison, et très éloigné de pouvoir
prétendre un aussi bon parti, néanmoins elle était résolue de
l'épouser. L'on ne peut être plus surpris que je le fus. Je dis à
Sancerre de presser la conclusion de son mariage, et qu'il n'y
75 avait rien qu'il ne dût craindre d'une femme qui avait l'artifice de
soutenir aux yeux du public un personnage si éloigné de la
vérité. Il me répondit qu'elle avait été véritablement affligée,
mais que l'inclination qu'elle avait eue pour lui, avait surmonté
cette affliction, et qu'elle n'avait pu laisser paraître tout d'un
80 coup un si grand changement. Il me dit encore plusieurs autres
raisons pour l'excuser, qui me firent voir à quel point il en était
amoureux ; il m'assura qu'il la ferait consentir que je susse la
passion qu'il avait pour elle, puisque aussi bien c'était
elle-même qui me l'avait apprise. Il l'y obligea en effet, quoique
85 avec beaucoup de peine, et je fus ensuite très avant dans leur
confidence.

Je n'ai jamais vu une femme avoir une conduite si honnête et
si agréable à l'égard de son amant ; néanmoins j'étais toujours
choqué de son affectation à paraître encore affligée. Sancerre
90 était si amoureux et si content de la manière dont elle en usait
pour lui, qu'il n'osait quasi la presser de conclure leur mariage,
de peur qu'elle ne crût qu'il le souhaitait plutôt par intérêt que

---

1. *Connaître* : savoir. Les deux verbes sont très souvent interchangeables.

par une véritable passion. Il lui en parla toutefois, et elle lui parut résolue à l'épouser ; elle commença même à quitter cette retraite
95 où elle vivait, et à se remettre dans le monde. Elle venait chez ma belle-sœur à des heures où une partie de la cour s'y trouvait. Sancerre n'y venait que rarement, mais ceux qui y étaient tous les soirs et qui l'y voyaient souvent, la trouvaient très aimable.

Peu de temps après qu'elle eut commencé à quitter sa solitude,
100 Sancerre crut voir quelque refroidissement dans la passion qu'elle avait pour lui. Il m'en parla plusieurs fois sans que je fisse aucun fondement sur ses plaintes, mais, à la fin, comme il me dit qu'au lieu d'achever leur mariage, elle semblait l'éloigner, je commençai à croire qu'il n'avait pas de tort d'avoir de
105 l'inquiétude. Je lui répondis que, quand la passion de Mᵐᵉ de Tournon diminuerait après avoir duré deux ans, il ne faudrait pas s'en étonner ; que quand même, sans être diminuée, elle ne serait pas assez forte pour l'obliger à l'épouser, qu'il ne devrait pas s'en plaindre ; que ce mariage, à l'égard du public, lui ferait
110 un extrême tort, non seulement parce qu'il n'était pas un assez bon parti pour elle, mais par le préjudice qu'il apporterait à sa réputation ; qu'ainsi tout ce qu'il pouvait souhaiter était qu'elle ne le trompât point et qu'elle ne lui donnât pas de fausses espérances. Je lui dis encore que, si elle n'avait pas la force de
115 l'épouser ou qu'elle lui avouât qu'elle en aimait quelque autre, il ne fallait point qu'il s'emportât, ni qu'il se plaignît, mais qu'il devrait conserver pour elle de l'estime et de la reconnaissance.

Je vous donne, lui dis-je, le conseil que je prendrais pour moi-même ; car la sincérité me touche d'une telle sorte que je
120 crois que, si ma maîtresse, et même ma femme, m'avouait que quelqu'un lui plût, j'en serais affligé sans en être aigri. Je quitterais le personnage d'amant ou de mari, pour la conseiller et pour la plaindre. »

Ces paroles firent rougir Mᵐᵉ de Clèves, et elle y trouva un
125 certain rapport avec l'état où elle était, qui la surprit et qui lui donna un trouble dont elle fut longtemps à se remettre.

« Sancerre parla à Mᵐᵉ de Tournon, continua M. de Clèves, il

lui dit tout ce que je lui avais conseillé, mais elle le rassura avec tant de soin et parut si offensée de ses soupçons qu'elle les lui ôta
130 entièrement. Elle remit néanmoins leur mariage après un voyage qu'il allait faire et qui devait être assez long, mais elle se conduisit si bien jusqu'à son départ et en parut si affligée que je crus, aussi bien que lui, qu'elle l'aimait véritablement. Il partit il y a environ trois mois ; pendant son absence, j'ai peu vu Mme de
135 Tournon ; vous m'avez entièrement occupé et je savais seulement qu'il devait bientôt revenir.

Avant-hier, en arrivant à Paris, j'appris qu'elle était morte ; j'envoyai savoir chez lui si on n'avait point eu de ses nouvelles. On me manda qu'il était arrivé dès la veille, qui était
140 précisément le jour de la mort de Mme de Tournon. J'allai le voir à l'heure même, me doutant bien de l'état où je le trouverais, mais son affliction passait de beaucoup ce que je m'en étais imaginé.

Je n'ai jamais vu une douleur si profonde et si tendre ; dès le moment qu'il me vit, il m'embrassa, fondant en larmes : Je ne la
145 verrai plus, me dit-il, je ne la verrai plus, elle est morte ! Je n'en étais pas digne, mais je la suivrai bientôt !

Après cela il se tut ; et puis, de temps en temps, redisant toujours : elle est morte, et je ne la verrai plus ! il revenait aux cris et aux larmes, et demeurait comme un homme qui n'avait plus
150 de raison. Il me dit qu'il n'avait pas reçu souvent de ses lettres pendant son absence, mais qu'il ne s'en était pas étonné, parce qu'il la connaissait et qu'il savait la peine qu'elle avait à hasarder de ses lettres. Il ne doutait point qu'il ne l'eût épousée à son retour ; il la regardait comme la plus aimable et la plus fidèle
155 personne qui eût jamais été ; il s'en croyait tendrement aimé ; il la perdait dans le moment qu'il pensait s'attacher à elle pour jamais. Toutes ces pensées le plongeaient dans une affliction violente dont il était entièrement accablé, et j'avoue que je ne pouvais m'empêcher d'en être touché.

160 Je fus néanmoins contraint de le quitter pour aller chez le roi ; je lui promis que je reviendrais bientôt. Je revins en effet, et je ne fus jamais si surpris que de le trouver tout différent de ce que je

l'avais quitté. Il était debout dans sa chambre, avec un visage furieux, marchant et s'arrêtant comme s'il eût été hors de
165 lui-même. Venez, venez, me dit-il, venez voir l'homme du monde le plus désespéré ; je suis plus malheureux mille fois que je n'étais tantôt, et ce que je viens d'apprendre de Mme de Tournon est pire que sa mort.

Je crus que la douleur le troublait entièrement et je ne pouvais
170 m'imaginer qu'il y eût quelque chose de pire que la mort d'une maîtresse que l'on aime et dont on est aimé. Je lui dis que tant que son affliction avait eu des bornes, je l'avais approuvée, et que j'y étais entré, mais que je ne le plaindrais plus s'il s'abandonnait au désespoir et s'il perdait la raison.

175 Je serais trop heureux de l'avoir perdue, et la vie aussi, s'écria-t-il, Mme de Tournon m'était infidèle, et j'apprends son infidélité et sa trahison le lendemain que j'ai appris sa mort, dans un temps où mon âme est remplie et pénétrée de la plus vive douleur et de la plus tendre amour [1] que l'on ait jamais senties,
180 dans un temps où son idée est dans mon cœur comme la plus parfaite chose qui ait jamais été, et la plus parfaite à mon égard. Je trouve que je me suis trompé et qu'elle ne mérite pas que je la pleure ; cependant j'ai la même affliction de sa mort que si elle m'était fidèle, et je sens son infidélité comme si elle n'était point
185 morte. Si j'avais appris son changement devant sa mort, la jalousie, la colère, la rage m'auraient rempli et m'auraient endurci en quelque sorte contre la douleur de sa perte, mais je suis dans un état où je ne puis ni m'en consoler, ni la haïr.

Vous pouvez juger si je fus surpris de ce que me disait
190 Sancerre ; je lui demandai comment il avait su ce qu'il venait de me dire. Il me conta qu'un moment après que j'étais sorti de sa chambre, Estouteville, qui est son ami intime, mais qui ne savait pourtant rien de son amour pour Mme de Tournon, l'était venu voir ; que, d'abord qu'il avait été assis, il avait

---

1. « Amour » est un mot féminin jusqu'au XIXe siècle.

195 commencé à pleurer et qu'il lui avait dit qu'il lui demandait pardon de lui avoir caché ce qu'il lui allait apprendre ; qu'il le priait d'avoir pitié de lui ; qu'il venait lui ouvrir son cœur et qu'il voyait l'homme du monde le plus affligé de la mort de Mᵐᵉ de Tournon.

200 Ce nom, me dit Sancerre, m'a tellement surpris que, quoique mon premier mouvement ait été de lui dire que j'en étais plus affligé que lui, je n'ai pas eu néanmoins la force de parler. Il a continué, et m'a dit qu'il était amoureux d'elle depuis six mois ; qu'il avait toujours voulu me le dire, mais qu'elle le lui avait

205 défendu expressément et avec tant d'autorité qu'il n'avait osé lui désobéir ; qu'il lui avait plu quasi dans le même temps qu'il l'avait aimée ; qu'ils avaient caché leur passion à tout le monde ; qu'il n'avait jamais été chez elle publiquement ; qu'il avait eu le plaisir de la consoler de la mort de son mari ; et qu'enfin il l'allait

210 épouser dans le temps qu'elle était morte ; mais que ce mariage, qui était un effet de passion, aurait paru un effet de devoir et d'obéissance ; qu'elle avait gagné son père pour se faire commander de l'épouser, afin qu'il n'y eût pas un trop grand changement dans sa conduite, qui avait été si éloignée de se

215 remarier.

Tant qu'Estouteville m'a parlé, me dit Sancerre, j'ai ajouté foi à ses paroles, parce que j'y ai trouvé de la vraisemblance et que le temps où il m'a dit qu'il avait commencé à aimer Mᵐᵉ de Tournon est précisément celui où elle m'a paru changée, mais un

220 moment après, je l'ai cru un menteur ou du moins un visionnaire. J'ai été prêt à le lui dire, j'ai passé[1] ensuite à vouloir m'éclaircir, je l'ai questionné, je lui ai fait paraître des doutes ; enfin j'ai tant fait pour m'assurer de mon malheur qu'il m'a demandé si je connaissais l'écriture de Mᵐᵉ de Tournon. Il a mis

225 sur mon lit quatre de ses lettres et son portrait ; mon frère est entré dans ce moment. Estouteville avait le visage si plein de

---

1. *J'ai passé* : j'en suis venu à.

larmes, qu'il a été contraint de sortir pour ne se pas laisser voir ; il m'a dit qu'il reviendrait ce soir requérir ce qu'il me laissait, et moi je chassai mon frère, sur le prétexte de me trouver mal, par l'impatience de voir ces lettres que l'on m'avait laissées, et espérant d'y trouver quelque chose qui ne me persuaderait pas [1] tout ce qu'Estouteville venait de me dire. Mais hélas ! que n'y ai-je point trouve ? Quelle tendresse ! Quels serments ! Quelles assurances de l'épouser ! Quelles lettres ! Jamais elle ne m'en a écrit de semblables. Ainsi, ajouta-t-il, j'éprouve à la fois la douleur de la mort et celle de l'infidélité ; ce sont deux maux que l'on a souvent comparés, mais qui n'ont jamais été sentis en même temps par la même personne. J'avoue, à ma honte, que je sens encore plus sa perte que son changement ; je ne puis la trouver assez coupable pour consentir à sa mort. Si elle vivait, j'aurais le plaisir de lui faire des reproches et de me venger d'elle en lui faisant connaître son injustice, mais je ne la verrai plus, reprenait-il, je ne la verrai plus ; ce mal est le plus grand de tous les maux. Je souhaiterais de lui rendre la vie aux dépens de la mienne. Quel souhait ! Si elle revenait, elle vivrait pour Estouteville. Que j'étais heureux hier ! s'écriait-il, que j'étais heureux ! J'étais l'homme du monde le plus affligé, mais mon affliction était raisonnable, et je trouvais quelque douceur à penser que je ne devais jamais me consoler. Aujourd'hui, tous mes sentiments sont injustes. Je paye à une passion feinte qu'elle a eue pour moi, le même tribut de douleur que je croyais devoir à une passion véritable. Je ne puis ni haïr, ni aimer sa mémoire ; je ne puis me consoler ni m'affliger. Du moins, me dit-il, en se retournant tout d'un coup vers moi, faites, je vous en conjure, que je ne voie jamais Estouteville ; son nom seul me fait horreur. Je sais bien que je n'ai nul sujet de m'en plaindre ; c'est ma faute de lui avoir caché que j'aimais Mme de Tournon ; s'il l'eût su il ne s'y serait peut-être pas attaché, elle ne m'aurait pas été infidèle ;

---

1. *Ne me persuaderait pas :* ne me persuaderait pas de.

il est venu me chercher pour me confier sa douleur ; il me fait
260 pitié. Eh ! c'est avec raison, s'écriait-il ; il aimait Mme de Tournon,
il en était aimé et il ne la verra jamais, je sens bien néanmoins
que je ne saurais m'empêcher de le haïr. Et encore une fois, je
vous conjure de faire en sorte que je ne le voie point.

    Sancerre se remit ensuite à pleurer, à regretter Mme de
265 Tournon, à lui parler et à lui dire les choses du monde les plus
tendres ; il repassa ensuite à la haine, aux plaintes, aux reproches
et aux imprécations contre elle. Comme je le vis dans un état
si violent, je connus bien qu'il me fallait quelque secours
pour m'aider à calmer son esprit. J'envoyai quérir[1] son frère que
270 je venais de quitter chez le roi ; j'allai lui parler dans
l'antichambre avant qu'il entrât et je lui contai l'état où était
Sancerre. Nous donnâmes des ordres pour empêcher qu'il ne vît
Estouteville et nous employâmes une partie de la nuit à tâcher de
le rendre capable de raison. Ce matin je l'ai encore trouvé plus
275 affligé ; son frère est demeuré auprès de lui, et je suis revenu
auprès de vous.

    — L'on ne peut être plus surprise que je le suis, dit alors
Mme de Clèves, et je croyais Mme de Tournon incapable d'amour
et de tromperie.

280   — L'adresse et la dissimulation, reprit M. de Clèves, ne
peuvent aller plus loin qu'elle les a portées. Remarquez que,
quand Sancerre crut qu'elle était changée pour lui, elle l'était
véritablement et qu'elle commençait à aimer Estouteville. Elle
disait à ce dernier qu'il le consolait de la mort de son mari et que
285 c'était lui qui était cause qu'elle quittait cette grande retraite, et il
paraissait à Sancerre que c'était parce que nous avions résolu
qu'elle ne témoignerait plus d'être si affligée. Elle faisait valoir à
Estouteville de cacher leur intelligence et de paraître obligée à
l'épouser par le commandement de son père, comme un effet du
290 soin qu'elle avait de sa réputation ; et c'était pour abandonner

---

1. *Quérir* : chercher.

Sancerre sans qu'il eût sujet de s'en plaindre. Il faut que je m'en
retourne, continua M. de Clèves, pour voir ce malheureux et je
crois qu'il faut que vous reveniez aussi à Paris. Il est temps que
vous voyiez le monde, et que vous receviez ce nombre infini de
295 visites dont aussi bien vous ne sauriez vous dispenser. »

Mᵐᵉ de Clèves consentit à son retour et elle revint le
lendemain. Elle se trouva plus tranquille sur M. de Nemours
qu'elle n'avait été ; tout ce que lui avait dit Mᵐᵉ de Chartres en
mourant, et la douleur de sa mort, avaient fait une suspension à
300 ses sentiments, qui lui faisait croire qu'ils étaient entièrement
effacés.

Dès le même soir qu'elle fut arrivée, Mᵐᵉ la Dauphine la vint
voir, et après lui avoir témoigné la part qu'elle avait prise à son
affliction, elle lui dit que, pour la détourner de ces tristes
305 pensées, elle voulait l'instruire de tout ce qui s'était passé à la
cour en son absence ; elle lui conta ensuite plusieurs choses
particulières.

« Mais ce que j'ai le plus envie de vous apprendre,
ajouta-t-elle, c'est qu'il est certain que M. de Nemours est
310 passionnément amoureux et que ses amis les plus intimes non
seulement ne sont point dans sa confidence, mais qu'ils ne
peuvent deviner qui est la personne qu'il aime. Cependant cet
amour est assez fort pour lui faire négliger ou abandonner, pour
mieux dire, les espérances d'une couronne. »

315 Mᵐᵉ la Dauphine conta ensuite tout ce qui s'était passé sur
l'Angleterre.

« J'ai appris ce que je viens de vous dire, continua-t-elle, de
M. d'Anville, et il m'a dit ce matin que le roi envoya quérir, hier
au soir, M. de Nemours, sur des lettres de Lignerolles, qui
320 demande à revenir, et qui écrit au roi qu'il ne peut plus soutenir
auprès de la reine d'Angleterre les retardements de M. de
Nemours ; qu'elle commence à s'en offenser, et qu'encore
qu'elle n'eût point donné de parole positive, elle en avait assez
dit pour faire hasarder un voyage. Le roi lut cette lettre à M. de
325 Nemours qui, au lieu de parler sérieusement, comme il avait fait

dans les commencements, ne fit que rire, que badiner et se moquer des espérances de Lignerolles. Il dit que toute l'Europe condamnerait son imprudence, s'il hasardait d'aller en Angleterre comme un prétendu mari de la reine sans être assuré
330 du succès. "Il me semble aussi, ajouta-t-il, que je prendrais mal mon temps de faire ce voyage présentement que le roi d'Espagne fait de si grandes instances[1] pour épouser cette reine. Ce ne serait peut-être pas un rival bien redoutable dans une galanterie, mais je pense que dans un mariage Votre Majesté ne me
335 conseillerait pas de lui disputer quelque chose. — Je vous le conseillerais en cette occasion, reprit le roi, mais vous n'aurez rien à lui disputer ; je sais qu'il a d'autres pensées ; et, quand il n'en aurait pas, la reine Marie s'est trop mal trouvée du joug de l'Espagne pour croire que sa sœur le veuille reprendre, et qu'elle
340 se laisse éblouir à l'éclat de tant de couronnes jointes ensemble.
— Si elle ne s'en laisse pas éblouir, repartit M. de Nemours, il y a apparence qu'elle voudra se rendre heureuse par l'amour. Elle a aimé le milord Courtenay, il y a déjà quelques années ; il était aussi aimé de la reine Marie, qui l'aurait épousé, du
345 consentement de toute l'Angleterre, sans qu'elle connût que la jeunesse et la beauté de sa sœur Élisabeth le touchaient davantage que l'espérance de régner. Votre Majesté sait que les violentes jalousies qu'elle en eut la portèrent à les mettre l'un et l'autre en prison, à exiler ensuite le milord Courtenay, et la
350 déterminèrent enfin à épouser le roi d'Espagne. Je crois qu'Élisabeth, qui est présentement sur le trône, rappellera bientôt ce milord, et qu'elle choisira un homme qu'elle a aimé, qui est fort aimable, qui a tant souffert pour elle, plutôt qu'un autre qu'elle n'a jamais vu.
355 — Je serais de votre avis, repartit le roi, si Courtenay vivait encore, mais j'ai su, depuis quelques jours, qu'il est mort à Padoue, où il était relégué. Je vois bien, ajouta-t-il en quittant

---

1. *Instances :* sollicitations.

M. de Nemours, qu'il faudrait faire votre mariage comme on
ferait celui de M. le Dauphin, et envoyer épouser la reine
360 d'Angleterre par des ambassadeurs[1]."

M. d'Anville et M. le vidame, qui étaient chez le roi avec
M. de Nemours, sont persuadés que c'est cette même passion
dont il est occupé, qui le détourne d'un si grand dessein. Le
vidame, qui le voit de plus près que personne, a dit à Mme de
365 Martigues que ce prince est tellement changé, qu'il ne le
reconnaît plus, et ce qui l'étonne davantage, c'est qu'il ne lui
voit aucun commerce, ni aucunes heures particulières où il se
dérobe, en sorte qu'il croit qu'il n'a point d'intelligence[2] avec la
personne qu'il aime, et c'est ce qui fait méconnaître M. de
370 Nemours de lui voir aimer une femme qui ne répond point à son
amour. »

Quel poison, pour Mme de Clèves, que le discours de Mme la
Dauphine ! Le moyen de ne se pas reconnaître pour cette
personne dont on ne savait point le nom et le moyen de n'être
375 pas pénétrée de reconnaissance et de tendresse, en apprenant,
par une voie qui ne lui pouvait être suspecte, que ce prince, qui
touchait déjà son cœur, cachait sa passion à tout le monde et
négligeait pour l'amour d'elle les espérances d'une couronne ?
Aussi ne peut-on représenter ce qu'elle sentit, et le trouble qui
380 s'éleva dans son âme. Si Mme la Dauphine l'eût regardée avec
attention, elle eût aisément remarqué que les choses qu'elle
venait de dire ne lui étaient pas indifférentes, mais, comme elle
n'avait aucun soupçon de la vérité, elle continua de parler, sans y
faire de réflexion.

385 « M. d'Anville, ajouta-t-elle, qui, comme je vous viens de dire,
m'a appris tout ce détail, m'en croit mieux instruite que lui ; et il

---

1. Pour les mariages royaux, la tradition voulait que ce soient des
ambassadeurs qui se déplacent (voir aussi p. 120, le duc d'Albe vient au nom
de Philippe II).
2. *Intelligence :* entente, contact direct.

a une si grande opinion de mes charmes qu'il est persuadé que je suis la seule personne qui puisse faire de si grands changements en M. de Nemours. »

390 Ces dernières paroles de Mme la Dauphine donnèrent une autre sorte de trouble à Mme de Clèves que celui qu'elle avait eu quelques moments auparavant.

« Je serais aisément de l'avis de M. d'Anville, répondit-elle, et il y a beaucoup d'apparence, madame, qu'il ne faut pas moins 395 qu'une princesse telle que vous pour faire mépriser la reine d'Angleterre.

— Je vous l'avouerais si je le savais, repartit Mme la Dauphine, et je le saurais s'il était véritable. Ces sortes de passions n'échappent point à la vue de celles qui les causent, elles s'en 400 aperçoivent les premières. M. de Nemours ne m'a jamais témoigné que de légères complaisances[1], mais il y a néanmoins une si grande différence de la manière dont il a vécu avec moi à celle dont il y vit présentement que je puis vous répondre que je ne suis pas la cause de l'indifférence qu'il a pour la couronne 405 d'Angleterre.

Je m'oublie avec vous, ajouta Mme la Dauphine, et je ne me souviens pas qu'il faut que j'aille voir Madame. Vous savez que la paix est quasi conclue, mais vous ne savez pas que le roi d'Espagne n'a voulu passer aucun article qu'à condition 410 d'épouser cette princesse, au lieu du prince don Carlos, son fils[2]. Le roi a eu beaucoup de peine à s'y résoudre ; enfin il y a consenti, et il est allé tantôt annoncer cette nouvelle à Madame. Je crois qu'elle sera inconsolable ; ce n'est pas une chose qui puisse plaire d'épouser un homme de l'âge et de l'humeur du roi 415 d'Espagne, surtout à elle qui a toute la joie que donne la première

---

1. *Légères complaisances :* discrètes marques d'intérêt.
2. Don Carlos est le fils de Philippe II d'Espagne, à qui Élisabeth de France était promise. C'est son père, qui avait trente-deux ans, qui épousera cette princesse âgée de quatorze ans.

Philippe II, roi d'Espagne, et Élisabeth de Valois.
Miniature du XVIᵉ siècle. B.N., Paris.

jeunesse jointe à la beauté et qui s'attendait d'épouser un jeune prince pour qui elle a de l'inclination sans l'avoir vu. Je ne sais si le roi trouvera en elle toute l'obéissance qu'il désire ; il m'a chargée de la voir parce qu'il sait qu'elle m'aime et qu'il
420 croit que j'aurai quelque pouvoir sur son esprit. Je ferai ensuite une autre visite bien différente ; j'irai me réjouir avec Madame, sœur du roi. Tout est arrêté pour son mariage avec M. de Savoie, et il sera ici dans peu de temps. Jamais personne de l'âge de cette princesse n'a eu une joie si entière de se marier[1].
425 La cour va être plus belle et plus grosse qu'on ne l'a jamais vue, et, malgré votre affliction, il faut que vous veniez nous aider à faire voir aux étrangers que nous n'avons pas de médiocres beautés. »

Après ces paroles, Mme la Dauphine quitta Mme de Clèves, et, le
430 lendemain, le mariage de Madame fut su de tout le monde. Les jours suivants, le roi et les reines allèrent voir Mme de Clèves. M. de Nemours, qui avait attendu son retour avec une extrême impatience et qui souhaitait ardemment de lui pouvoir parler sans témoins, attendit pour aller chez elle l'heure que tout le
435 monde en sortirait et qu'apparemment il ne reviendrait plus personne. Il réussit dans son dessein, et il arriva comme les dernières visites en sortaient.

Cette princesse était sur son lit[2], il faisait chaud, et la vue de M. de Nemours acheva de lui donner une rougeur, qui ne
440 diminuait pas sa beauté. Il s'assit vis-à-vis d'elle, avec cette crainte et cette timidité que donnent les véritables passions. Il demeura quelque temps sans pouvoir parler. Mme de Clèves n'était pas moins interdite, de sorte qu'ils gardèrent assez

---

1. Marguerite (1523-1574) a alors trente-six ans. L'âge moyen des femmes pour le mariage est quinze ans. C'est pour cela que Melle de Chartres a dû impérativement se marier à seize ans.
2. À l'époque, la chambre n'est pas un lieu privé. On reçoit souvent les intimes dans cette pièce.

longtemps le silence. Enfin, M. de Nemours prit la parole et lui fit
des compliments[1] sur son affliction ; Mme de Clèves, étant bien
aise de continuer la conversation sur ce sujet, parla assez
longtemps de la perte qu'elle avait faite, et enfin, elle dit que,
quand le temps aurait diminué la violence de sa douleur, il lui en
demeurerait toujours une si forte impression que son humeur en
serait changée.

« Les grandes afflictions et les passions violentes, repartit
M. de Nemours, font de grands changements dans l'esprit, et,
pour moi, je ne me reconnais pas depuis que je suis revenu de
Flandre. Beaucoup de gens ont remarqué ce changement, et
même Mme la Dauphine m'en parlait encore hier.

— Il est vrai, repartit Mme de Clèves, qu'elle l'a remarqué, et je
crois lui en avoir ouï dire quelque chose.

— Je ne suis pas fâché, madame, répliqua M. de Nemours,
qu'elle s'en soit aperçue, mais je voudrais qu'elle ne fût pas seule
à s'en apercevoir. Il y a des personnes à qui on n'ose donner
d'autres marques de la passion qu'on a pour elles que par les
choses qui ne les regardent point, et, n'osant leur faire paraître
qu'on les aime, on voudrait du moins qu'elles vissent que l'on ne
veut être aimé de personne. L'on voudrait qu'elles sussent qu'il
n'y a point de beauté, dans quelque rang qu'elle pût être, que
l'on ne regardât avec indifférence, et qu'il n'y a point de
couronne que l'on voulût acheter au prix de ne les voir jamais.
Les femmes jugent d'ordinaire de la passion qu'on a pour elles,
continua-t-il, par le soin qu'on prend de leur plaire et de les
chercher, mais ce n'est pas une chose difficile pour peu qu'elles
soient aimables ; ce qui est difficile, c'est de ne s'abandonner pas
au plaisir de les suivre, c'est de les éviter, par la peur de laisser
paraître au public, et quasi à elles-mêmes, les sentiments que
l'on a pour elles. Et ce qui marque encore mieux un véritable

---

1. *Compliments :* paroles de civilité.

475 attachement, c'est de devenir entièrement opposé à ce que l'on
était, et de n'avoir plus d'ambition, ni de plaisir, après avoir été
toute sa vie occupé de l'un et de l'autre. »

Mme de Clèves entendait aisément la part qu'elle avait à ces
paroles. Il lui semblait qu'elle devait y répondre et ne les pas
480 souffrir. Il lui semblait aussi qu'elle ne devait pas les entendre,
ni témoigner qu'elle les prît pour elle. Elle croyait devoir
parler et croyait ne devoir rien dire. Le discours de M. de
Nemours lui plaisait et l'offensait quasi également, elle y
voyait la confirmation de tout ce que lui avait fait penser
485 Mme la Dauphine, elle y trouvait quelque chose de galant et de
respectueux, mais aussi quelque chose de hardi et de trop
intelligible. L'inclination qu'elle avait pour ce prince lui donnait
un trouble dont elle n'était pas maîtresse. Les paroles les plus
obscures d'un homme qui plaît donnent plus d'agitation que des
490 déclarations ouvertes d'un homme qui ne plaît pas. Elle
demeurait donc sans répondre et M. de Nemours se fût aperçu
de son silence, dont il n'aurait peut-être pas tiré de mauvais
présages, si l'arrivée de M. de Clèves n'eût fini la conversation et
sa visite.

495 Ce prince venait conter à sa femme des nouvelles de Sancerre,
mais elle n'avait pas une grande curiosité pour la suite de cette
aventure. Elle était si occupée de ce qui venait de se passer, qu'à
peine pouvait-elle cacher la distraction de son esprit. Quand elle
fut en liberté de rêver, elle connut bien qu'elle s'était trompée
500 lorsqu'elle avait cru n'avoir plus que de l'indifférence pour M. de
Nemours. Ce qu'il lui avait dit avait fait toute l'impression qu'il
pouvait souhaiter et l'avait entièrement persuadée de sa passion.
Les actions de ce prince s'accordaient trop bien avec ses paroles
pour laisser quelque doute à cette princesse. Elle ne se flatta plus
505 de l'espérance de ne le pas aimer, elle songea seulement à ne lui
en donner jamais aucune marque. C'était une entreprise difficile
dont elle connaissait déjà les peines ; elle savait que le seul
moyen d'y réussir était d'éviter la présence de ce prince, et,
comme son deuil lui donnait lieu d'être plus retirée que de

510 coutume, elle se servit de ce prétexte pour n'aller plus dans les lieux où il la pouvait voir. Elle était dans une tristesse profonde ; la mort de sa mère en paraissait la cause, et l'on n'en cherchait point d'autre.

M. de Nemours était désespéré de ne la voir presque plus, et,
515 sachant qu'il ne la trouverait dans aucune assemblée et dans aucun des divertissements où était toute la cour, il ne pouvait se résoudre d'y paraître ; il feignit une grande passion pour la chasse, et il en faisait des parties les mêmes jours qu'il y avait des assemblées chez les reines. Une légère maladie lui servit
520 longtemps de prétexte pour demeurer chez lui et pour éviter d'aller dans tous les lieux où il savait bien que Mme de Clèves ne serait pas.

M. de Clèves fut malade à peu près dans le même temps. Mme de Clèves ne sortit point de sa chambre pendant son mal,
525 mais, quand il se porta mieux, qu'il vit du monde, et entre autres M. de Nemours qui, sur le prétexte d'être encore faible, y passait la plus grande partie du jour, elle trouva qu'elle n'y pouvait plus demeurer ; elle n'eut pas néanmoins la force d'en sortir les premières fois qu'il y vint. Il y avait trop longtemps qu'elle ne
530 l'avait vu, pour se résoudre à ne le voir pas. Ce prince trouva le moyen de lui faire entendre par des discours qui ne semblaient que généraux, mais qu'elle entendait néanmoins parce qu'ils avaient du rapport à ce qu'il lui avait dit chez elle, qu'il allait à la chasse pour rêver et qu'il n'allait point aux assemblées parce
535 qu'elle n'y était pas.

Elle exécuta enfin la résolution qu'elle avait prise de sortir de chez son mari lorsqu'il y serait ; ce fut toutefois en se faisant une extrême violence. Ce prince vit bien qu'elle le fuyait, et en fut sensiblement touché.

540 M. de Clèves ne prit pas garde d'abord à la conduite de sa femme, mais enfin il s'aperçut qu'elle ne voulait pas être dans sa chambre lorsqu'il y avait du monde. Il lui en parla, et elle lui répondit qu'elle ne croyait pas que la bienséance voulût qu'elle fût tous les soirs avec ce qu'il y avait de plus jeune à la cour ;

545 qu'elle le suppliait de trouver bon qu'elle fît une vie plus retirée qu'elle n'avait accoutumé ; que la vertu et la présence de sa mère autorisaient beaucoup de choses qu'une femme de son âge ne pouvait soutenir.

550 M. de Clèves, qui avait naturellement beaucoup de douceur et de complaisance pour sa femme, n'en eut pas en cette occasion, et il lui dit qu'il ne voulait pas absolument qu'elle changeât de conduite. Elle fut prête de lui dire que le bruit était dans le monde que M. de Nemours était amoureux d'elle, mais elle n'eut pas la force de le nommer. Elle sentit aussi de la honte de se
555 vouloir servir d'une fausse raison et de déguiser la vérité à un homme qui avait si bonne opinion d'elle.

Quelques jours après, le roi était chez la reine à l'heure du cercle ; l'on parla des horoscopes et des prédictions. Les opinions étaient partagées sur la croyance que l'on y devait donner. La
560 reine y ajoutait beaucoup de foi ; elle soutint qu'après tant de choses qui avaient été prédites, et que l'on avait vu arriver, on ne pouvait douter qu'il n'y eût quelque certitude dans cette science. D'autres soutenaient que, parmi ce nombre infini de prédictions, le peu qui se trouvait véritable faisait bien voir que ce n'était
565 qu'un effet du hasard.

« J'ai eu autrefois beaucoup de curiosité pour l'avenir, dit le roi, mais on m'a dit tant de choses fausses et si peu vraisemblables que je suis demeuré convaincu que l'on ne peut rien savoir de véritable. Il y a quelques années qu'il vint ici un homme d'une
570 grande réputation dans l'astrologie. Tout le monde l'alla voir ; j'y allai comme les autres, mais sans lui dire qui j'étais, et je menai MM. de Guise et d'Escars ; je les fis passer les premiers. L'astrologue néanmoins s'adressa d'abord à moi, comme s'il m'eût jugé le maître des autres. Peut-être qu'il me connaissait ;
575 cependant il me dit une chose qui ne me convenait pas, s'il m'eût connu. Il me prédit que je serais tué en duel. Il dit ensuite à M. de Guise qu'il serait tué par derrière et à d'Escars qu'il aurait la tête cassée d'un coup de pied de cheval. M. de Guise s'offensa quasi de cette prédiction, comme si on l'eût accusé de devoir fuir.

580 D'Escars ne fut guère satisfait de trouver qu'il devait finir par un
accident si malheureux. Enfin nous sortîmes tous très mal
contents de l'astrologue. Je ne sais ce qui arrivera à M. de Guise
et à d'Escars[1], mais il n'y a guère d'apparence que je sois tué en
duel. Nous venons de faire la paix, le roi d'Espagne et moi, et,
585 quand nous ne l'aurions pas faite, je doute que nous nous
battions, et que je le fisse appeler comme le roi mon père fit
appeler Charles Quint. »

Après le malheur que le roi conta qu'on lui avait prédit,
ceux qui avaient soutenu l'astrologie en abandonnèrent le
590 parti et tombèrent d'accord qu'il n'y fallait donner aucune
croyance.

« Pour moi, dit tout haut M. de Nemours, je suis l'homme
du monde qui dois le moins y en avoir, et, se tournant vers
Mme de Clèves, auprès de qui il était : On m'a prédit, lui dit-il
595 tout bas, que je serais heureux par les bontés de la personne du
monde pour qui j'aurais la plus violente et la plus respectueuse
passion. Vous pouvez juger, madame, si je dois croire aux
prédictions. »

Mme la Dauphine qui crut, par ce que M. de Nemours avait dit
600 tout haut, que ce qu'il disait tout bas était quelque fausse
prédiction qu'on lui avait faite, demanda à ce prince ce qu'il
disait à Mme de Clèves. S'il eût eu moins de présence d'esprit, il
eût été surpris de cette demande. Mais prenant la parole sans
hésiter :

605 « Je lui disais, madame, répondit-il, que l'on m'a prédit que je
serais élevé à une si haute fortune, que je n'oserais même y
prétendre.

— Si l'on ne vous a fait que cette prédiction, repartit Mme la
Dauphine en souriant, et pensant à l'affaire d'Angleterre, je ne

---

1. *MM. de Guise et d'Escars :* le premier fut tué d'un coup d'épée dans le dos,
le second fit une chute mortelle de cheval.

610 vous conseille pas de décrier l'astrologie, et vous pourriez trouver des raisons pour la soutenir. »

Mᵐᵉ de Clèves comprit bien ce que voulait dire Mᵐᵉ la Dauphine ; mais elle entendait bien aussi que la fortune dont M. de Nemours voulait parler, n'était pas d'être roi
615 d'Angleterre.

Comme il y avait déjà assez longtemps de la mort de sa mère, il fallait qu'elle commençât à paraître dans le monde et à faire sa

Henri II et Catherine de Médicis recevant Nostradamus à la cour
pour le consulter sur le sort de leurs sept enfants.
Gravure. B.N., Paris.

cour[1] comme elle avait accoutumé. Elle voyait M. de Nemours
chez Mme la Dauphine, elle le voyait chez M. de Clèves, où il
620 venait souvent avec d'autres personnes de qualité de son âge,
afin de ne se pas faire remarquer, mais elle ne le voyait plus
qu'avec un trouble dont il s'apercevait aisément.

Quelque application qu'elle eût à éviter ses regards et à lui
parler moins qu'à un autre, il lui échappait de certaines choses
625 qui partaient d'un premier mouvement, qui faisaient juger à ce
prince qu'il ne lui était pas indifférent. Un homme moins
pénétrant que lui ne s'en fût peut-être pas aperçu, mais il avait
déjà été aimé tant de fois qu'il était difficile qu'il ne connût pas
quand on l'aimait. Il voyait bien que le chevalier de Guise était
630 son rival, et ce prince connaissait que M. de Nemours était le
sien. Il était le seul homme de la cour qui eût démêlé cette vérité,
son intérêt l'avait rendu plus clairvoyant que les autres, la
connaissance qu'ils avaient de leurs sentiments, leur donnait une
aigreur qui paraissait en toutes choses sans éclater néanmoins
635 par aucun démêlé, mais ils étaient opposés en tout. Ils étaient
toujours de différent parti dans les courses de bague, dans les
combats, à la barrière et dans tous les divertissements où le roi
s'occupait, et leur émulation était si grande qu'elle ne se pouvait
cacher.

640 L'affaire d'Angleterre revenait souvent dans l'esprit de Mme de
Clèves ; il lui semblait que M. de Nemours ne résisterait point
aux conseils du roi et aux instances de Lignerolles. Elle voyait
avec peine que ce dernier n'était point encore de retour, et elle
l'attendait avec impatience. Si elle eût suivi ses mouvements,
645 elle se serait informée avec soin de l'état de cette affaire, mais le
même sentiment qui lui donnait de la curiosité, l'obligeait à la
cacher et elle s'enquérait seulement de la beauté, de l'esprit et de
l'humeur de la reine Élisabeth. On apporta un de ses portraits

---

1. *Faire sa cour* : paraître à la cour pour manifester son respect par des visites
assidues.

chez le roi, qu'elle trouva plus beau qu'elle n'avait envie de le
650 trouver, et elle ne put s'empêcher de dire qu'il était flatté[1].

« Je ne le crois pas, reprit Mme la Dauphine qui était présente,
cette princesse à la réputation d'être belle et d'avoir un esprit fort
au-dessus du commun, et je sais bien qu'on me l'a proposée
toute ma vie pour exemple. Elle doit être aimable, si elle
655 ressemble à Anne de Boulen, sa mère. Jamais femme n'a eu tant
de charmes et tant d'agrément dans sa personne et dans son
humeur. J'ai ouï dire que son visage avait quelque chose de vif et
de singulier, et qu'elle n'avait aucune ressemblance avec les
autres beautés anglaises.

660 — Il me semble aussi, reprit Mme de Clèves, que l'on dit
qu'elle était née en France.

— Ceux qui l'ont cru se sont trompés, répondit Mme la
Dauphine, et je vais vous conter son histoire en peu de mots.
Elle était d'une bonne maison d'Angleterre. Henri VIII avait
665 été amoureux de sa sœur et de sa mère, et l'on a même
soupçonné qu'elle était sa fille. Elle vint ici avec la sœur de
Henri VII, qui épousa le roi Louis XII[2]. Cette princesse, qui était
jeune et galante, eut beaucoup de peine à quitter la cour de
France après la mort de son mari, mais Anne de Boulen, qui avait
670 les mêmes inclinations que sa maîtresse, ne se put résoudre
à en partir. Le feu roi en était amoureux, et elle demeura
fille d'honneur de la reine Claude. Cette reine mourut, et
Mme Marguerite, sœur du roi, duchesse d'Alençon, et depuis
reine de Navarre, dont vous avez vu les contes[3], la prit auprès
675 d'elle, et elle prit auprès de cette princesse les teintures de la

---

1. *Il était flatté* : il était flatteur.
2. *Henri VII ... Louis XII* : respectivement les rois d'Angleterre de 1485 à 1509
et de France de 1498 à 1515.
3. Marguerite d'Angoulême, duchesse d'Alençon par son premier mariage,
épousa en secondes noces le roi de Navarre. Femme très cultivée, elle fit de
cette cour un véritable centre intellectuel. Elle est l'auteur de *l'Heptaméron*,
contes publiés en 1559.

religion nouvelle. Elle retourna ensuite en Angleterre et y
charma tout le monde ; elle avait les manières de France qui
plaisent à toutes les nations ; elle chantait bien, elle dansait
admirablement ; on la mit fille de la reine Catherine d'Aragon, et
680 le roi Henri VIII en devint éperdument amoureux.

Le cardinal de Wolsey, son favori et son premier ministre,
avait prétendu au pontificat et, mal satisfait de l'empereur, qui ne
l'avait pas soutenu dans cette prétention, il résolut de s'en
venger, et d'unir le roi, son maître, à la France. Il mit dans l'esprit
685 de Henri VIII que son mariage avec la tante de l'empereur était
nul et lui proposa d'épouser la duchesse d'Alençon, dont le mari
venait de mourir. Anne de Boulen, qui avait de l'ambition,
regarda ce divorce comme un chemin qui la pouvait conduire au
trône. Elle commença à donner au roi d'Angleterre des
690 impressions de la religion de Luther et engagea le feu roi à
favoriser à Rome le divorce de Henri, sur l'espérance du mariage
de Mme d'Alençon. Le cardinal de Wolsey se fit députer en France
sur d'autres prétextes pour traiter cette affaire, mais son maître
ne put se résoudre à souffrir qu'on en fît seulement la
695 proposition et il lui envoya un ordre, à Calais, de ne point parler
de ce mariage.

Au retour de France, le cardinal de Wolsey fut reçu avec des
honneurs pareils à ceux que l'on rendait au roi même ; jamais
favori n'a porté l'orgueil et la vanité à un si haut point. Il
700 ménagea une entrevue entre les deux rois, qui se fit à Boulogne.
François Ier donna la main à Henri VIII, qui ne la voulait point
recevoir. Ils se traitèrent tour à tour avec une magnificence
extraordinaire, et se donnèrent des habits pareils à ceux qu'ils
avaient fait faire pour eux-mêmes. Je me souviens d'avoir ouï
705 dire que ceux que le feu roi envoya au roi d'Angleterre étaient de
satin cramoisi, chamarré en triangle, avec des perles et des
diamants, et la robe de velours blanc bordé d'or. Après avoir été
quelques jours à Boulogne, ils allèrent encore à Calais. Anne de
Boulen était logée chez Henri VIII avec le train d'une reine, et
710 François Ier lui fit les mêmes présents et lui rendit les mêmes

116

honneurs que si elle l'eût été. Enfin, après une passion de neuf
années, Henri l'épousa sans attendre la dissolution de son
premier mariage, qu'il demandait à Rome depuis longtemps. Le
pape prononça les fulminations[1] contre lui avec précipitation et
715 Henri en fut tellement irrité qu'il se déclara chef de la religion et
entraîna toute l'Angleterre dans le malheureux changement[2] où
vous la voyez.

Anne de Boulen ne jouit pas longtemps de sa grandeur ; car,
lorsqu'elle la croyait plus assurée par la mort de Catherine
720 d'Aragon, un jour qu'elle assistait avec toute la cour à des
courses de bague que faisait le vicomte de Rochefort, son frère,
le roi en fut frappé d'une telle jalousie, qu'il quitta brusquement
le spectacle, s'en vint à Londres et laissa ordre d'arrêter la reine,
le vicomte de Rochefort et plusieurs autres, qu'il croyait amants
725 ou confidents de cette princesse. Quoique cette jalousie parût
née dans ce moment, il y avait déjà quelque temps qu'elle lui
avait été inspirée par la vicomtesse de Rochefort qui, ne pouvant
souffrir la liaison étroite de son mari avec la reine, la fit regarder
au roi comme une amitié criminelle, en sorte que ce prince qui,
730 d'ailleurs, était amoureux de Jeanne Seymour, ne songea qu'à se
défaire d'Anne de Boulen. En moins de trois semaines, il fit faire
le procès à cette reine et à son frère, leur fit couper la tête et
épousa Jeanne Seymour. Il eut ensuite plusieurs femmes, qu'il
répudia ou qu'il fit mourir, et entre autres Catherine Howard,
735 dont la vicomtesse de Rochefort était confidente, et qui eut la
tête coupée avec elle. Elle fut ainsi punie des crimes qu'elle avait
supposés à Anne de Boulen, et Henri VIII[3] mourut, étant devenu
d'une grosseur prodigieuse.

---

1. *Les fulminations :* littéralement, les foudres ; ici, la colère exprimée de
manière officielle par le pape.
2. *Le malheureux changement :* le schisme qui fonda l'anglicanisme. Henri VIII
se proclama lui-même pape.
3. Ces crimes furent créés de toutes pièces pour compromettre Anne de
Boulen (Anne Boleyn traditionnellement, en français).

Toutes les dames qui étaient présentes au récit de Mme la
740 Dauphine, la remercièrent de les avoir si bien instruites de la
cour d'Angleterre, et entre autres Mme de Clèves, qui ne put
s'empêcher de lui faire encore plusieurs questions sur la reine
Élisabeth.

La reine dauphine faisait faire des portraits en petit de toutes
745 les belles personnes de la cour pour les envoyer à la reine sa
mère. Le jour qu'on achevait celui de Mme de Clèves, Mme la
Dauphine vint passer l'après-dînée chez elle. M. de Nemours ne
manqua pas de s'y trouver ; il ne laissait échapper aucune
occasion de voir Mme de Clèves sans laisser paraître néanmoins
750 qu'il les cherchât. Elle était si belle, ce jour-là, qu'il en serait
devenu amoureux, quand il ne l'aurait pas été. Il n'osait pourtant
avoir les yeux attachés sur elle pendant qu'on la peignait, et il
craignait de laisser trop voir le plaisir qu'il avait à la regarder.

Mme la Dauphine demanda à M. de Clèves un petit portrait
755 qu'il avait de sa femme, pour le voir auprès de celui que l'on
achevait ; tout le monde dit son sentiment de l'un et de l'autre, et
Mme de Clèves ordonna au peintre de raccommoder quelque
chose à la coiffure de celui que l'on venait d'apporter. Le peintre,
pour lui obéir, ôta le portrait de la boîte où il était et, après y
760 avoir travaillé, il le remit sur la table.

Il y avait longtemps que M. de Nemours souhaitait d'avoir[1]
le portrait de Mme de Clèves. Lorsqu'il vit celui qui était à M. de
Clèves, il ne put résister à l'envie de le dérober à un mari qu'il
croyait tendrement aimé, et il pensa que, parmi tant de
765 personnes qui étaient dans ce même lieu, il ne serait pas
soupçonné plutôt qu'un autre.

Mme la Dauphine était assise sur le lit et parlait bas à Mme de
Clèves, qui était debout devant elle. Mme de Clèves aperçut par
un des rideaux, qui n'était qu'à demi fermé, M. de Nemours, le

---

1. Henri VIII eut huit femmes, qu'il répudia ou fit exécuter. On l'identifia à
Barbe-Bleue.

770 dos contre la table, qui était au pied du lit, et elle vit que, sans
tourner la tête, il prenait adroitement quelque chose sur cette
table. Elle n'eut pas de peine à deviner que c'était son portrait, et
elle en fut si troublée que Mme la Dauphine remarqua qu'elle ne
l'écoutait pas et lui demanda tout haut ce qu'elle regardait.
775 M. de Nemours se tourna à ces paroles, il rencontra les yeux de
Mme de Clèves, qui étaient encore attachés sur lui, et il pensa qu'il
n'était pas impossible qu'elle eût vu ce qu'il venait de faire.

Mme de Clèves n'était pas peu embarrassée. La raison voulait
qu'elle demandât son portrait, mais, en le demandant
780 publiquement, c'était apprendre à tout le monde les sentiments
que ce prince avait pour elle, et, en le lui demandant en
particulier, c'était quasi l'engager à lui parler de sa passion. Enfin
elle jugea qu'il valait mieux le lui laisser, et elle fut bien aise de lui
accorder une faveur qu'elle lui pouvait faire sans qu'il sût même
785 qu'elle la lui faisait. M. de Nemours, qui remarquait son
embarras, et qui en devinait quasi la cause, s'approcha d'elle et
lui dit tout bas :

« Si vous avez vu ce que j'ai osé faire, ayez la bonté, madame,
de me laisser croire que vous l'ignorez, je n'ose vous en
790 demander davantage. » Et il se retira après ces paroles et
n'attendit point sa réponse.

Mme la Dauphine sortit pour s'aller promener, suivie de toutes
les dames, et M. de Nemours alla se renfermer chez lui, ne
pouvant soutenir en public la joie d'avoir un portrait de Mme de
795 Clèves. Il sentait tout ce que la passion peut faire sentir de plus
agréable ; il aimait la plus aimable personne de la cour, il s'en
faisait aimer malgré elle, et il voyait dans toutes ses actions cette
sorte de trouble et d'embarras que cause l'amour dans
l'innocence de la première jeunesse.

800 Le soir, on chercha ce portrait avec beaucoup de soin ; comme
on trouvait la boîte où il devait être, l'on ne soupçonna point
qu'il eût été dérobé, et l'on crut qu'il était tombé par hasard.
M. de Clèves était affligé de cette perte et, après qu'on eut
encore cherché inutilement, il dit à sa femme, mais d'une

805 manière qui faisait voir qu'il ne le pensait pas, qu'elle avait sans
doute quelque amant caché à qui elle avait donné ce portrait ou
qui l'avait dérobé, et qu'un autre qu'un amant ne se serait pas
contenté de la peinture sans la boîte.

Ces paroles, quoique dites en riant, firent une vive impression
810 dans l'esprit de Mme de Clèves. Elles lui donnèrent des remords,
elle fit réflexion à la violence de l'inclination qui l'entraînait vers
M. de Nemours, elle trouva qu'elle n'était plus maîtresse de ses
paroles et de son visage ; elle pensa que Lignerolles était revenu ;
qu'elle ne craignait plus l'affaire d'Angleterre ; qu'elle n'avait
815 plus de soupçons sur Mme la Dauphine ; qu'enfin il n'y avait plus
rien qui la pût défendre et qu'il n'y avait de sûreté pour elle qu'en
s'éloignant. Mais, comme elle n'était pas maîtresse de s'éloigner,
elle se trouvait dans une grande extrémité et prête à tomber dans
ce qui lui paraissait le plus grand des malheurs, qui était de
820 laisser voir à M. de Nemours l'inclination qu'elle avait pour lui.
Elle se souvenait de tout ce que Mme de Chartres lui avait dit en
mourant et des conseils qu'elle lui avait donnés de prendre
toutes sortes de partis, quelque difficiles qu'ils pussent être,
plutôt que de s'embarquer dans une galanterie. Ce que M. de
825 Clèves lui avait dit sur la sincérité, en parlant de Mme de Tournon,
lui revint dans l'esprit ; il lui sembla qu'elle lui devait avouer
l'inclination qu'elle avait pour M. de Nemours. Cette pensée
l'occupa longtemps ; ensuite elle fut étonnée de l'avoir eue, elle y
trouva de la folie, et retomba dans l'embarras de ne savoir quel
830 parti prendre.

La paix était signée[1] ; Mme Élisabeth, après beaucoup de
répugnance, s'était résolue à obéir au roi son père. Le duc d'Albe
avait été nommé pour venir l'épouser au nom du roi catholique
et il devait bientôt arriver. L'on attendait le duc de Savoie, qui
835 venait épouser Madame, sœur du roi, et dont les noces se

---

1. La paix fut signée le 3 avril 1559.

devaient faire en même temps. Le roi ne songeait qu'à rendre ces noces célèbres par des divertissements où il pût faire paraître l'adresse et la magnificence de sa cour. On proposa tout ce qui se pouvait faire de plus grand pour des ballets et des comédies,
840 mais le roi trouva ces divertissements trop particuliers, et il en voulut d'un plus grand éclat. Il résolut de faire un tournoi, où les étrangers seraient reçus, et dont le peuple pourrait être spectateur. Tous les princes et les jeunes seigneurs entrèrent avec joie dans le dessein du roi, et surtout le duc de Ferrare, M. de
845 Guise et M. de Nemours, qui surpassaient tous les autres dans ces sortes d'exercices. Le roi les choisit pour être avec lui les quatre tenants du tournoi.

L'on fit publier, par tout le royaume, qu'en la ville de Paris le pas était ouvert[1], au quinzième juin, par Sa Majesté
850 Très-Chrétienne et par les princes Alphonse d'Este, duc de Ferrare, François de Lorraine, duc de Guise, et Jacques de Savoie, duc de Nemours, pour être tenu contre tous venants[2], à commencer le premier combat, à cheval en lice, en double pièce[3], quatre coups de lance et un pour les dames ; le deuxième
855 combat, à coups d'épée, un à un ou deux à deux, à la volonté des maîtres de camp ; le troisième combat à pied, trois coups de pique et six coups d'épée ; que les tenants fourniraient de lances, d'épées et de piques, au choix des assaillants ; et que, si en courant on donnait au cheval[4], on serait mis hors des rangs ; qu'il
860 y aurait quatre maîtres de camp pour donner les ordres et que ceux des assaillants qui auraient le plus rompu et le mieux fait, auraient un prix dont la valeur serait à la discrétion des juges ;

---

1. *Le pas était ouvert :* la joute, le tournoi étaient ouverts.
2. *Tous venants :* tous les chevaliers qui désiraient se mesurer aux « tenants », les chevaliers qui sont dès le début dans la « lice », c'est-à-dire dans le champ clos du combat et qui défient tous les autres.
3. *En double pièce :* avec une armure en deux parties séparées.
4. *Donnait au cheval :* éperonnait le cheval.

que tous les assaillants, tant français qu'étrangers, seraient tenus
de venir toucher à l'un des écus qui seraient pendus au perron
865 au bout de la lice, ou à plusieurs, selon leur choix ; que là ils
trouveraient un officier d'armes, qui les recevrait pour les enrôler
selon leur rang et selon les écus qu'ils auraient touchés ; que les
assaillants seraient tenus de faire apporter par un gentilhomme
leur écu, avec leurs armes, pour le pendre au perron trois jours
870 avant le commencement du tournoi ; qu'autrement, ils n'y
seraient point reçus sans le congé des tenants[1].

On fit faire une grande lice proche de la Bastille qui venait du
château des Tournelles, qui traversait la rue Saint-Antoine et qui
allait rendre aux écuries royales. Il y avait des deux côtés des
875 échafauds[2] et des amphithéâtres, avec des loges couvertes qui
formaient des espèces de galeries qui faisaient un très bel effet à
la vue et qui pouvaient contenir un nombre infini de personnes.
Tous les princes et seigneurs ne furent plus occupés que du
soin d'ordonner ce qui leur était nécessaire pour paraître avec
880 éclat et pour mêler, dans leurs chiffres ou dans leurs devises,
quelque chose de galant qui eût rapport aux personnes qu'ils
aimaient.

Peu de jours avant l'arrivée du duc d'Albe, le roi fit une partie
de paume avec M. de Nemours, le chevalier de Guise et le
885 vidame de Chartres. Les reines les allèrent voir jouer, suivies de
toutes les dames et, entre autres, de Mme de Clèves. Après que la
partie fut finie, comme l'on sortait du jeu de paume, Chastelart
s'approcha de la reine dauphine et lui dit que le hasard lui venait
de mettre entre les mains une lettre de galanterie qui était
890 tombée de la poche de M. de Nemours. Cette reine, qui avait
toujours de la curiosité pour ce qui regardait ce prince, dit à
Chastelart de la lui donner ; elle la prit et suivit la reine, sa

---

1. *Le congé des tenants* : la permission de ces chevaliers.
2. *Échafauds* : tribunes en bois.

belle-mère, qui s'en allait avec le roi voir travailler à la lice. Après
que l'on y eut été quelque temps, le roi fit amener des chevaux
895 qu'il avait fait venir depuis peu. Quoiqu'ils ne fussent pas encore
dressés, il les voulut monter, et en fit donner à tous ceux qui
l'avaient suivi. Le roi et M. de Nemours se trouvèrent sur les plus
fougueux ; ces chevaux se voulurent jeter l'un à l'autre. M. de
Nemours, par la crainte de blesser le roi, recula brusquement et
900 porta son cheval contre un pilier du manège, avec tant de
violence que la secousse le fit chanceler. On courut à lui, et on le
crut considérablement blessé. Mme de Clèves le crut encore plus
blessé que les autres. L'intérêt qu'elle y prenait lui donna une
appréhension et un trouble qu'elle ne songea pas à cacher ; elle
905 s'approcha de lui avec les reines et, avec un visage si changé
qu'un homme moins intéressé que le chevalier de Guise s'en fût
aperçu ; aussi le remarqua-t-il aisément, et il eut bien plus
d'attention à l'état où était Mme de Clèves qu'à celui où était
M. de Nemours. Le coup que ce prince s'était donné lui causa un
910 si grand éblouissement[1], qu'il demeura quelque temps la tête
penchée sur ceux qui le soutenaient. Quand il la releva, il vit
d'abord Mme de Clèves ; il connut sur son visage la pitié qu'elle
avait de lui, et il la regarda d'une sorte qui put lui faire juger
combien il en était touché. Il fit ensuite des remerciements aux
915 reines de la bonté qu'elles lui témoignaient, et des excuses de
l'état où il avait été devant elles. Le roi lui ordonna de s'aller
reposer.

Mme de Clèves, après être remise de la frayeur qu'elle avait eue,
fit bientôt réflexion aux marques qu'elle en avait données. Le
920 chevalier de Guise ne la laissa pas longtemps dans l'espérance
que personne ne s'en serait aperçu ; il lui donna la main pour la
conduire hors de la lice.

« Je suis plus à plaindre que M. de Nemours, madame, lui

---

1. *Éblouissement :* vertige, perte de conscience.

dit-il ; pardonnez-moi si je sors de ce profond respect que j'ai
925 toujours eu pour vous, et si je vous fais paraître la vive douleur
que je sens de ce que je viens de voir ; c'est la première fois que
j'ai été assez hardi pour vous parler et ce sera aussi la dernière. La
mort, ou du moins un éloignement éternel, m'ôteront d'un lieu
où je ne puis plus vivre, puisque je viens de perdre la triste
930 consolation de croire que tous ceux qui osent vous regarder sont
aussi malheureux que moi. »

Mᵐᵉ de Clèves ne répondit que quelques paroles mal
arrangées, comme si elle n'eût pas entendu ce que signifiaient
celles du chevalier de Guise. Dans un autre temps elle aurait été
935 offensée qu'il lui eût parlé des sentiments qu'il avait pour elle,
mais dans ce moment elle ne sentit que l'affliction de voir qu'il
s'était aperçu de ceux qu'elle avait pour M. de Nemours. Le
chevalier de Guise en fut si convaincu et si pénétré de douleur,
que, dès ce jour, il prit la résolution de ne penser jamais à être
940 aimé de Mᵐᵉ de Clèves. Mais pour quitter cette entreprise, qui lui
avait paru si difficile et si glorieuse, il en fallait quelque autre
dont la grandeur pût l'occuper. Il se mit dans l'esprit de prendre
Rhodes, dont il avait déjà eu quelque pensée, et, quand la mort
l'ôta du monde dans la fleur de sa jeunesse et dans le temps qu'il
945 avait acquis la réputation d'un des plus grands princes de son
siècle, le seul regret qu'il témoigna de quitter la vie, fut de n'avoir
pu exécuter une si belle résolution, dont il croyait le succès
infaillible par tous les soins qu'il en avait pris [1].

Mᵐᵉ de Clèves, en sortant de la lice, alla chez la reine, l'esprit
950 bien occupé de ce qui s'était passé. M. de Nemours y vint peu de
temps après, habillé magnifiquement, et comme un homme qui
ne se sentait pas de l'accident qui lui était arrivé. Il paraissait
même plus gai que de coutume ; et la joie de ce qu'il croyait

---

1. C'est en 1557 que le chevalier de Guise attaqua Rhodes, alors aux mains des
Turcs. Le siège fut un échec. Le chevalier mourut six ans plus tard, à l'âge de
vingt-neuf ans.

avoir vu, lui donnait un air qui augmentait encore son agrément.
955 Tout le monde fut surpris lorsqu'il entra, et il n'y eut personne
qui ne lui demandât de ses nouvelles, excepté Mme de Clèves qui
demeura auprès de la cheminée sans faire semblant de le voir. Le
roi sortit d'un cabinet où il était et, le voyant parmi les autres, il
l'appela pour lui parler de son aventure. M. de Nemours passa
960 auprès de Mme de Clèves et lui dit tout bas :

« J'ai reçu aujourd'hui des marques de votre pitié, madame,
mais ce n'est pas de celles dont je suis le plus digne. »

Mme de Clèves s'était bien doutée que ce prince s'était aperçu
de la sensibilité qu'elle avait eue pour lui, et ses paroles lui firent
965 voir qu'elle ne s'était pas trompée. Ce lui était une grande
douleur de voir qu'elle n'était plus maîtresse de cacher ses
sentiments et de les avoir laissés paraître au chevalier de Guise.
Elle en avait aussi beaucoup que M. de Nemours les connût,
mais cette dernière douleur n'était pas si entière et elle était
970 mêlée de quelque sorte de douceur.

La reine dauphine, qui avait une extrême impatience de savoir
ce qu'il y avait dans la lettre que Chastelart lui avait donnée,
s'approcha de Mme de Clèves :

« Allez lire cette lettre, lui dit-elle, elle s'adresse à M. de
975 Nemours et, selon les apparences, elle est de cette maîtresse
pour qui il a quitté toutes les autres. Si vous ne la pouvez
lire présentement, gardez-la ; venez ce soir à mon coucher
pour me la rendre et pour me dire si vous en connaissez
l'écriture. »

980 Mme la Dauphine quitta Mme de Clèves après ces paroles et la
laissa si étonnée et dans un si grand saisissement qu'elle fut
quelque temps sans pouvoir sortir de sa place. L'impatience et le
trouble où elle était ne lui permirent pas de demeurer chez la
reine ; elle s'en alla chez elle, quoiqu'il ne fût pas l'heure où elle
985 avait accoutumé de se retirer. Elle tenait cette lettre avec une
main tremblante ; ses pensées étaient si confuses qu'elle n'en
avait aucune distincte, et elle se trouvait dans une sorte de
douleur insupportable, qu'elle ne connaissait point et qu'elle

n'avait jamais sentie. Sitôt qu'elle fut dans son cabinet, elle
990 ouvrit cette lettre, et la trouva telle :

LETTRE

*Je vous ai trop aimé pour vous laisser croire que le changement qui vous
paraît en moi soit un effet de ma légèreté ; je veux vous apprendre que
votre infidélité en est la cause. Vous êtes bien surpris que je vous parle de*
995 *votre infidélité ; vous me l'aviez cachée avec tant d'adresse, et j'ai pris
tant de soin de vous cacher que je la savais, que vous avez raison d'être
étonné qu'elle me soit connue. Je suis surprise moi-même que j'aie pu ne
vous en rien faire paraître. Jamais douleur n'a été pareille à la mienne.
Je croyais que vous aviez pour moi une passion violente ; je ne vous*
1000 *cachais plus celle que j'avais pour vous et, dans le temps que je vous la
laissais voir tout entière, j'appris que vous me trompiez, que vous en
aimiez une autre et que, selon toutes les apparences, vous me sacrifiiez à
cette nouvelle maîtresse. Je le sus le jour de la course de bague ; c'est ce
qui fit que je n'y allai point. Je feignis d'être malade pour cacher le*
1005 *désordre de mon esprit, mais je le devins en effet, et mon corps ne put
supporter une si violente agitation. Quand je commençai à me porter
mieux, je feignis encore d'être fort mal, afin d'avoir un prétexte de ne
vous point voir et de ne vous point écrire. Je voulus avoir du temps pour
résoudre de quelle sorte j'en devais user avec vous ; je pris et je quittai*
1010 *vingt fois les mêmes résolutions, mais enfin je vous trouvai indigne de
voir ma douleur, et je résolus de ne vous la point faire paraître. Je voulus
blesser votre orgueil en vous faisant voir que ma passion s'affaiblissait
d'elle-même. Je crus diminuer par là le prix du sacrifice que vous en
faisiez, je ne voulus pas que vous eussiez le plaisir de montrer combien je*
1015 *vous aimais pour en paraître plus aimable. Je résolus de vous écrire des
lettres tièdes et languissantes pour jeter dans l'esprit de celle à qui vous
les donniez que l'on cessait de vous aimer. Je ne voulus pas qu'elle eût le
plaisir d'apprendre que je savais qu'elle triomphait de moi, ni
augmenter son triomphe par mon désespoir et par mes reproches. Je*
1020 *pensai que je ne vous punirais pas assez en rompant avec vous et que je
ne vous donnerais qu'une légère douleur si je cessais de vous aimer*

*lorsque vous ne m'aimiez plus. Je trouvai qu'il fallait que vous
m'aimassiez pour sentir le mal de n'être point aimé, que j'éprouvais si
cruellement. Je crus que, si quelque chose pouvait rallumer les*
1025 *sentiments que vous aviez eus pour moi, c'était de vous faire voir que les
miens étaient changés, mais de vous le faire voir en feignant de vous le
cacher, et comme si je n'eusse pas eu la force de vous l'avouer. Je
m'arrêtai à cette résolution, mais qu'elle me fut difficile à prendre, et
qu'en vous revoyant elle me parut impossible à exécuter ! Je fus prête*
1030 *cent fois à éclater par mes reproches et par mes pleurs ; l'état où j'étais
encore par ma santé me servit à vous déguiser mon trouble et mon
affliction. Je fus soutenue ensuite par le plaisir de dissimuler avec vous,
comme vous dissimuliez avec moi ; néanmoins, je me faisais une si
grande violence pour vous dire et pour vous écrire que je vous aimais,*
1035 *que vous vîtes plus tôt que je n'avais eu dessein de vous le laisser voir,
que mes sentiments étaient changés. Vous en fûtes blessé, vous vous en
plaignîtes. Je tâchai de vous rassurer, mais c'était d'une manière si forcée
que vous en étiez encore mieux persuadé que je ne vous aimais plus.
Enfin, je fis tout ce que j'avais eu intention de faire. La bizarrerie de*
1040 *votre cœur vous fit revenir vers moi, à mesure que vous voyiez que je
m'éloignais de vous. J'ai joui de tout le plaisir que peut donner la
vengeance ; il m'a paru que vous m'aimiez mieux que vous n'aviez
jamais fait, et je vous ai fait voir que je ne vous aimais plus. J'ai eu lieu
de croire que vous aviez entièrement abandonné celle pour qui vous*
1045 *m'aviez quittée. J'ai eu aussi des raisons pour être persuadée que vous
ne lui aviez jamais parlé de moi, mais votre retour et votre discrétion
n'ont pu réparer votre légèreté. Votre cœur a été partagé entre moi et une
autre, vous m'avez trompée ; cela suffit pour m'ôter le plaisir d'être
aimée de vous, comme je croyais mériter de l'être, et pour me laisser dans*
1050 *cette résolution que j'ai prise de ne vous voir jamais, et dont vous êtes si
surpris.*

Mme de Clèves lut cette lettre et la relut plusieurs fois, sans
savoir néanmoins ce qu'elle avait lu. Elle voyait seulement que
M. de Nemours ne l'aimait pas comme elle l'avait pensé, et qu'il
1055 en aimait d'autres qu'il trompait comme elle. Quelle vue et

quelle connaissance pour une personne de son humeur, qui avait une passion violente, qui venait d'en donner des marques à un homme qu'elle en jugeait indigne et à un autre qu'elle maltraitait pour l'amour de lui ! Jamais affliction n'a été si piquante et si
1060 vive ; il lui semblait que ce qui faisait l'aigreur de cette affliction était ce qui s'était passé dans cette journée et que, si M. de Nemours n'eût point eu lieu de croire qu'elle l'aimait, elle ne se fût pas souciée qu'il en eût aimé une autre. Mais elle se trompait elle-même, et ce mal, qu'elle trouvait si insupportable, était la
1065 jalousie avec toutes les horreurs dont elle peut être accompagnée. Elle voyait par cette lettre que M. de Nemours avait une galanterie depuis longtemps. Elle trouvait que celle qui avait écrit la lettre avait de l'esprit et du mérite ; elle lui paraissait digne d'être aimée ; elle lui trouvait plus de courage qu'elle ne
1070 s'en trouvait à elle-même et elle enviait la force qu'elle avait eue de cacher ses sentiments à M. de Nemours. Elle voyait, par la fin de la lettre, que cette personne se croyait aimée ; elle pensait que la discrétion que ce prince lui avait fait paraître, et dont elle avait été si touchée, n'était peut-être que l'effet de la passion qu'il
1075 avait pour cette autre personne à qui il craignait de déplaire. Enfin elle pensait tout ce qui pouvait augmenter son affliction et son désespoir. Quels retours ne fit-elle point sur elle-même ! Quelles réflexions sur les conseils que sa mère lui avait donnés ! Combien se repentit-elle de ne s'être pas opiniâtrée à se séparer
1080 du commerce du monde, malgré M. de Clèves, ou de n'avoir pas suivi la pensée qu'elle avait eue de lui avouer l'inclination qu'elle avait pour M. de Nemours ! Elle trouvait qu'elle aurait mieux fait de la découvrir à un mari dont elle connaissait la bonté, et qui aurait eu intérêt à la cacher, que de la laisser voir à un homme
1085 qui en était indigne, qui la trompait, qui la sacrifiait peut-être et qui ne pensait à être aimé d'elle que par un sentiment d'orgueil et de vanité. Enfin, elle trouva que tous les maux qui lui pouvaient arriver, et toutes les extrémités où elle se pouvait porter étaient moindres que d'avoir laissé voir à M. de Nemours
1090 qu'elle l'aimait et de connaître qu'il en aimait une autre. Tout ce

qui la consolait était de penser au moins, qu'après cette connaissance, elle n'avait plus rien à craindre d'elle-même, et qu'elle serait entièrement guérie de l'inclination qu'elle avait pour ce prince.

1095 Elle ne pensa guère à l'ordre que Mme la Dauphine lui avait donné de se trouver à son coucher ; elle se mit au lit et feignit de se trouver mal, en sorte que, quand M. de Clèves revint de chez le roi, on lui dit qu'elle était endormie, mais elle était bien éloignée de la tranquillité qui conduit au sommeil. Elle passa la 1100 nuit sans faire autre chose que s'affliger et relire la lettre qu'elle avait entre les mains.

Mme de Clèves n'était pas la seule personne dont cette lettre troublait le repos. Le vidame de Chartres, qui l'avait perdue, et non pas M. de Nemours, en était dans une extrême inquiétude ; 1105 il avait passé tout le soir chez M. de Guise, qui avait donné un grand souper au duc de Ferrare, son beau-frère, et à toute la jeunesse de la cour. Le hasard fit qu'en soupant on parla de jolies lettres. Le vidame de Chartres dit qu'il en avait une sur lui, plus jolie que toutes celles qui avaient jamais été écrites. On le pressa 1110 de la montrer, il s'en défendit. M. de Nemours lui soutint qu'il n'en avait point et qu'il ne parlait que par vanité. Le vidame lui répondit qu'il poussait sa discrétion à bout, que néanmoins il ne montrerait pas la lettre, mais qu'il en lirait quelques endroits, qui feraient juger que peu d'hommes en recevaient de pareilles. En 1115 même temps, il voulut prendre cette lettre, et ne la trouva point, il la chercha inutilement, on lui en fit la guerre[1], mais il parut si inquiet que l'on cessa de lui en parler. Il se retira plus tôt que les autres, et s'en alla chez lui avec impatience, pour voir s'il n'y avait point laissé la lettre qui lui manquait. Comme il la 1120 cherchait encore, un premier valet de chambre de la reine le vint trouver pour lui dire que la vicomtesse d'Uzès avait cru

---

1. *On lui en fit la guerre :* on le lui reprocha.

nécessaire de l'avertir en diligence que l'on avait dit chez la reine qu'il était tombé une lettre de galanterie de sa poche pendant qu'il était au jeu de paume ; que l'on avait raconté une grande
1125 partie de ce qui était dans la lettre ; que la reine avait témoigné beaucoup de curiosité de la voir ; qu'elle l'avait envoyé demander à un de ses gentilshommes servants, mais qu'il avait répondu qu'il l'avait laissée entre les mains de Chastelart.

Le premier valet de chambre dit encore beaucoup d'autres
1130 choses au vidame de Chartres, qui achevèrent de lui donner un grand trouble. Il sortit à l'heure même pour aller chez un gentilhomme qui était ami intime de Chastelart ; il le fit lever, quoique l'heure fût extraordinaire, pour aller demander cette lettre, sans dire qui était celui qui la demandait et qui l'avait
1135 perdue. Chastelart, qui avait l'esprit prévenu qu'elle était à M. de Nemours, et que ce prince était amoureux de Mme la Dauphine, ne douta point que ce ne fût lui qui la faisait redemander. Il répondit, avec une maligne joie, qu'il avait remis la lettre entre les mains de la reine dauphine. Le gentilhomme vint faire cette
1140 réponse au vidame de Chartres. Elle augmenta l'inquiétude qu'il avait déjà, et y en joignit encore de nouvelles ; après avoir été longtemps irrésolu sur ce qu'il devait faire, il trouva qu'il n'y avait que M. de Nemours qui pût lui aider à sortir de l'embarras où il était.

1145 Il s'en alla chez lui et entra dans sa chambre que le jour ne commençait qu'à paraître. Ce prince dormait d'un sommeil tranquille ; ce qu'il avait vu, le jour précédent, de Mme de Clèves, ne lui avait donné que des idées agréables. Il fut bien surpris de se voir éveillé par le vidame de Chartres, et il lui demanda si
1150 c'était pour se venger de ce qu'il lui avait dit pendant le souper qu'il venait troubler son repos. Le vidame lui fit bien juger par son visage qu'il n'y avait rien que de sérieux au sujet qui l'amenait[1].

---

1. *Il n'y avait rien ... amenait* : le sujet qui l'amenait était tout à fait sérieux.

« Je viens vous confier la plus importante affaire de ma vie, lui
1155 dit-il. Je sais bien que vous ne m'en devez pas être obligé,
puisque c'est dans un temps où j'ai besoin de votre secours, mais
je sais bien aussi que j'aurais perdu de votre estime si je vous
avais appris tout ce que je vais vous dire, sans que la nécessité
m'y eût contraint. J'ai laissé tomber cette lettre dont je parlais
1160 hier au soir ; il m'est d'une conséquence extrême que personne
ne sache qu'elle s'adresse à moi. Elle a été vue de beaucoup de
gens qui étaient dans le jeu de paume où elle tomba hier, vous y
étiez aussi et je vous demande en grâce de vouloir bien dire que
c'est vous qui l'avez perdue.

1165 — Il faut que vous croyiez que je n'ai point de maîtresse,
reprit M. de Nemours en souriant, pour me faire une pareille
proposition et pour vous imaginer qu'il n'y ait personne avec qui
je me puisse brouiller en laissant croire que je reçois de pareilles
lettres.

1170 — Je vous prie, dit le vidame, écoutez-moi sérieusement. Si
vous avez une maîtresse, comme je n'en doute point, quoique je
ne sache pas qui elle est, il vous sera aisé de vous justifier, et je
vous en donnerai les moyens infaillibles ; quand vous ne vous
justifieriez pas auprès d'elle, il ne vous en peut coûter que d'être
1175 brouillé pour quelques moments. Mais moi, par cette aventure,
je déshonore une personne qui m'a passionnément aimé et qui
est une des plus estimables femmes du monde, et, d'un autre
côté, je m'attire une haine implacable, qui me coûtera ma
fortune et peut-être quelque chose de plus.

1180 — Je ne puis entendre tout ce que vous me dites, répondit
M. de Nemours ; mais vous me faites entrevoir que les bruits qui
ont couru de l'intérêt qu'une grande princesse prenait à vous, ne
sont pas entièrement faux.

— Ils ne le sont pas aussi, repartit le vidame de Chartres,
1185 et plût à Dieu qu'ils le fussent, je ne me trouverais pas
dans l'embarras où je me trouve, mais il faut vous raconter
tout ce qui s'est passé, pour vous faire voir tout ce que j'ai à
craindre.

Depuis que je suis à la cour, la reine m'a toujours traité avec
1190 beaucoup de distinction et d'agrément, et j'avais eu lieu de croire
qu'elle avait de la bonté pour moi[1] ; néanmoins, il n'y avait rien
de particulier, et je n'avais jamais songé à avoir d'autres
sentiments pour elle que ceux du respect. J'étais même fort
amoureux de Mme de Thémines ; il est aisé de juger en la voyant
1195 qu'on peut avoir beaucoup d'amour pour elle, quand on en est
aimé, et je l'étais. Il y a près de deux ans que, comme la cour était
à Fontainebleau, je me trouvai deux ou trois fois en conversation
avec la reine, à des heures où il y avait très peu de monde. Il me
parut que mon esprit lui plaisait et qu'elle entrait dans tout ce
1200 que je disais. Un jour, entre autres, on se mit à parler de la
confiance. Je dis qu'il n'y avait personne en qui j'en eusse une
entière, que je trouvais que l'on se repentait toujours d'en avoir,
et que je savais beaucoup de choses dont je n'avais jamais parlé.
La reine me dit qu'elle m'en estimait davantage ; qu'elle n'avait
1205 trouvé personne en France qui eût du secret[2] et que c'était ce qui
l'avait le plus embarrassée, parce que cela lui avait ôté le plaisir
de donner sa confiance ; que c'était une chose nécessaire, dans la
vie, que d'avoir quelqu'un à qui on pût parler, et surtout pour les
personnes de son rang. Les jours suivants, elle reprit encore
1210 plusieurs fois la même conversation, elle m'apprit même des
choses assez particulières qui se passaient. Enfin, il me sembla
qu'elle souhaitait de s'assurer de mon secret et qu'elle avait
envie de me confier les siens. Cette pensée m'attacha à elle, je
fus touché de cette distinction, et je lui fis ma cour avec
1215 beaucoup plus d'assiduité que je n'avais accoutumé. Un soir que
le roi et toutes les dames s'étaient allés promener à cheval dans
la forêt, où elle n'avait pas voulu aller parce qu'elle s'était
trouvée un peu mal, je demeurai auprès d'elle ; elle descendit au

---

1. *Elle avait de la bonté pour moi* : elle était dans de bonnes dispositions envers
moi, à mon égard.
2. *Secret* : discrétion.

bord de l'étang et quitta la main de ses écuyers[1] pour marcher
1220 avec plus de liberté. Après qu'elle eut fait quelques tours, elle
s'approcha de moi, et m'ordonna de la suivre. " Je veux vous
parler, me dit-elle, et vous verrez, par ce que je veux vous dire,
que je suis de vos amies. " Elle s'arrêta à ces paroles, et me
regardant fixement : " Vous êtes amoureux, continua-t-elle, et,
1225 parce que vous ne vous fiez peut-être à personne, vous croyez
que votre amour n'est pas su, mais il est connu, et même des
personnes intéressées. On vous observe, on sait les lieux où vous
voyez votre maîtresse, on a dessein de vous y surprendre. Je ne
sais qui elle est, je ne vous le demande point et je veux seulement
1230 vous garantir des malheurs où vous pouvez tomber. " Voyez, je
vous prie, quel piège me tendait la reine et combien il était
difficile de n'y pas tomber. Elle voulait savoir si j'étais
amoureux ; et en ne me demandant point de qui je l'étais, et en
ne me laissant voir que la seule intention de me faire plaisir, elle
1235 m'ôtait la pensée qu'elle me parlât par curiosité ou par dessein[2].

Cependant, contre toutes sortes d'apparences, je démêlai la
vérité. J'étais amoureux de Mme de Thémines, mais, quoiqu'elle
m'aimât, je n'étais pas assez heureux pour avoir des lieux
particuliers à la voir et pour craindre d'y être surpris, et ainsi je
1240 vis bien que ce ne pouvait être elle dont la reine voulait parler. Je
savais bien aussi que j'avais un commerce de galanterie avec une
autre femme moins belle et moins sévère[3] que Mme de Thémines,
et qu'il n'était pas impossible que l'on eût découvert le lieu où je
la voyais, mais, comme je m'en souciais peu, il m'était aisé de
1245 me mettre à couvert de toutes sortes de périls en cessant de la
voir. Ainsi je pris le parti de ne rien avouer à la reine et de
l'assurer, au contraire, qu'il y avait très longtemps que j'avais
abandonné le désir de me faire aimer des femmes dont je

---

1. *Quitta la main de ses écuyers :* quitta le cortège mené par ses écuyers.
2. *Par dessein :* en ayant une arrière-pensée.
3. *Moins sévère :* plus ouverte à ses désirs, plus facile.

pouvais espérer de l'être, parce que je les trouvais quasi toutes
1250 indignes d'attacher un honnête homme et qu'il n'y avait que
quelque chose fort au-dessus d'elles qui pût m'engager. " Vous
ne me répondez pas sincèrement, répliqua la reine, je sais le
contraire de ce que vous me dites. La manière dont je vous parle
vous doit obliger à ne me rien cacher. Je veux que vous soyez de
1255 mes amis, continua-t-elle, mais je ne veux pas, en vous donnant
cette place, ignorer quels sont vos attachements. Voyez si vous la
voulez acheter au prix de me les apprendre ; je vous donne deux
jours pour y penser, mais, après ce temps-là, songez bien à ce
que vous me direz, et souvenez-vous que si, dans la suite, je
1260 trouve que vous m'ayez trompée, je ne vous le pardonnerai de
ma vie. "

La reine me quitta après m'avoir dit ces paroles, sans attendre
ma réponse. Vous pouvez croire que je demeurai l'esprit bien
rempli de ce qu'elle me venait de dire. Les deux jours qu'elle
1265 m'avait donnés pour y penser ne me parurent pas trop longs
pour me déterminer. Je voyais qu'elle voulait savoir si j'étais
amoureux et qu'elle ne souhaitait pas que je le fusse. Je voyais les
suites et les conséquences du parti que j'allais prendre, ma vanité
n'était pas peu flattée d'une liaison particulière avec une reine, et
1270 une reine dont la personne est encore extrêmement aimable.
D'un autre côté, j'aimais Mme de Thémines et, quoique je lui fisse
une espèce d'infidélité pour cette autre femme dont je vous ai
parlé, je ne me pouvais résoudre à rompre avec elle. Je voyais
aussi le péril où je m'exposais en trompant la reine et combien il
1275 était difficile de la tromper ; néanmoins, je ne pus me résoudre à
refuser ce que la fortune m'offrait, et je pris le hasard[1] de tout ce
que ma mauvaise conduite pouvait m'attirer. Je rompis avec
cette femme dont on pouvait découvrir le commerce et j'espérai
de cacher celui que j'avais avec Mme de Thémines.

---

1. *Je pris le hasard* : j'acceptai le risque.

1280   Au bout des deux jours que la reine m'avait donnés, comme
j'entrais dans la chambre où toutes les dames étaient au cercle,
elle me dit tout haut, avec un air grave qui me surprit :
" Avez-vous pensé à cette affaire dont je vous ai chargé et en
savez-vous la vérité ? — Oui, madame, lui répondis-je, et elle
1285 est comme je l'ai dite à Votre Majesté. — Venez ce soir à l'heure
que je dois écrire, répliqua-t-elle, et j'achèverai de vous donner
mes ordres. " Je fis une profonde révérence sans rien répondre, et
ne manquai pas de me trouver à l'heure qu'elle m'avait marquée.
Je la trouvai dans la galerie où était son secrétaire et quelqu'une
1290 de ses femmes. Sitôt qu'elle me vit, elle vint à moi et me mena à
l'autre bout de la galerie. " Eh bien ! me dit-elle, est-ce après y
avoir bien pensé que vous n'avez rien à me dire, et la manière
dont j'en use avec vous ne mérite-t-elle pas que vous me parliez
sincèrement ? — C'est parce que je vous parle sincèrement,
1295 madame, lui répondis-je, que je n'ai rien à vous dire, et je jure à
Votre Majesté, avec tout le respect que je lui dois, que je n'ai
d'attachement pour aucune femme de la cour. — Je le veux
croire, repartit la reine, parce que je le souhaite, et je le souhaite,
parce que je désire que vous soyez entièrement attaché à moi, et
1300 qu'il serait impossible que je fusse contente de votre amitié si
vous étiez amoureux. On ne peut se fier à ceux qui le sont, on ne
peut s'assurer de leur secret. Ils sont trop distraits et trop
partagés, et leur maîtresse leur fait une première occupation qui
ne s'accorde point avec la manière dont je veux que vous soyez
1305 attaché à moi. Souvenez-vous donc que c'est sur la parole
que vous me donnez, que vous n'avez aucun engagement,
que je vous choisis pour vous donner toute ma confiance.
Souvenez-vous que je veux la vôtre tout entière, que je veux que
vous n'ayez ni ami, ni amie, que ceux qui me seront agréables, et
1310 que vous abandonniez tout autre soin que celui de me plaire. Je
ne vous ferai pas perdre celui de votre fortune, je la conduirai
avec plus d'application que vous-même et, quoi que je fasse
pour vous, je m'en tiendrai trop bien récompensée, si je vous
trouve pour moi tel que je l'espère. Je vous choisis pour vous

1315 confier tous mes chagrins et pour m'aider à les adoucir. Vous pouvez juger qu'ils ne sont pas médiocres. Je souffre en apparence sans beaucoup de peine, l'attachement du roi pour la duchesse de Valentinois, mais il m'est insupportable. Elle gouverne le roi, elle le trompe, elle me méprise, tous mes gens 1320 sont à elle. La reine, ma belle-fille, fière de sa beauté et du crédit de ses oncles, ne me rend aucun devoir. Le connétable de Montmorency est maître du roi et du royaume ; il me hait, et m'a donné des marques de sa haine que je ne puis oublier. Le maréchal de Saint-André est un jeune favori audacieux, qui n'en 1325 use pas mieux avec moi que les autres. Le détail de mes malheurs vous ferait pitié, je n'ai osé jusqu'ici me fier à personne, je me fie à vous, faites que je ne m'en repente point et soyez ma seule consolation." Les yeux de la reine rougirent en achevant ces paroles ; je pensai me jeter à ses pieds tant je fus véritablement 1330 touché de la bonté qu'elle me témoignait. Depuis ce jour-là, elle eut en moi une entière confiance ; elle ne fit plus rien sans m'en parler, et j'ai conservé une liaison qui dure encore.

Le vol du portrait (l. 761 à 795)

UNE CRUELLE MISE EN SCÈNE

Relevez les indications scéniques comme s'il vous fallait diriger la mise en scène de ce passage.

1. Dans quel lieu se passe la scène ? Qu'est-ce que cela signifie pour Mme de Clèves et pour M. de Nemours ?

2. Précisez le rôle des objets, qui est ici exceptionnel puisqu'on en trouve très peu dans l'ensemble du roman. Repérez la position de chacun des personnages, ce qu'ils peuvent voir ou ne pas voir.

3. Commentez la situation particulière de la princesse. Pourquoi est-elle à la torture ?

4. Quelle est dans le langage amoureux en général, et plus précisément pour les deux amants dans le roman, la signification du portrait ? Qu'est-ce que la princesse accorde effectivement au duc de Nemours ?

5. Étudiez les réactions des amants après cette scène, ce qu'ils ont découvert et les sentiments que l'incident a éveillés chez chacun d'eux. Précisez les deux sens du mot « embarras » dans l'esprit du duc et dans celui de la princesse.

6. Analysez la plaisanterie du mari après cette scène ; que pensez-vous de sa conclusion ?

7. En quoi cette scène est-elle si cruelle ?

Ensemble du tome II : une passion irrésistible et menaçante

MENACES ET AVERTISSEMENTS

1. Rapprochez les deux histoires racontées dans ce tome, au début et à la fin. Quels sont les points communs entre les deux récits ? Qui les raconte et à qui ? Qu'ont en commun les personnages féminins de ces récits et la princesse de Clèves ?

2. Rapprochez les trois incidents (vol du portrait, l'accident de cheval et la lettre) qui mettent tous les trois en scène le duc de Nemours. Où se déroulent-ils ? Quels rôles y jouent les spectateurs ?

3. À quoi sert la scène des horoscopes ? Quelle différence y a-t-il entre la prédiction faite au roi et celle que Nemours ajoute à son propos ?

4. En quoi l'action a-t-elle progressé à la fin de ce tome ?

L'ÉVEIL D'UNE CONSCIENCE

La princesse a éprouvé à la suite de ces trois incidents des émotions très vives.

5. Relevez les sentiments successivement éprouvés par Mme de Clèves à l'occasion de ces trois événements ?

6. Comment ces sentiments se sont-ils manifestés à l'extérieur ?

7. Résumez la situation de la princesse à ce moment du récit. Qu'a-t-elle découvert ?

Tome III

CEPENDANT, quelque rempli et quelque occupé que je fusse de cette nouvelle liaison avec la reine, je tenais à Mme de Thémines par une inclination naturelle que je ne pouvais vaincre. Il me parut qu'elle cessait de m'aimer et, au lieu que, si j'eusse été
5 sage, je me fusse servi du changement qui paraissait en elle pour aider à me guérir, mon amour en redoubla et je me conduisais si mal, que la reine eut quelque connaissance de cet attachement. La jalousie est naturelle aux personnes de sa nation[1], et peut-être que cette princesse a pour moi des sentiments plus vifs qu'elle ne
10 pense elle-même. Mais enfin le bruit que j'étais amoureux lui donna de si grandes inquiétudes et de si grands chagrins, que je me crus cent fois perdu auprès d'elle. Je la rassurai enfin à force de soins, de soumissions et de faux serments, mais je n'aurais pu la tromper longtemps si le changement de Mme de Thémines ne
15 m'avait détaché d'elle malgré moi. Elle me fit voir qu'elle ne m'aimait plus, et j'en fus si persuadé que je fus contraint de ne la pas tourmenter davantage et de la laisser en repos. Quelque temps après, elle m'écrivit cette lettre que j'ai perdue. J'appris par là qu'elle avait su le commerce que j'avais eu avec cette autre
20 femme dont je vous ai parlé et que c'était la cause de son changement. Comme je n'avais plus rien alors qui me partageât, la reine était assez contente de moi ; mais comme les sentiments que j'ai pour elle ne sont pas d'une nature à me rendre incapable de tout autre attachement et que l'on n'est pas amoureux par
25 sa volonté, je le suis devenu de Mme de Martigues, pour qui j'avais déjà eu beaucoup d'inclination pendant qu'elle était

---

1. *La jalousie... nation :* la jalousie est un sentiment que l'on suppose naturel aux Italiens.

Villemontais[1], fille de la reine dauphine. J'ai lieu de croire que je
n'en suis pas haï[2], la discrétion que je lui fais paraître et dont elle
ne sait pas toutes les raisons, lui est agréable. La reine n'a aucun
30 soupçon sur son sujet, mais elle en a un autre qui n'est guère
moins fâcheux. Comme Mme de Martigues est toujours chez la
reine dauphine, j'y vais aussi beaucoup plus souvent que de
coutume. La reine s'est imaginé que c'est de cette princesse que
je suis amoureux. Le rang de la reine dauphine, qui est égal au
35 sien, et la beauté et la jeunesse qu'elle a au-dessus d'elle, lui
donnent une jalousie qui va jusques à la fureur, et une haine
contre sa belle-fille qu'elle ne saurait plus cacher. Le cardinal de
Lorraine, qui me paraît depuis longtemps aspirer aux bonnes
grâces de la reine et qui voit bien que j'occupe une place qu'il
40 voudrait remplir, sous prétexte de raccommoder Mme la
Dauphine avec elle, est entré dans les différends qu'elles ont eus
ensemble. Je ne doute pas qu'il n'ait démêlé le véritable sujet de
l'aigreur de la reine, et je crois qu'il me rend toutes sortes de
mauvais offices, sans lui laisser voir qu'il a dessein de me les
45 rendre. Voilà l'état où sont les choses à l'heure que je vous parle.
Jugez quel effet peut produire la lettre que j'ai perdue, et que
mon malheur m'a fait mettre dans ma poche pour la rendre à
Mme de Thémines. Si la reine voit cette lettre, elle connaîtra que
je l'ai trompée et que presque dans le temps que je la trompais
50 pour Mme de Thémines, je trompais Mme de Thémines pour une
autre ; jugez quelle idée cela lui peut donner de moi et si elle peut
jamais se fier à mes paroles. Si elle ne voit point cette lettre, que
lui dirai-je ? Elle sait qu'on l'a remise entre les mains de Mme la
Dauphine, elle croira que Chastelart a reconnu l'écriture de cette
55 reine et que la lettre est d'elle, elle s'imaginera que la personne

---

1. Mme de Martigues est née demoiselle de Villemontais avant d'être mariée au
vicomte de Martigues. Elle fut la favorite de la Dauphine. Or, les demoiselles
d'honneur des princesses étaient appelées par leur seul nom de famille.
2. *Je n'en suis pas haï* : j'en suis aimé ; une litote fréquente (voir p. 280).

dont on témoigne de la jalousie est peut-être elle-même ; enfin, il n'y a rien qu'elle n'ait lieu de penser, et il n'y a rien que je ne doive craindre de ses pensées. Ajoutez à cela que je suis vivement touché de Mme de Martigues, qu'assurément Mme la
60 Dauphine lui montrera cette lettre qu'elle croira écrite depuis peu ; ainsi je serai également brouillé, et avec la personne du monde que j'aime le plus, et avec la personne du monde que je dois le plus craindre. Voyez après cela si je n'ai pas raison de vous conjurer de dire que la lettre est à vous, et
65 de vous demander en grâce de l'aller retirer des mains de Mme la Dauphine.

— Je vois bien, dit M. de Nemours, que l'on ne peut être dans un plus grand embarras que celui où vous êtes, et il faut avouer que vous le méritez. On m'a accusé de n'être pas un amant fidèle
70 et d'avoir plusieurs galanteries à la fois, mais vous me passez de si loin, que je n'aurais seulement osé imaginer les choses que vous avez entreprises. Pouviez-vous prétendre de conserver Mme de Thémines en vous engageant avec la reine, et espériez-vous de vous engager avec la reine et de la pouvoir
75 tromper ? Elle est italienne et reine, et par conséquent pleine de soupçon, de jalousie et d'orgueil ; quand votre bonne fortune, plutôt que votre bonne conduite, vous a ôté des engagements où vous étiez, vous en avez pris de nouveaux et vous vous êtes imaginé qu'au milieu de la cour, vous pourriez aimer Mme de
80 Martigues sans que la reine s'en aperçût. Vous ne pouviez prendre trop de soin de lui ôter la honte d'avoir fait les premiers pas. Elle a pour vous une passion violente ; votre discrétion vous empêche de me le dire et la mienne de vous le demander, mais enfin elle vous aime, elle a de la défiance, et la vérité est contre
85 vous.

— Est-ce à vous à m'accabler de réprimandes, interrompit le vidame, et votre expérience ne vous doit-elle pas donner de l'indulgence pour mes fautes ? Je veux pourtant bien convenir que j'ai tort, mais songez, je vous conjure, à me tirer de l'abîme
90 où je suis. Il me paraît qu'il faudrait que vous vissiez la reine

141

dauphine, sitôt qu'elle sera éveillée, pour lui redemander cette
lettre, comme l'ayant perdue.

— Je vous ai déjà dit, reprit M. de Nemours, que la proposition que vous me faites est un peu extraordinaire et que mon
95 intérêt particulier m'y peut faire trouver des difficultés, mais, de
plus, si l'on a vu tomber cette lettre de votre poche, il me paraît
difficile de persuader qu'elle soit tombée de la mienne.

— Je croyais vous avoir appris, répondit le vidame, que l'on a
dit à la reine dauphine que c'était de la vôtre qu'elle était
100 tombée,

— Comment ! reprit brusquement M. de Nemours, qui vit
dans ce moment les mauvais offices[1] que cette méprise lui
pouvait faire auprès de Mme de Clèves, l'on a dit à la reine
dauphine que c'est moi qui ai laissé tomber cette lettre ?

105 — Oui, reprit le vidame, on le lui a dit. Et ce qui a fait cette
méprise, c'est qu'il y avait plusieurs gentilhommes des reines
dans une des chambres du jeu de paume où étaient nos habits, et
que vos gens et les miens les ont été quérir. En même temps la
lettre est tombée ; ces gentilshommes l'ont ramassée et l'ont lue
110 tout haut. Les uns ont cru qu'elle était à vous, et les autres à moi.
Chastelart, qui l'a prise et à qui je viens de la faire demander, a
dit qu'il l'avait donnée à la reine dauphine, comme une lettre qui
était à vous, et ceux qui en ont parlé à la reine ont dit par
malheur qu'elle était à moi ; ainsi vous pouvez faire aisément ce
115 que je souhaite et m'ôter de l'embarras où je suis. »

M. de Nemours avait toujours fort aimé le vidame de
Chartres, et ce qu'il était à Mme de Clèves le lui rendait encore
plus cher. Néanmoins il ne pouvait se résoudre à prendre le
hasard qu'elle entendît parler de cette lettre comme d'une chose
120 où il avait intérêt. Il se mit à rêver profondément, et le vidame, se
doutant à peu près du sujet de sa rêverie :

---

1. *Mauvais offices :* actions ou paroles destinées à desservir quelqu'un.

« Je vois bien, lui dit-il, que vous craignez de vous brouiller avec votre maîtresse, et même vous me donneriez lieu de croire que c'est avec la reine dauphine si le peu de jalousie que je vous
125 vois de M. d'Anville ne m'en ôtait la pensée, mais, quoi qu'il en soit, il est juste que vous ne sacrifiiez pas votre repos au mien, et je veux bien vous donner les moyens de faire voir à celle que vous aimez que cette lettre s'adresse à moi et non pas à vous ; voilà un billet de Mme d'Amboise, qui est amie de Mme de
130 Thémines et à qui elle s'est fiée de tous les sentiments qu'elle a eux pour moi. Par ce billet elle me redemande cette lettre de son amie, que j'ai perdue ; mon nom est sur le billet, et ce qui est dedans prouve sans aucun doute que la lettre que l'on me redemande est la même que l'on a trouvée. Je vous remets ce
135 billet entre les mains, et je consens que vous le montriez à votre maîtresse pour vous justifier. Je vous conjure de ne perdre pas un moment et d'aller, dès ce matin, chez Mme la Dauphine. »

M. de Nemours le promit au vidame de Chartres et prit le billet de Mme d'Amboise ; néanmoins son dessein n'était pas de
140 voir la reine dauphine et il trouvait qu'il avait quelque chose de plus pressé à faire. Il ne doutait pas qu'elle n'eût déjà parlé de la lettre à Mme de Clèves, et il ne pouvait supporter qu'une personne qu'il aimait si éperdument eût lieu de croire qu'il eût quelque attachement pour une autre.

145 Il alla chez elle à l'heure qu'il crut qu'elle pouvait être éveillée et lui fit dire qu'il ne demanderait pas à avoir l'honneur de la voir, à une heure si extraordinaire, si une affaire de conséquence ne l'y obligeait. Mme de Clèves était encore au lit, l'esprit aigri et agité des tristes pensées qu'elle avait eues pendant la nuit. Elle fut
150 extrêmement surprise, lorsqu'on lui dit que M. de Nemours la demandait ; l'aigreur où elle était, ne la fit pas balancer à répondre qu'elle était malade et qu'elle ne pouvait lui parler.

Ce prince ne fut pas blessé de ce refus ; une marque de froideur, dans un temps où elle pouvait avoir de la jalousie,
155 n'était pas un mauvais augure. Il alla à l'appartement de M. de Clèves, et lui dit qu'il venait de celui de madame sa femme, qu'il

143

était bien fâché de ne la pouvoir entretenir, parce qu'il avait à lui parler d'une affaire importante pour le vidame de Chartres. Il fit entendre en peu de mots à M. de Clèves la conséquence de cette
160 affaire, et M. de Clèves le mena à l'heure même dans la chambre de sa femme. Si elle n'eût point été dans l'obscurité, elle eût eu peine à cacher son trouble et son étonnement de voir entrer M. de Nemours conduit par son mari. M. de Clèves lui dit qu'il s'agissait d'une lettre, où l'on avait besoin de son secours pour
165 les intérêts du vidame, qu'elle verrait avec M. de Nemours ce qu'il y avait à faire, et que, pour lui, il s'en allait chez le roi qui venait de l'envoyer quérir.

M. de Nemours demeura seul auprès de Mme de Clèves, comme il le pouvait souhaiter.

170 « Je viens vous demander, madame, lui dit-il, si Mme la Dauphine ne vous a point parlé d'une lettre que Chastelart lui remit hier entre les mains.

— Elle m'en a dit quelque chose, répondit Mme de Clèves, mais je ne vois pas ce que cette lettre a de commun avec les
175 intérêts de mon oncle, et je vous puis assurer qu'il n'y est pas nommé.

— Il est vrai, madame, répliqua M. de Nemours, il n'y est pas nommé ; néanmoins elle s'adresse à lui, et il lui est très important que vous la retiriez des mains de Mme la Dauphine.
180 — J'ai peine à comprendre, reprit Mme de Clèves, pourquoi il lui importe que cette lettre soit vue et pourquoi il faut la redemander sous son nom.

— Si vous voulez vous donner le loisir de m'écouter, madame, dit M. de Nemours, je vous ferai bientôt voir la vérité
185 et vous apprendrez des choses si importantes pour M. le vidame, que je ne les aurais pas même confiées à M. le prince de Clèves, si je n'avais eu besoin de son secours pour avoir l'honneur de vous voir.

— Je pense que tout ce que vous prendriez la peine de me dire
190 serait inutile, répondit Mme de Clèves avec un air assez sec, et il vaut mieux que vous alliez trouver la reine dauphine, et que,

144

sans chercher de détours, vous lui disiez l'intérêt que vous avez à cette lettre, puisque aussi bien on lui a dit qu'elle vient de vous. »

195 L'aigreur que M. de Nemours voyait dans l'esprit de Mme de Clèves lui donnait le plus sensible plaisir qu'il eût jamais eu, et balançait[1] son impatience de se justifier.

« Je ne sais, madame, reprit-il, ce qu'on peut avoir dit à Mme la Dauphine, mais je n'ai aucun intérêt à cette lettre, et elle s'adresse à M. le vidame.

200 — Je le crois, répliqua Mme de Clèves, mais on a dit le contraire à la reine Dauphine et il ne lui paraîtra pas vraisemblable que les lettres de M. le vidame tombent de vos poches. C'est pourquoi, à moins que vous n'ayez quelque raison que je ne sais point, à cacher la vérité à la reine dauphine, je vous

205 conseille de la lui avouer.

— Je n'ai rien à lui avouer, reprit-il, la lettre ne s'adresse pas à moi et, s'il y a quelqu'un que je souhaite d'en persuader, ce n'est pas Mme la Dauphine. Mais, madame, comme il s'agit en ceci de la fortune de M. le vidame, trouvez bon que je vous apprenne

210 des choses qui sont même dignes de votre curiosité. »

Mme de Clèves témoigna par son silence qu'elle était prête à l'écouter, et M. de Nemours lui conta, le plus succinctement qu'il lui fut possible, tout ce qu'il venait d'apprendre du vidame. Quoique ce fussent des choses propres à donner de

215 l'étonnement et à être écoutées avec attention, Mme de Clèves les entendit avec une froideur si grande, qu'il semblait qu'elle ne les crût pas véritables ou qu'elles lui fussent indifférentes. Son esprit demeura dans cette situation jusqu'à ce que M. de Nemours lui parlât du billet de Mme d'Amboise, qui s'adressait au vidame de

220 Chartres et qui était la preuve de tout ce qu'il lui venait de dire. Comme Mme de Clèves savait que cette femme était amie de Mme de Thémines, elle trouva une apparence de vérité à ce que lui disait M. de Nemours, qui lui fit penser que la lettre ne

---

1. *Balançait* : contrebalançait, équilibrait.

s'adressait peut-être pas à lui. Cette pensée la tira tout d'un
225 coup, et malgré elle, de la froideur qu'elle avait eue jusqu'alors.
Ce prince, après lui avoir lu ce billet qui faisait sa justification, le
lui présenta pour le lire et lui dit qu'elle en pouvait connaître
l'écriture. Elle ne put s'empêcher de le prendre, de regarder le
dessus pour voir s'il s'adressait au vidame de Chartres et de le
230 lire tout entier pour juger si la lettre que l'on redemandait était
la même qu'elle avait entre les mains. M. de Nemours lui dit
encore tout ce qu'il crut propre à la persuader, et, comme on
persuade aisément une vérité agréable[1], il convainquit Mme de
Clèves qu'il n'avait point de part à cette lettre.

235   Elle commença alors à raisonner avec lui sur l'embarras et le
péril où était le vidame, à le blâmer de sa méchante conduite, à
chercher les moyens de le secourir ; elle s'étonna du procédé de
la reine, elle avoua à M. de Nemours qu'elle avait la lettre, enfin
sitôt qu'elle le crut innocent, elle entra avec un esprit ouvert et
240 tranquille dans les mêmes choses qu'elle semblait d'abord ne
daigner pas entendre. Ils convinrent qu'il ne fallait point rendre
la lettre à la reine dauphine, de peur qu'elle ne la montrât à
Mme de Martigues, qui connaissait l'écriture de Mme de Thémines
et qui aurait aisément deviné par l'intérêt qu'elle prenait au
245 vidame, qu'elle s'adressait à lui. Ils trouvèrent aussi qu'il ne
fallait pas confier à la reine dauphine tout ce qui regardait la
reine, sa belle-mère. Mme de Clèves, sous le prétexte des affaires
de son oncle, entrait avec plaisir à garder tous les secrets que
M. de Nemours lui confiait.

250   Ce prince ne lui eût pas toujours parlé des intérêts du vidame,
et la liberté où il se trouvait de l'entretenir lui eût donné une
hardiesse qu'il n'avait encore osé prendre, si l'on ne fût venu dire
à Mme de Clèves que la reine dauphine lui ordonnait de l'aller
trouver. M. de Nemours fut contraint de se retirer ; il alla trouver

---

1. *On persuade aisément une vérité agréable :* on convainc aisément d'une
vérité agréable.

255　le vidame pour lui dire qu'après l'avoir quitté, il avait pensé qu'il
　　était plus à propos de s'adresser à Mme de Clèves qui était sa
　　nièce que d'aller droit à Mme la Dauphine. Il ne manqua pas de
　　raisons pour faire approuver ce qu'il avait fait et pour en faire
　　espèrer un bon succès.

260　　　Cependant Mme de Clèves s'habilla en diligence pour aller chez
　　la reine. À peine parut-elle dans sa chambre, que cette princesse
　　la fit approcher et lui dit tout bas :

　　« Il y a deux heures que je vous attends, et jamais je n'ai été si
　　embarrassée à déguiser la vérité que je l'ai été ce matin. La reine
265　a entendu parler de la lettre que je vous donnai hier ; elle croit
　　que c'est le vidame de Chartres qui l'a laissée tomber. Vous
　　savez qu'elle y prend quelque intérêt ; elle a fait chercher cette
　　lettre, elle l'a fait demander à Chastelart ; il a dit qu'il me l'avait
　　donnée ; on me l'est venu demander sur le prétexte que c'était
270　une jolie lettre qui donnait de la curiosité à la reine. Je n'ai osé
　　dire que vous l'aviez ; je crus qu'elle s'imaginerait que je vous
　　l'avais mise entre les mains à cause du vidame votre oncle, et
　　qu'il y aurait une grande intelligence entre lui et moi. Il m'a déjà
　　paru qu'elle souffrait avec peine qu'il me vît souvent, de sorte
275　que j'ai dit que la lettre était dans les habits que j'avais hier et
　　que ceux qui en avaient la clef étaient sortis. Donnez-moi
　　promptement cette lettre, ajouta-t-elle, afin que je la lui envoie
　　et que je la lise avant que de l'envoyer pour voir si je n'en
　　connaîtrai point l'écriture. »

280　　　Mme de Clèves se trouva encore plus embarrassée qu'elle
　　n'avait pensé.

　　« Je ne sais, madame, comment vous ferez, répondit-elle, car
　　M. de Clèves, à qui je l'avais donnée à lire, l'a rendue à M. de
　　Nemours qui est venu dès ce matin le prier de vous la
285　redemander. M. de Clèves a eu l'imprudence de lui dire qu'il
　　l'avait, et il a eu la faiblesse de céder aux prières que M. de
　　Nemours lui a faites de la lui rendre.

　　— Vous me mettez dans le plus grand embarras où je puisse
　　jamais être, repartit Mme la Dauphine, et vous avez tort d'avoir

290 rendu cette lettre à M. de Nemours ; puisque c'était moi qui
vous l'avais donnée, vous ne deviez point la rendre sans ma
permission. Que voulez-vous je dise à la reine et que
pourra-t-elle s'imaginer ? Elle croira, et avec apparence, que
cette lettre me regarde et qu'il y a quelque chose entre le vidame
295 et moi. Jamais on ne lui persuadera que cette lettre soit à
M. de Nemours.

— Je suis très affligée, répondit Mme de Clèves, de l'embarras
que je vous cause. Je le crois aussi grand qu'il est, mais c'est la
faute de M. de Clèves et non pas la mienne.

300 — C'est la vôtre, répliqua Mme la Dauphine, de lui avoir donné
la lettre, et il n'y a que vous de femme au monde qui fasse
confidence à son mari de toutes les choses qu'elle sait.

— Je crois que j'ai tort, madame, répliqua Mme de Clèves, mais
songez à réparer ma faute, et non pas à l'examiner.

305 — Ne vous souvenez-vous point à peu près de ce qui est dans
cette lettre ? dit alors Mme la Dauphine.

— Oui, madame, répondit-elle, je m'en souviens et l'ai relue
plus d'une fois.

— Si cela est, reprit Mme la Dauphine, il faut que vous alliez
310 tout à l'heure la faire écrire d'une main inconnue. Je l'enverrai à
la reine, elle ne la montrera pas à ceux qui l'ont vue. Quand elle
le ferait, je soutiendrais toujours que c'est celle que Chastelart
m'a donnée et il n'oserait dire le contraire. »

Mme de Clèves entra dans cet expédient[1], et d'autant plus
315 qu'elle pensa qu'elle enverrait quérir M. de Nemours pour ravoir
la lettre même, afin de la faire copier mot à mot et d'en faire à
peu près imiter l'écriture, et elle crut que la reine y serait
infailliblement trompée. Sitôt qu'elle fut chez elle, elle conta à
son mari l'embarras de Mme la Dauphine et le pria d'envoyer
320 chercher M. de Nemours. On le chercha ; il vint en diligence.

---

1. *Entra dans cet expédient :* accepta cet arrangement, ce moyen.

Mᵐᵉ de Clèves lui dit tout ce qu'elle avait déjà appris à son mari et lui demanda la lettre, mais M. de Nemours répondit qu'il l'avait déjà rendue au vidame de Chartres, qui avait eu tant de joie de la ravoir et de se trouver hors du péril qu'il
325 aurait couru, qu'il l'avait renvoyée à l'heure même à l'amie de Mᵐᵉ de Thémines. Mᵐᵉ de Clèves se retrouva dans un nouvel embarras, et enfin, après avoir bien consulté, ils résolurent de faire la lettre de mémoire. Ils s'enfermèrent pour y travailler, on donna ordre à la porte de ne laisser entrer personne, et on
330 renvoya tous les gens de M. de Nemours. Cet air de mystère et de confidence n'était pas d'un médiocre charme pour ce prince et même pour Mᵐᵉ de Clèves. La présence de son mari et les intérêts du vidame de Chartres la rassuraient en quelque sorte sur ses scrupules. Elle ne sentait que le plaisir de voir M. de
335 Nemours, elle en avait une joie pure et sans mélange qu'elle n'avait jamais sentie ; cette joie lui donnait une liberté et un enjouement dans l'esprit que M. de Nemours ne lui avait jamais vus et qui redoublaient son amour. Comme il n'avait point eu encore de si agréables moments, sa vivacité en était augmentée,
340 et, quand Mᵐᵉ de Clèves voulut commencer à se souvenir de la lettre et à l'écrire, ce prince, au lieu de lui aider sérieusement, ne faisait que l'interrompre et lui dire des choses plaisantes. Mᵐᵉ de Clèves entra dans le même esprit de gaieté, de sorte qu'il y avait déjà longtemps qu'ils étaient enfermés, et on était déjà
345 venu deux fois de la part de la reine dauphine pour dire à Mᵐᵉ de Clèves de se dépêcher, qu'ils n'avaient pas encore fait la moitié de la lettre.

M. de Nemours était bien aise de faire durer un temps qui lui était si agréable et oubliait les intérêts de son ami. Mᵐᵉ de Clèves
350 ne s'ennuyait pas et oubliait aussi les intérêts de son oncle. Enfin à peine à quatre heures la lettre était-elle achevée, et elle était si mal faite, et l'écriture dont on la fit copier, ressemblait si peu à celle que l'on avait eu dessein d'imiter, qu'il eût fallu que la reine n'eût guère pris le soin d'éclaircir la vérité pour ne la pas
355 connaître. Aussi n'y fut-elle pas trompée ; quelque soin que l'on

prît de lui persuader que cette lettre s'adressait à M. de
Nemours, elle demeura convaincue, non seulement qu'elle était
au vidame de Chartres, mais elle crut que la reine dauphine y
avait part et qu'il y avait quelque intelligence entre eux. Cette
360 pensée augmenta tellement la haine qu'elle avait pour cette
princesse, qu'elle ne lui pardonna jamais et qu'elle la persécuta
jusqu'à ce qu'elle l'eût fait sortir de France.

Pour le vidame de Chartres, il fut ruiné auprès d'elle, et, soit
que le cardinal de Lorraine se fût déjà rendu maître de son esprit,
365 ou que l'aventure de cette lettre, qui lui fit voir qu'elle était
trompée, lui aidât à démêler les autres tromperies que le vidame
lui avait déjà faites, il est certain qu'il ne put jamais se
raccommoder sincèrement avec elle. Leur liaison se rompit, et
elle le perdit ensuite à la conjuration d'Amboise[1] où il se trouva
370 embarrassé[2].

Après qu'on eut envoyé la lettre à Mme la Dauphine, M. de
Clèves et M. de Nemours s'en allèrent. Mme de Clèves demeura
seule, et sitôt qu'elle ne fut plus soutenue par cette joie que
donne la présence de ce que l'on aime, elle revint comme d'un
375 songe ; elle regarda avec étonnement la prodigieuse différence
de l'état où elle était le soir d'avec celui où elle se trouvait alors ;
elle se remit devant les yeux l'aigreur et le froideur qu'elle avait
fait paraître à M. de Nemours, tant qu'elle avait cru que la lettre
de Mme de Thémines s'adressait à lui, quel calme et quelle
380 douceur avaient succédé à cette aigreur, sitôt qu'il l'avait
persuadée que cette lettre ne le regardait pas. Quand elle pensait
qu'elle s'était reproché comme un crime, le jour précédent, de lui
avoir donné des marques de sensibilité que la seule compassion
pouvait avoir fait naître, et que, par son aigreur, elle lui avait fait
385 paraître des sentiments de jalousie qui étaient des preuves

---

1. *La conjuration d'Amboise* : conjuration qui visait à soustraire le jeune
François II de l'influence des Guises. Les conjurés furent exécutés en 1560.
2. *Embarrassé* : compromis.

certaines de passion, elle ne se reconnaissait plus elle-même.
Quand elle pensait encore que M. de Nemours voyait bien
qu'elle connaissait son amour, qu'il voyait bien aussi que, malgré
cette connaissance, elle ne l'en traitait pas plus mal en présence
390 même de son mari, qu'au contraire elle ne l'avait jamais regardé
si favorablement, qu'elle était cause que M. de Clèves l'avait
envoyé quérir et qu'ils venaient de passer une après-dînée
ensemble en particulier, elle trouvait qu'elle était d'intelligence
avec M. de Nemours, qu'elle trompait le mari du monde qui
395 méritait le moins d'être trompé, et elle était honteuse de paraître
si peu digne d'estime aux yeux même de son amant. Mais, ce
qu'elle pouvait moins supporter que tout le reste, était le
souvenir de l'état où elle avait passé la nuit, et les cuisantes
douleurs que lui avait causées la pensée que M. de Nemours
400 aimait ailleurs et qu'elle était trompée.

Elle avait ignoré jusqu'alors les inquiétudes mortelles de la
défiance et de la jalousie, elle n'avait pensé qu'à se défendre
d'aimer M. de Nemours, et elle n'avait point encore commencé à
craindre qu'il en aimât une autre. Quoique les soupçons que lui
405 avait donnés cette lettre fussent effacés, ils ne laissèrent pas de
lui ouvrir les yeux sur le hasard d'être trompée et de lui donner
des impressions[1] de défiance et de jalousie qu'elle n'avait jamais
eues. Elle fut étonnée de n'avoir point encore pensé combien il
était peu vraisemblable qu'un homme comme M. de Nemours,
410 qui avait toujours fait paraître tant de légèreté parmi les femmes,
fût capable d'un attachement sincère et durable. Elle trouva qu'il
était presque impossible qu'elle pût être contente de sa passion.
Mais quand je le pourrais être, disait-elle, qu'en veux-je faire ?
Veux-je la souffrir ? Veux-je y répondre ? Veux-je m'engager
415 dans une galanterie ? Veux-je manquer à M. de Clèves ? Veux-je
me manquer à moi-même ? Et veux-je enfin m'exposer aux

---

1. *Impressions* : sensations, sentiments.

cruels repentirs et aux mortelles douleurs que donne l'amour ? Je
suis vaincue et surmontée par une inclination qui m'entraîne
malgré moi. Toutes mes résolutions sont inutiles ; je pensai hier
420 tout ce que je pense aujourd'hui et je fais aujourd'hui tout le
contraire de ce que je résolus hier. Il faut m'arracher de la
présence de M. de Nemours, il faut m'en aller à la campagne,
quelque bizarre que puisse paraître mon voyage, et si M. de
Clèves s'opiniâtre à l'empêcher ou à en vouloir savoir les raisons,
425 peut-être lui ferai-je le mal, et à moi-même aussi, de les lui
apprendre. Elle demeura dans cette résolution et passa tout le
soir chez elle, sans aller savoir de Mme la Dauphine ce qui était
arrivé de la fausse lettre du vidame.

Quand M. de Clèves fut revenu, elle lui dit qu'elle voulait aller
430 à la campagne, qu'elle se trouvait mal et qu'elle avait besoin de
prendre l'air. M. de Clèves, à qui elle paraissait d'une beauté qui
ne lui persuadait pas que ses maux fussent considérables, se
moqua d'abord de la proposition de ce voyage et lui répondit
qu'elle oubliait que les noces des princesses et le tournoi
435 s'allaient faire, et qu'elle n'avait pas trop de temps pour se
préparer à y paraître avec la même magnificence que les autres
femmes. Les raisons de son mari ne la firent pas changer de
dessein ; elle le pria de trouver bon que, pendant qu'il irait à
Compiègne avec le roi, elle allât à Coulommiers, qui était une
440 belle maison à une journée de Paris, qu'ils faisaient bâtir avec
soin. M. de Clèves y consentit ; elle y alla dans le dessein de n'en
pas revenir sitôt, et le roi partit pour Compiègne où il ne devait
être que peu de jours.

M. de Nemours avait eu bien de la douleur de n'avoir point
445 revu Mme de Clèves depuis cette après-dînée qu'il avait passée
avec elle si agréablement et qui avait augmenté ses espérances. Il
avait une impatience de la revoir qui ne lui donnait point de
repos, de sorte que, quand le roi revint à Paris, il résolut d'aller
chez sa sœur, la duchesse de Mercœur, qui était à la campagne
450 assez près de Coulommiers. Il proposa au vidame d'y aller avec
lui, qui accepta aisément cette proposition, et M. de Nemours la

fit dans l'espérance de voir Mme de Clèves et d'aller chez elle avec
le vidame.

Mme de Mercœur les reçut avec beaucoup de joie et ne pensa
455 qu'à les divertir et à leur donner tous les plaisirs de la campagne.
Comme ils étaient à la chasse à courir le cerf, M. de Nemours
s'égara dans la forêt. En s'enquérant du chemin qu'il devait tenir
pour s'en retourner, il sut qu'il était proche de Coulommiers. À
ce mot de Coulommiers, sans faire aucune réflexion et sans
460 savoir quel était son dessein, il alla à toute bride du côté qu'on le
lui montrait. Il arriva dans la forêt et se laissa conduire au hasard
par des routes faites avec soin, qu'il jugea bien qui conduisaient
vers le château. Il trouva au bout de ces routes un pavillon, dont
le dessous était un grand salon accompagné de deux cabinets,
465 dont l'un était ouvert sur un jardin de fleurs, qui n'était séparé de
la forêt que par des palissades, et le second donnait sur une
grande allée du parc. Il entra dans le pavillon, et il se serait arrêté
à en regarder la beauté, sans qu'il vît venir par cette allée du parc
M. et Mme de Clèves, accompagnés d'un grand nombre de
470 domestiques. Comme il ne s'était pas attendu à trouver M. de
Clèves qu'il avait laissé auprès du roi, son premier mouvement le
porta à se cacher : il entra dans le cabinet qui donnait sur le jardin
de fleurs, dans la pensée d'en ressortir par une porte qui était
ouverte sur la forêt, mais, voyant que Mme de Clèves et son mari
475 s'étaient assis sous le pavillon, que leurs domestiques
demeuraient dans le parc et qu'ils ne pouvaient venir à lui sans
passer dans le lieu où étaient M. et Mme de Clèves, il ne put se
refuser le plaisir de voir cette princesse, ni résister à la curiosité
d'écouter sa conversation avec un mari qui lui donnait plus de
480 jalousie qu'aucun de ses rivaux.

Il entendit que M. de Clèves disait à sa femme :

« Mais pourquoi ne voulez-vous point revenir à Paris ? Qui
vous peut retenir à la campagne ? Vous avez depuis quelque
temps un goût pour la solitude qui m'étonne et qui m'afflige
485 parce qu'il nous sépare. Je vous trouve même plus triste que de
coutume, et je crains que vous n'ayez quelque sujet d'affliction.

— Je n'ai rien de fâcheux dans l'esprit, répondit-elle avec un air embarrassé, mais le tumulte de la cour est si grand et il y a toujours un si grand monde chez vous, qu'il est impossible que
490 le corps et l'esprit ne se lassent et que l'on ne cherche du repos.

— Le repos, répliqua-t-il, n'est guère propre pour une personne de votre âge. Vous êtes, chez vous et dans la cour, d'une sorte à ne vous pas donner de lassitude, et je craindrais plutôt que vous ne fussiez bien aise d'être séparée de moi.

495 — Vous me feriez une grande injustice d'avoir cette pensée, reprit-elle avec un embarras qui augmentait toujours, mais je vous supplie de me laisser ici. Si vous y pouviez demeurer, j'en aurais beaucoup de joie, pourvu que vous y demeurassiez seul, et que vous voulussiez bien n'y avoir point ce nombre infini de
500 gens qui ne vous quittent quasi jamais.

— Ah ! madame ! s'écria M. de Clèves, votre air et vos paroles me font voir que vous avez des raisons pour souhaiter d'être seule, que je ne sais point, et je vous conjure de me les dire. »

505 Il la pressa longtemps de les lui apprendre sans pouvoir l'y obliger, et, après qu'elle se fut défendue d'une manière qui augmentait toujours la curiosité de son mari, elle demeura dans un profond silence, les yeux baissés, puis tout d'un coup prenant la parole et le regardant :

510 « Ne me contraignez point, lui dit-elle, à vous avouer une chose que je n'ai pas la force de vous avouer, quoique j'en aie eu plusieurs fois le dessein. Songez seulement que la prudence ne veut pas qu'une femme de mon âge, et maîtresse de sa conduite, demeure exposée au milieu de la cour.

515 — Que me faites-vous envisager, madame, s'écria M. de Clèves. Je n'oserais vous le dire de peur de vous offenser. »

Mme de Clèves ne répondit point ; et son silence achevant de confimer son mari dans ce qu'il avait pensé :

« Vous ne me dites rien, reprit-il, et c'est me dire que je ne me
520 trompe pas.

— Eh bien, monsieur, lui répondit-elle en se jetant à ses

genoux, je vais vous faire un aveu que l'on n'a jamais fait à son mari, mais l'innocence de ma conduite et de mes intentions m'en donne la force. Il est vrai que j'ai des raisons de m'éloigner
525 de la cour et que je veux éviter les périls où se trouvent quelquefois les personnes de mon âge. Je n'ai jamais donné nulle marque de faiblesse, et je ne craindrais pas d'en laisser paraître, si vous me laissiez la liberté de me retirer de la cour, ou si j'avais encore Mme de Chartres pour aider à me conduire. Quelque
530 dangereux que soit le parti que je prends, je le prends avec joie pour me conserver digne d'être à vous. Je vous demande mille pardons, si j'ai des sentiments qui vous déplaisent, du moins je ne vous déplairai jamais par mes actions. Songez que pour faire ce que je fais, il faut avoir plus d'amitié et plus d'estime pour un
535 mari que l'on en a jamais eu, conduisez-moi, ayez pitié de moi, et aimez-moi encore, si vous pouvez. »

M. de Clèves était demeuré, pendant tout ce discours, la tête appuyée sur ses mains, hors de lui-même, et il n'avait pas songé à faire relever sa femme. Quand elle eut cessé de parler, qu'il jeta
540 les yeux sur elle, qu'il la vit à ses genoux le visage couvert de larmes et d'une beauté si admirable, il pensa mourir de douleur, et l'embrassant en la relevant :

« Ayez pitié de moi vous-même, madame, lui dit-il, j'en suis digne, et pardonnez si, dans les premiers moments d'une
545 affliction aussi violente qu'est la mienne, je ne réponds pas, comme je dois, à un procédé comme le vôtre. Vous me paraissez plus digne d'estime et d'admiration que tout ce qu'il y a jamais eu de femmes au monde, mais aussi je me trouve le plus malheureux homme qui ait jamais été. Vous m'avez donné de la
550 passion dès le premier moment que je vous ai vue, vos rigueurs et votre possession n'ont pu l'éteindre ; elle dure encore ; je n'ai jamais pu vous donner de l'amour, et je vois que vous craignez d'en avoir pour un autre. Et qui est-il, madame, cet homme heureux qui vous donne cette crainte ? Depuis quand vous
555 plaît-il ? Qu'a-t-il fait pour vous plaire ? Quel chemin a-t-il trouvé pour aller à votre cœur ? Je m'étais consolé en quelque

155

sorte de ne l'avoir pas touché par la pensée qu'il était incapable
de l'être. Cependant un autre fait ce que je n'ai pu faire. J'ai tout
ensemble la jalousie d'un mari et celle d'un amant, mais il est
560 impossible d'avoir celle d'un mari après un procédé comme le
vôtre. Il est trop noble pour ne me pas donner une sûreté entière,
il me console même comme votre amant. La confiance et la
sincérité que vous avez pour moi sont d'un prix infini ; vous
m'estimez assez pour croire que je n'abuserai pas de cet aveu.
565 Vous avez raison, madame, je n'en abuserai pas, et je ne vous en
aimerai pas moins. Vous me rendez malheureux par la plus
grande marque de fidélité que jamais une femme ait donnée à
son mari. Mais, madame, achevez, et apprenez-moi qui est celui
que vous voulez éviter.

570   — Je vous supplie de ne me le point demander, répondit-elle,
je suis résolue de ne vous le pas dire, et je crois que la prudence
ne veut pas que je vous le nomme.

     — Ne craignez point, madame, reprit M. de Clèves, je
connais trop le monde pour ignorer que la considération d'un
575 mari n'empêche pas que l'on ne soit amoureux de sa femme. On
doit haïr ceux qui le sont et non pas s'en plaindre, et encore une
fois, madame, je vous conjure de m'apprendre ce que j'ai envie
de savoir.

     — Vous m'en presseriez inutilement, répliqua-t-elle, j'ai
580 de la force pour taire ce que je crois ne pas devoir dire. L'aveu
que je vous ai fait n'a pas été par faiblesse, et il faut plus de
courage pour avouer cette vérité que pour entreprendre de la
cacher. »

     M. de Nemours ne perdait pas une parole de cette
585 conversation ; et ce que venait de dire Mme de Clèves ne lui
donnait guère moins de jalousie qu'à son mari. Il était si
éperdument amoureux d'elle, qu'il croyait que tout le monde
avait les mêmes sentiments. Il était véritable aussi qu'il avait
plusieurs rivaux, mais il s'en imaginait encore davantage, et son
590 esprit s'égarait à chercher celui dont Mme de Clèves voulait parler.
Il avait cru bien des fois qu'il ne lui était pas désagréable, et il

avait fait ce jugement sur des choses qui lui parurent si légères dans ce moment qu'il ne put s'imaginer qu'il eût donné une passion qui devait être bien violente pour avoir recours à un
595 remède si extraordinaire. Il était si transporté qu'il ne savait quasi ce qu'il voyait, et il ne pouvait pardonner à M. de Clèves de ne pas assez presser sa femme de lui dire ce nom qu'elle lui cachait.

M. de Clèves faisait néanmoins tous ses efforts pour le savoir,
600 et, après qu'il l'en eut pressée inutilement :

« Il me semble, répondit-elle, que vous devez être content de ma sincérité, ne m'en demandez pas davantage et ne me donnez point lieu de me repentir de ce que je viens de faire. Contentez-vous de l'assurance que je vous donne encore,
605 qu'aucune de mes actions n'a fait paraître mes sentiments, et que l'on ne m'a jamais rien dit dont j'aie pu m'offenser.

— Ah ! madame, reprit tout d'un coup M. de Clèves, je ne vous saurais croire. Je me souviens de l'embarras où vous fûtes le jour que votre portrait se perdit. Vous avez donné, madame,
610 vous avez donné ce portrait qui m'était si cher et qui m'appartenait si légitimement. Vous n'avez pu cacher vos sentiments ; vous aimez, on le sait ; votre vertu vous a jusqu'ici garantie du reste.

— Est-il possible, s'écria cette princesse, que vous puissiez
615 penser qu'il y ait quelque déguisement dans un aveu comme le mien, qu'aucune raison ne m'obligeait à vous faire ? Fiez-vous à mes paroles, c'est par un assez grand prix que j'achète la confiance que je vous demande. Croyez, je vous en conjure, que je n'ai point donné mon portrait ; il est vrai que je le vis prendre,
620 mais je ne voulus pas faire paraître que je le voyais, de peur de m'exposer à me faire dire des choses que l'on ne m'a encore osé dire.

— Par où vous a-t-on donc fait voir qu'on vous aimait, reprit M. de Clèves, et quelles marques de passion vous a-t-on
625 données ?

— Épargnez-moi la peine, répliqua-t-elle, de vous redire des détails qui me font honte à moi-même de les avoir remarqués et qui ne m'ont que trop persuadée de ma faiblesse.

— Vous avez raison, madame, reprit-il, je suis injuste. Refusez-moi toutes les fois que je vous demanderai de pareilles choses, mais ne vous offensez pourtant pas si je vous le demande. »

Dans ce moment, plusieurs de leurs gens, qui étaient demeurés dans les allées, vinrent avertir M. de Clèves qu'un gentilhomme venait le chercher de la part du roi, pour lui ordonner de se trouver le soir à Paris. M. de Clèves fut contraint de s'en aller, et il ne put rien dire à sa femme, sinon qu'il la suppliait de venir le lendemain, et qu'il la conjurait de croire que, quoiqu'il fût affligé, il avait pour elle une tendresse et une estime dont elle devait être satisfaite.

Lorsque ce prince fut parti, que Mme de Clèves demeura seule, qu'elle regarda ce qu'elle venait de faire, elle en fut si épouvantée, qu'à peine put-elle s'imaginer que ce fût une vérité. Elle trouva qu'elle s'était ôté elle-même le cœur et l'estime de son mari et qu'elle s'était creusé un abîme dont elle ne sortirait jamais. Elle se demandait pourquoi elle avait fait une chose si hasardeuse, et elle trouvait qu'elle s'y était engagée sans en avoir presque eu le dessein. La singularité d'un pareil aveu, dont elle ne trouvait point d'exemple, lui en faisait voir tout le péril.

Mais quand elle venait à penser que ce remède, quelque violent qu'il fût, était le seul qui la pouvait défendre contre M. de Nemours, elle trouvait qu'elle ne devait point se repentir et qu'elle n'avait point trop hasardé. Elle passa toute la nuit, pleine d'incertitude, de trouble et de crainte, mais enfin le calme revint dans son esprit. Elle trouva même de la douceur à avoir donné ce témoignage de fidélité à un mari qui le méritait si bien, qui avait tant d'estime et tant d'amitié pour elle, et qui venait de lui en donner encore des marques par la manière dont il avait reçu ce qu'elle lui avait avoué.

Cependant M. de Nemours était sorti du lieu où il avait entendu une conversation qui le touchait si sensiblement et

s'était enfoncé dans la forêt. Ce qu'avait dit Mme de Clèves de son portrait, lui avait redonné la vie en lui faisant connaître que c'était lui qu'elle ne haïssait pas. Il s'abandonna d'abord à cette
665 joie, mais elle ne fut pas longue, quand il fit réflexion que la même chose qui lui venait d'apprendre qu'il avait touché le cœur de Mme de Clèves, le devait persuader aussi qu'il n'en recevrait jamais nulle marque et qu'il était impossible d'engager une personne qui avait recours à un remède si extraordinaire. Il sentit
670 pourtant un plaisir sensible de l'avoir réduite à cette extrémité. Il trouva de la gloire à s'être fait aimer d'une femme si différente de toutes celles de son sexe ; enfin, il se trouva cent fois heureux et malheureux tout ensemble. La nuit le surprit dans la forêt, et il eut beaucoup de peine à retrouver le chemin de chez Mme de
675 Mercœur. Il y arriva à la pointe du jour. Il fut assez embarrassé de rendre compte de ce qui l'avait retenu ; il s'en démêla le mieux qu'il lui fut possible, et revint ce jour même à Paris avec le vidame.

Ce prince était si rempli de sa passion, et si surpris de ce qu'il
680 avait entendu, qu'il tomba dans une imprudence assez ordinaire, qui est de parler en termes généraux de ses sentiments particuliers et de conter ses propres aventures sous des noms empruntés. En revenant il tourna la conversation sur l'amour, il exagéra le plaisir d'être amoureux d'une personne digne d'être
685 aimée. Il parla des effets bizarres de cette passion et enfin ne pouvant renfermer en lui-même l'étonnement que lui donnait l'action de Mme de Clèves, il la conta au vidame, sans lui nommer la personne et sans lui dire qu'il y eût aucune part, mais il la conta avec tant de chaleur et avec tant d'admiration, que le
690 vidame soupçonna aisément que cette histoire regardait ce prince. Il le pressa extrêmement de le lui avouer. Il lui dit qu'il connaissait depuis longtemps qu'il avait quelque passion violente et qu'il y avait de l'injustice de se défier d'un homme qui lui avait confié le secret de sa vie. M. de Nemours était trop
695 amoureux pour avouer son amour ; il l'avait toujours caché au vidame, quoique ce fût l'homme de la cour qu'il aimât le mieux.

Il lui répondit qu'un de ses amis lui avait conté cette aventure et lui avait fait promettre de n'en point parler, et qu'il le conjurait aussi de garder ce secret. Le vidame l'assura qu'il n'en parlerait
700 point ; néanmoins M. de Nemours se repentit de lui en avoir tant appris.

Cependant, M. de Clèves était allé trouver le roi, le cœur pénétré d'une douleur mortelle. Jamais mari n'avait eu une passion si violente pour sa femme et ne l'avait tant estimée. Ce
705 qu'il venait d'apprendre ne lui ôtait pas l'estime, mais elle lui en donnait d'une espèce différente de celle qu'il avait eue jusqu'alors. Ce qui l'occupait le plus était l'envie de deviner celui qui avait su lui plaire. M. de Nemours lui vint d'abord dans l'esprit, comme ce qu'il y avait de plus aimable à la cour, et le
710 chevalier de Guise, et le maréchal de Saint-André, comme deux hommes qui avaient pensé à lui plaire et qui lui rendaient encore beaucoup de soins, de sorte qu'il s'arrêta à croire qu'il fallait que ce fût l'un des trois. Il arriva au Louvre, et le roi le mena dans son cabinet pour lui dire qu'il l'avait choisi pour conduire Madame
715 en Espagne[1] ; qu'il avait cru que personne ne s'acquitterait mieux que lui de cette commission et que personne aussi ne ferait tant d'honneur à la France que Mme de Clèves. M. de Clèves reçut l'honneur de ce choix comme il le devait, et le regarda même comme une chose qui éloignerait sa femme de la cour
720 sans qu'il parût de changement dans sa conduite. Néanmoins le temps de ce départ était encore trop éloigné pour être un remède à l'embarras où il se trouvait. Il écrivit à l'heure même à Mme de Clèves pour lui apprendre ce que le roi venait de lui dire, et il lui manda encore qu'il voulait absolument qu'elle revînt à Paris. Elle
725 y revint comme il l'ordonnait et lorsqu'ils se virent, ils se trouvèrent tous deux dans une tristesse extraordinaire.

---

1. *Conduire Madame en Espagne* : accompagner Élisabeth de France chez son futur époux, Philippe II.

M. de Clèves lui parla comme le plus honnête homme du monde et le plus digne de ce qu'elle avait fait.

« Je n'ai nulle inquiétude de votre conduite, lui dit-il, vous
730 avez plus de force et plus de vertu que vous ne pensez. Ce n'est point aussi la crainte de l'avenir qui m'afflige. Je ne suis affligé que de vous voir pour un autre des sentiments que je n'ai pu vous donner.

— Je ne sais que vous répondre, lui dit-elle, je meurs de honte
735 en vous en parlant. Épargnez-moi, je vous en conjure, de si cruelles conversations, réglez ma conduite, faites que je ne voie personne. C'est tout ce que je vous demande. Mais trouvez bon que je ne vous parle plus d'une chose qui me fait paraître si peu digne de vous et que je trouve si indigne de moi.

740 — Vous avez raison, madame, répliqua-t-il, j'abuse de votre douceur et de votre confiance, mais aussi ayez quelque compassion de l'état où vous m'avez mis, et songez que, quoi que vous m'ayez dit, vous me cachez un nom qui me donne une curiosité avec laquelle je ne saurais vivre. Je ne vous demande
745 pourtant pas de la satisfaire, mais je ne puis m'empêcher de vous dire que je crois que celui que je dois envier, est le maréchal de Saint-André, le duc de Nemours ou le chevalier de Guise.

— Je ne vous répondrai rien, lui dit-elle en rougissant, et je ne vous donnerai aucun lieu par mes réponses de diminuer ni de
750 fortifier vos soupçons, mais, si vous essayez de les éclaircir en m'observant, vous me donnerez un embarras qui paraîtra aux yeux de tout le monde. Au nom de Dieu, continua-t-elle, trouvez bon que, sur le prétexte de quelque maladie, je ne voie personne.

755 — Non, madame, répliqua-t-il, on démêlerait bientôt que ce serait une chose supposée, et, de plus, je ne me veux fier qu'à vous-même ; c'est le chemin que mon cœur me conseille de prendre, et la raison me le conseille aussi. De l'humeur dont vous êtes, en vous laissant votre liberté, je vous donne des
760 bornes plus étroites que je ne pourrais vous en prescrire. »

M. de Clèves ne se trompait pas ; la confiance qu'il témoignait

à sa femme la fortifiait davantage contre M. de Nemours et lui faisait prendre des résolutions plus austères qu'aucune contrainte n'aurait pu faire. Elle alla donc au Louvre et chez la
765 reine dauphine à son ordinaire, mais elle évitait la présence et les yeux de M. de Nemours avec tant de soin, qu'elle lui ôta quasi toute la joie qu'il avait de se croire aimé d'elle. Il ne voyait rien dans ses actions qui ne lui persuadât le contraire. Il ne savait quasi si ce qu'il avait entendu n'était point un songe, tant il y
770 trouvait peu de vraisemblance. La seule chose qui l'assurait qu'il ne s'était pas trompé, était l'extrême tristesse de Mme de Clèves, quelque effort qu'elle fît pour la cacher. Peut-être que des regards et des paroles obligeantes n'eussent pas tant augmenté l'amour de M. de Nemours que faisait cette conduite
775 austère.

Un soir que M. et Mme de Clèves étaient chez la reine, quelqu'un dit que le bruit courait que le roi nommerait encore un grand seigneur de la cour pour aller conduire Madame en Espagne. M. de Clèves avait les yeux sur sa femme dans le temps
780 que l'on ajouta que ce serait peut-être le chevalier de Guise ou le maréchal de Saint-André. Il remarqua qu'elle n'avait point été émue de ces deux noms, ni de la proposition qu'ils fissent ce voyage avec elle. Cela lui fit croire que pas un des deux n'était celui dont elle craignait la présence, et, voulant s'éclaircir de ses
785 soupçons, il entra dans le cabinet de la reine, où était le roi. Après y avoir demeuré quelque temps, il revint auprès de sa femme et lui dit tout bas qu'il venait d'apprendre que ce serait M. de Nemours qui irait avec eux en Espagne.

Le nom de M. de Nemours et la pensée d'être exposée à le voir
790 tous les jours pendant un long voyage, en présence de son mari, donna un tel trouble à Mme de Clèves qu'elle ne le put cacher, et, voulant y donner d'autres raisons :

« C'est un choix bien désagréable pour vous, répondit-elle, que celui de ce prince. Il partagera tous les honneurs et il me
795 semble que vous devriez essayer de faire choisir quelque autre.

— Ce n'est pas la gloire, madame, reprit M. de Clèves, qui

vous fait appréhender que M. de Nemours ne vienne avec moi. Le chagrin que vous en avez, vient d'une autre cause. Ce chagrin m'apprend ce que j'aurais appris d'une autre femme, par la joie
800 qu'elle en aurait eue. Mais ne craignez point ; ce que je viens de vous dire n'est pas véritable, et je l'ai inventé pour m'assurer d'une chose que je ne croyais déjà que trop. »

Il sortir après ces paroles, ne voulant pas augmenter par sa présence l'extrême embarras où il voyait sa femme.

805 M. de Nemours entra dans cet instant et remarqua d'abord l'état où était Mme de Clèves. Il s'approcha d'elle et lui dit tout bas qu'il n'osait par respect lui demander ce qui la rendait plus rêveuse que de coutume. La voix de M. de Nemours la fit revenir[1], et, le regardant, sans avoir entendu ce qu'il venait de lui
810 dire, pleine de ses propres pensées et de la crainte que son mari ne le vît auprès d'elle :

« Au nom de Dieu, lui dit-elle, laissez-moi en repos !

— Hélas ! madame, répondit-il, je ne vous y laisse que trop, de quoi pouvez-vous vous plaindre ? Je n'ose vous parler, je
815 n'ose même vous regarder, je ne vous approche qu'en tremblant. Par où me suis-je attiré ce que vous venez de me dire, et pourquoi me faites-vous paraître que j'ai quelque part au chagrin où je vous vois ? »

Mme de Clèves fut bien fâchée d'avoir donné lieu à M. de
820 Nemours de s'expliquer plus clairement qu'il n'avait fait en toute sa vie. Elle le quitta, sans lui répondre, et s'en revint chez elle, l'esprit plus agité qu'elle ne l'avait jamais eu. Son mari s'aperçut aisément de l'augmentation de son embarras. Il vit qu'elle craignait qu'il ne lui parlât de ce qui s'était passé. Il la suivit dans
825 un cabinet où elle était entrée.

« Ne m'évitez point, madame, lui dit-il, je ne vous dirai rien qui puisse vous déplaire ; je vous demande pardon de la surprise que je vous ai faite tantôt. J'en suis assez puni par ce que j'ai

---

1. *Revenir :* revenir à elle.

appris. M. de Nemours était de tous les hommes celui que je
830 craignais le plus. Je vois le péril où vous êtes, ayez du pouvoir sur
vous pour l'amour de vous-même et, s'il est possible, pour
l'amour de moi. Je ne vous le demande point comme un mari,
mais comme un homme dont vous faites tout le bonheur, et qui
a pour vous une passion plus tendre et plus violente que celui
835 que votre cœur lui préfère. »

M. de Clèves s'attendrit en prononçant ces dernières paroles
et eut peine à les achever. Sa femme en fut pénétrée, et, fondant
en larmes, elle l'embrassa avec une tendresse et une douleur qui
le mit dans un état peu différent du sien. Ils demeurèrent
840 quelque temps sans se rien dire et se séparèrent sans avoir la
force de se parler.

Les préparatifs pour le mariage de Madame étaient achevés.
Le duc d'Albe arriva pour l'épouser. Il fut reçu avec toute la
magnificence et toutes les cérémonies qui se pouvaient faire
845 dans une pareille occasion. Le roi envoya au-devant de lui le
prince de Condé, les cardinaux de Lorraine et de Guise, les ducs
de Lorraine, de Ferrare, d'Aumale, de Bouillon, de Guise et de
Nemours. Ils avaient plusieurs gentilshommes et grand nombre
de pages vêtus de leurs livrées. Le roi attendit lui-même le duc
850 d'Albe à la première porte du Louvre avec les deux cents
gentilshommes servants et le connétable à leur tête. Lorsque ce
duc fut proche du roi, il voulut lui embrasser les genoux,
mais le roi l'en empêcha et le fit marcher à son côté jusque
chez la reine et chez Madame, à qui le duc d'Albe apporta un
855 présent magnifique de la part de son maître. Il alla ensuite chez
Mme Marguerite, sœur du roi, lui faire les compliments de
M. de Savoie et l'assurer qu'il arriverait dans peu de jours. L'on fit
de grandes assemblées au Louvre, pour faire voir au duc d'Albe,
et au prince d'Orange qui l'avait accompagné, les beautés de
860 la cour.

Mme de Clèves n'osa se dispenser de s'y trouver, quelque envie
qu'elle en eût, par la crainte de déplaire à son mari, qui lui
commanda absolument d'y aller. Ce qui l'y déterminait encore

davantage était l'absence de M. de Nemours. Il était allé
865 au-devant de M. de Savoie et, après que ce prince fut arrivé, il fut
obligé de se tenir presque toujours auprès de lui pour lui aider à
toutes les choses qui regardaient les cérémonies de ses noces.
Cela fit que Mme de Clèves ne rencontra pas ce prince aussi
souvent qu'elle avait accoutumé, et elle s'en trouvait dans
870 quelque sorte de repos.

Le vidame de Chartres n'avait pas oublié la conversation qu'il
avait eue avec M. de Nemours. Il lui était demeuré dans l'esprit
que l'aventure que ce prince lui avait contée, était la sienne
propre, et il l'observait avec tant de soin, que peut-être aurait-il
875 démêlé la vérité, sans que l'arrivée du duc d'Albe et celle de
M. de Savoie firent un changement et une occupation dans la
cour qui l'empêcha de voir ce qui aurait pu l'éclairer. L'envie de
s'éclaircir, ou plutôt la disposition naturelle que l'on a de conter
tout ce que l'on sait à ce que l'on aime, fit qu'il redit à Mme de
880 Martigues l'action extraordinaire de cette personne, qui avait
avoué à son mari la passion qu'elle avait pour un autre. Il l'assura
que M. de Nemours était celui qui avait inspiré cette violente
passion et il la conjura de lui aider à observer ce prince. Mme de
Martigues fut bien aise d'apprendre ce que lui dit le vidame, et la
885 curiosité qu'elle avait toujours vue à Mme la Dauphine, pour ce
qui regardait M. de Nemours, lui donnait encore plus d'envie de
pénétrer cette aventure.

Peu de jours avant celui que l'on avait choisi pour la cérémonie
du mariage, la reine dauphine donnait à souper au roi son
890 beau-père et à la duchesse de Valentinois. Mme de Clèves, qui
était occupée à s'habiller, alla au Louvre plus tard que de
coutume. En y allant, elle trouva un gentilhomme qui la venait
quérir de la part de Mme la Dauphine. Comme elle entra dans la
chambre, cette princesse lui cria, de dessus son lit où elle était,
895 qu'elle l'attendait avec une grande impatience.

« Je crois, madame, lui répondit-elle, que je ne dois pas vous
remercier de cette impatience, et qu'elle est sans doute causée
par quelque autre chose que par l'envie de me voir.

— Vous avez raison, lui répliqua la reine dauphine, mais
900 néanmoins vous devez m'en être obligée, car je veux vous
apprendre une aventure que je suis assurée que vous serez bien
aise de savoir. »

Mme de Clèves se mit à genoux devant son lit et, par bonheur
pour elle, elle n'avait pas le jour au visage.

905 « Vous savez, lui dit cette reine, l'envie que nous avions de
deviner ce qui causait le changement qui paraît au duc de
Nemours : je crois le savoir, et c'est une chose qui vous
surprendra. Il est éperdument amoureux et fort aimé d'une des
plus belles personnes de la cour. »

910 Ces paroles, que Mme de Clèves ne pouvait s'attribuer
puisqu'elle ne croyait pas que personne sût qu'elle aimait ce
prince, lui causèrent une douleur qu'il est aisé de s'imaginer.

« Je ne vois rien en cela, répondit-elle, qui doive surprendre
d'un homme de l'âge de M. de Nemours et fait comme il est.

915 — Ce n'est pas aussi, reprit Mme la Dauphine, ce qui vous doit
étonner, mais c'est de savoir que cette femme qui aime M. de
Nemours, ne lui en a jamais donné aucune marque et que la peur
qu'elle a eue de n'être pas toujours maîtresse de sa passion, a fait
qu'elle l'a avouée à son mari, afin qu'il l'ôtât de la cour. Et c'est
920 M. de Nemours lui-même qui a conté ce que je vous dis. »

Si Mme de Clèves avait eu d'abord de la douleur par la pensée
qu'elle n'avait aucune part à cette aventure, les dernières paroles
de Mme la Dauphine lui donnèrent du désespoir, par la certitude
de n'y en avoir que trop. Elle ne put répondre et demeura la tête
925 penchée sur le lit, pendant que la reine continuait de parler, si
occupée de ce qu'elle disait, qu'elle ne prenait pas garde à cet
embarras. Lorsque Mme de Clèves fut un peu remise :

« Cette histoire ne me paraît guère vraisemblable, madame,
répondit-elle, et je voudrais bien savoir qui vous l'a contée.

930 — C'est Mme de Martigues, répliqua Mme la Dauphine, qui l'a
apprise du vidame de Chartres. Vous savez qu'il en est
amoureux, il la lui a confiée comme un secret, et il la sait du duc
de Nemours lui-même. Il est vrai que le duc de Nemours ne lui a

pas dit le nom de la dame et ne lui a pas même avoué que ce fût
935 lui qui en fût aimé, mais le vidame de Chartres n'en doute
point. »

Comme la reine dauphine achevait ces paroles, quelqu'un
s'approcha du lit. Mme de Clèves était tournée d'une sorte qui
l'empêchait de voir qui c'était, mais elle n'en douta pas, lorsque
940 Mme la Dauphine se récria avec un air de gaieté et de surprise :
« Le voilà lui-même, et je veux lui demander ce qui en
est. »

Mme de Clèves connut bien que c'était le duc de Nemours,
comme ce l'était en effet, sans se tourner de son côté. Elle
945 s'avança avec précipitation vers Mme la Dauphine, et lui dit tout
bas qu'il fallait bien se garder de lui parler de cette aventure, qu'il
l'avait confiée au vidame de Chartres, et que ce serait une chose
capable de les brouiller. Mme la Dauphine lui répondit en riant
qu'elle était trop prudente et se retourna vers M. de Nemours. Il
950 était paré pour l'assemblée du soir et, prenant la parole avec
cette grâce qui lui était si naturelle :

« Je crois, madame, dit-il, que je puis penser sans témérité que
vous parliez de moi quand je suis entré, que vous aviez besoin
de me demander quelque chose et que Mme de Clèves s'y oppose.
955 — Il est vrai, répondit Mme la Dauphine, mais je n'aurai pas
pour elle la complaisance que j'ai accoutumé d'avoir. Je veux
savoir de vous si une histoire que l'on m'a contée est véritable et
si vous n'êtes pas celui qui êtes amoureux et aimé d'une femme
de la cour qui vous cache sa passion avec soin et qui l'a avouée à
960 son mari.

Le trouble et l'embarras de Mme de Clèves étaient au-delà de
tout ce que l'on peut s'imaginer, et, si la mort se fût présentée
pour la tirer de cet état, elle l'aurait trouvée agréable. Mais
M. de Nemours était encore plus embarrassé, s'il est possible. Le
965 discours de Mme la Dauphine, dont il avait eu lieu de croire qu'il
n'était pas haï, en présence de Mme de Clèves, qui était la
personne de la cour en qui elle avait le plus de confiance, et qui
en avait aussi le plus en elle, lui donnait une si grande confusion

Portrait de Marie Stuart, la Dauphine.
Peinture du XVIᵉ siècle. Musée Carnavalet, Paris.

de pensées bizarres, qu'il lui fut impossible d'être maître de son
970 visage. L'embarras où il voyait Mme de Clèves par sa faute, et la
pensée du juste sujet qu'il lui donnait de le haïr, lui causa un
saisissement qui ne lui permit pas de répondre. Mme la Dauphine
voyant à quel point il était interdit :

« Regardez-le, regardez-le, dit-elle à Mme de Clèves, et jugez si
975 cette aventure n'est pas la sienne. »

Cependant M. de Nemours, revenant de son premier trouble,
et voyant l'importance de sortir d'un pas si dangereux, se rendit
maître tout d'un coup de son esprit et de son visage :

« J'avoue, madame, dit-il, que l'on ne peut être plus surpris et
980 plus affligé que je le suis, de l'infidélité que m'a faite le vidame de
Chartres, en racontant l'aventure d'un de mes amis que je lui
avais confiée. Je pourrai m'en venger, continua-t-il en souriant
avec un air tranquille qui ôta quasi à Mme la Dauphine les
soupçons qu'elle venait d'avoir. Il m'a confié des choses qui ne
985 sont pas d'une médiocre importance, mais je ne sais, madame,
poursuivit-il, pourquoi vous me faites l'honneur de me mêler à
cette aventure. Le vidame ne peut pas dire qu'elle me regarde,
puisque je lui ai dit le contraire. La qualité d'un homme
amoureux me peut convenir, mais, pour celle d'un homme aimé,
990 je ne crois pas, madame, que vous puissiez me la donner. »

Ce prince fut bien aise de dire quelque chose à Mme la
Dauphine, qui eût du rapport à ce qu'il lui avait fait paraître en
d'autres temps[1], afin de lui détourner l'esprit des pensées qu'elle
aurait pu avoir. Elle crut bien aussi entendre ce qu'il disait, mais,
995 sans y répondre, elle continua à lui faire la guerre de son
embarras.

« J'ai été troublé, madame, lui répondit-il, pour l'intérêt de
mon ami et par les justes reproches qu'il me pourrait faire
d'avoir redit une chose qui lui est plus chère que la vie. Il ne me

---

1. Nemours évoque ici l'intrigue qu'il avait eue avec la Dauphine, flattant ainsi
son orgueil de femme.

1000 l'a néanmoins confiée qu'à demi, et il ne m'a pas nommé la personne qu'il aime. Je sais seulement qu'il est l'homme du monde le plus amoureux et le plus à plaindre.

— Le trouvez-vous si à plaindre, répliqua Mme la Dauphine, puisqu'il est aimé ?

1005 — Croyez-vous qu'il le soit, madame, reprit-il, et qu'une personne qui aurait une véritable passion, pût la découvrir à son mari ? Cette personne ne connaît pas sans doute l'amour, et elle a pris pour lui une légère reconnaissance de l'attachement que l'on a pour elle. Mon ami ne se peut flatter d'aucune espérance, 1010 mais, tout malheureux qu'il est, il se trouve heureux d'avoir du moins donné la peur de l'aimer, et il ne changerait pas son état contre celui du plus heureux amant du monde.

— Votre ami a une passion bien aisée à satisfaire, dit Mme la Dauphine, et je commence à croire que ce n'est pas de vous dont 1015 vous parlez. Il ne s'en faut guère, continua-t-elle, que je ne sois de l'avis de Mme de Clèves, qui soutient que cette aventure ne peut être véritable.

— Je ne crois pas en effet qu'elle le puisse être, reprit Mme de Clèves qui n'avait point encore parlé, et, quand il serait 1020 possible qu'elle le fût, par où l'aurait-on pu savoir ? Il n'y a pas d'apparence qu'une femme, capable d'une chose si extraordinaire, eût la faiblesse de la raconter ; apparemment son mari ne l'aurait pas racontée non plus, ou ce serait un mari bien indigne du procédé que l'on aurait eu avec lui. »

1025 M. de Nemours, qui vit les soupçons de Mme de Clèves sur son mari, fut bien aise de les lui confirmer. Il savait que c'était le plus redoutable rival qu'il eût à détruire.

« La jalousie, répondit-il, et la curiosité d'en savoir peut-être davantage que l'on ne lui en a dit, peuvent faire faire bien des 1030 imprudences à un mari. »

Mme de Clèves était à la dernière épreuve de sa force et de son courage, et, ne pouvant plus soutenir la conversation, elle allait dire qu'elle se trouvait mal, lorsque, par bonheur pour elle, la duchesse de Valentinois entra, qui dit à Mme la Dauphine que le

1035 roi allait arriver. Cette reine passa dans son cabinet pour s'habiller. M. de Nemours s'approcha de Mme de Clèves, comme elle la voulait suivre.

« Je donnerais ma vie, madame, lui dit-il, pour vous parler un moment, mais de tout ce que j'aurais d'important à vous dire,
1040 rien ne me le paraît davantage que de vous supplier de croire que, si j'ai dit quelque chose où Mme la Dauphine puisse prendre part, je l'ai fait par des raisons qui ne la regardent pas. »

Mme de Clèves ne fit pas semblant d'entendre M. de Nemours, elle le quitta sans le regarder, et se mit à suivre le roi qui
1045 venait d'entrer. Comme il y avait beaucoup de monde, elle s'embarrassa dans sa robe et fit un faux pas, elle se servit de ce prétexte pour sortir d'un lieu où elle n'avait pas la force de demeurer, et, feignant de ne se pouvoir soutenir, elle s'en alla chez elle.

1050 M. de Clèves vint au Louvre et fut étonné de n'y pas trouver sa femme ; on lui dit l'accident qui lui était arrivé. Il s'en retourna à l'heure même pour apprendre de ses nouvelles ; il la trouva au lit, et il sut que son mal n'était pas considérable. Quand il eut été quelque temps auprès d'elle, il s'aperçut qu'elle était dans une
1055 tristesse si excessive qu'il en fut surpris.

« Qu'avez-vous, madame, lui dit-il. Il me paraît que vous avez quelque autre douleur que celle dont vous vous plaignez ?

— J'ai la plus sensible affliction que je pouvais jamais avoir,
1060 répondit-elle, quel usage avez-vous fait de la confiance extraordinaire ou, pour mieux dire, folle que j'ai eue en vous ? Ne méritais-je pas le secret, et quand je ne l'aurais pas mérité, votre propre intérêt ne vous y engageait-il pas ? Fallait-il que la curiosité de savoir un nom que je ne dois pas vous dire, vous
1065 obligeât à vous confier à quelqu'un pour tâcher de le découvrir ? Ce ne peut être que cette seule curiosité qui vous ait fait faire une si cruelle imprudence, les suites en sont aussi fâcheuses qu'elles pouvaient l'être. Cette aventure est sue, et on me la vient de conter, ne sachant pas que j'y eusse le principal intérêt.

171

1070 — Que me dites-vous, madame, lui répondit-il. Vous m'accusez d'avoir conté ce qui s'est passé entre vous et moi, et vous m'apprenez que la chose est sue ? Je ne me justifie pas de l'avoir redite, vous ne le sauriez croire, et il faut sans doute que vous ayez pris pour vous ce que l'on vous a dit de quelque 1075 autre.

— Ah ! monsieur, reprit-elle, il n'y a pas dans le monde une autre aventure pareille à la mienne, il n'y a point une autre femme capable de la même chose. Le hasard ne peut l'avoir fait inventer, on ne l'a jamais imaginée et cette pensée n'est jamais 1080 tombée dans un autre esprit que le mien. Mme la Dauphine vient de me conter toute cette aventure ; elle l'a sue par le vidame de Chartres, qui la sait de M. de Nemours.

— M. de Nemours ! s'écria M. de Clèves avec une action qui marquait du transport et du désespoir. Quoi ! M. de Nemours 1085 sait que vous l'aimez, et que je le sais ?

— Vous voulez toujours choisir M. de Nemours plutôt qu'un autre, répliqua-t-elle, je vous ai dit que je ne vous répondrais jamais sur vos soupçons. J'ignore si M. de Nemours sait la part que j'ai dans cette aventure et celle que vous lui avez donnée, 1090 mais il l'a contée au vidame de Chartres et lui a dit qu'il le savait d'un de ses amis, qui ne lui avait pas nommé la persone. Il faut que cet ami de M. de Nemours soit des vôtres et que vous vous soyez fié à lui pour tâcher de vous éclaircir.

— A-t-on un ami au monde à qui on voulût faire une telle 1095 confidence, reprit M. de Clèves, et voudrait-on éclaircir ses soupçons au prix d'apprendre à quelqu'un ce que l'on souhaiterait de se cacher à soi-même ? Songez plutôt, madame, à qui vous avez parlé. Il est plus vraisemblable que ce soit par vous que par moi que ce secret soit échappé. Vous n'avez pu 1100 soutenir toute seule l'embarras où vous vous êtes trouvée, et vous avez cherché le soulagement de vous plaindre avec quelque confidente qui vous a trahie.

— N'achevez point de m'accabler, s'écria-t-elle, et n'ayez point la dureté de m'accuser d'une faute que vous avez faite.

172

1105 Pouvez-vous m'en soupçonner, et, puisque j'ai été capable de
vous parler, suis-je capable de parler à quelque autre ? »

L'aveu que Mme de Clèves avait fait à son mari était une si
grande marque de sa sincérité et elle niait si fortement de s'être
confiée à personne, que M. de Clèves ne savait que penser. D'un
1110 autre côté, il était assuré de n'avoir rien redit ; c'était une chose
que l'on ne pouvait avoir devinée, elle était sue ; ainsi il fallait
que ce fût par l'un des deux, mais ce qui lui causait une douleur
violente était de savoir que ce secret était entre les mains de
quelqu'un et qu'apparemment il serait bientôt divulgué.

1115 Mme de Clèves pensait à peu près les mêmes choses, elle
trouvait également impossible que son mari eût parlé et qu'il
n'eût pas parlé. Ce qu'avait dit M. de Nemours que la curiosité
pouvait faire faire des imprudences un mari, lui paraissait se
rapporter si juste à l'état de M. de Clèves, qu'elle ne pouvait
1120 croire que ce fût une chose que le hasard eût fait dire, et cette
vraisemblance la déterminait à croire que M. de Clèves avait
abusé de la confiance qu'elle avait en lui. Ils étaient si occupés
l'un et l'autre de leurs pensées, qu'ils furent longtemps sans
parler, et ils ne sortirent de ce silence que pour redire les mêmes
1125 choses qu'ils avaient déjà dites plusieurs fois, et demeurèrent le
cœur et l'esprit plus éloignés et plus altérés qu'ils ne l'avaient
encore eu.

Il est aisé de s'imaginer en quel état ils passèrent la nuit. M. de
Clèves avait épuisé toute sa constance à soutenir le malheur de
1130 voir une femme qu'il adorait, touchée de passion pour un autre.
Il ne lui restait plus de courage, il croyait même n'en devoir pas
trouver dans une chose où sa gloire et son honneur étaient si
vivement blessés. Il ne savait plus que penser de sa femme ; il ne
voyait plus quelle conduite il lui devait faire prendre, ni
1135 comment il se devait conduire lui-même, et il ne trouvait de tous
côtés que des précipices et des abîmes. Enfin, après une agitation
et une incertitude très longues, voyant qu'il devait bientôt s'en
aller en Espagne, il prit le parti de ne rien faire qui pût augmenter
les soupçons ou la connaissance de son malheureux état. Il alla

1140 trouver Mme de Clèves et lui dit qu'il ne s'agissait pas de démêler
entre eux qui avait manqué au secret, mais qu'il s'agissait de
faire voir que l'histoire que l'on avait contée, était une fable où
elle n'avait aucune part ; qu'il dépendait d'elle de le persuader à
M. de Nemours et aux autres ; qu'elle n'avait qu'à agir avec lui

1145 avec la sévérité et la froideur qu'elle devait avoir pour un homme
qui lui témoignait de l'amour ; que, par ce procédé, elle lui
ôterait aisément l'opinion qu'elle eût de l'inclination pour lui ;
qu'ainsi il ne fallait point s'affliger de tout ce qu'il aurait pu
penser, parce que si, dans la suite, elle ne faisait paraître aucune

1150 faiblesse, toutes ses pensées se détruiraient aisément, et que
surtout il fallait qu'elle allât au Louvre et aux assemblées comme
à l'ordinaire.

Après ces paroles, M. de Clèves quitta sa femme sans attendre
sa réponse. Elle trouva beaucoup de raison dans tout ce qu'il lui

1155 dit, et la colère où elle était contre M. de Nemours lui fit croire
qu'elle trouverait aussi beaucoup de facilité à l'exécuter, mais il
lui parut difficile de se trouver à toutes les cérémonies du
mariage et d'y paraître avec un visage tranquille et un esprit
libre ; néanmoins, comme elle devait porter la robe de Mme la

1160 Dauphine et que c'était une chose où elle avait été préférée à
plusieurs autres princesses, il n'y avait pas moyen d'y renoncer
sans faire beaucoup de bruit et sans en faire chercher des raisons.
Elle se résolut donc de faire un effort sur elle-même, mais elle
prit le reste du jour pour s'y préparer et pour s'abandonner à tous

1165 les sentiments dont elle était agitée. Elle s'enferma seule dans
son cabinet. De tous ses maux, celui qui se présentait à elle avec
le plus de violence, était d'avoir sujet de se plaindre de M. de
Nemours et de ne trouver aucun moyen de le justifier. Elle ne
pouvait douter qu'il n'eût conté cette aventure au vidame de

1170 Chartres, il l'avait avoué, et elle ne pouvait douter aussi, par la
manière dont il avait parlé, qu'il ne sût que l'aventure la
regardait. Comment excuser une si grande imprudence, et
qu'était devenue l'extrême discrétion de ce prince, dont elle
avait été si touchée ?

1175   Il a été discret, disait-elle, tant qu'il a cru être malheureux, mais une pensée d'un bonheur, même incertain, a fini sa discrétion. Il n'a pu s'imaginer qu'il était aimé sans vouloir qu'on le sût. Il a dit tout ce qu'il pouvait dire, je n'ai pas avoué que c'était lui que j'aimais, il l'a soupçonné et il a laissé voir ses
1180 soupçons. S'il eût eu des certitudes, il en aurait usé de la même sorte. J'ai eu tort de croire qu'il y eût un homme capable de cacher ce qui flatte sa gloire. C'est pourtant pour cet homme, que j'ai cru si différent du reste des hommes, que je me trouve, comme les autres femmes, étant si éloignée de leur ressembler.
1185 J'ai perdu le cœur et l'estime d'un mari qui devait faire ma félicité. Je serai bientôt regardée de tout le monde comme une personne qui a une folle et violente passion. Celui pour qui je l'ai ne l'ignore plus, et c'est pour éviter ces malheurs que j'ai hasardé tout mon repos et même ma vie.
1190   Ces tristes réflexions étaient suivies d'un torrent de larmes, mais quelque douleur dont elle se trouvât accablée, elle sentait bien qu'elle aurait eu la force de les supporter si elle avait été satisfaite de M. de Nemours.
    Ce prince n'était pas dans un état plus tranquille.
1195 L'imprudence qu'il avait faite d'avoir parlé au vidame de Chartres et les cruelles suites de cette imprudence lui donnaient un déplaisir mortel. Il ne pouvait se représenter, sans être accablé, l'embarras, le trouble et l'affliction où il avait vu Mme de Clèves. Il était inconsolable de lui avoir dit des choses sur cette
1200 aventure qui, bien que galantes par elles-mêmes, lui paraissaient dans ce moment grossières et peu polies, puisqu'elles avaient fait entendre à Mme de Clèves qu'il n'ignorait pas qu'elle était cette femme qui avait une passion violente et qu'il était celui pour qui elle l'avait. Tout ce qu'il eût pu souhaiter, eût été une
1205 conversation avec elle, mais il trouvait qu'il la devait craindre plutôt que de la désirer.
    « Qu'aurais-je à lui dire ? s'écriait-il. Irais-je encore lui montrer ce que je ne lui ai déjà que trop fait connaître ? Lui ferai-je voir que je sais qu'elle m'aime, moi qui n'ai jamais

1210 seulement osé lui dire que je l'aimais ? Commencerai-je à lui parler ouvertement de ma passion, afin de lui paraître un homme devenu hardi par des espérances ? Puis-je penser seulement à l'approcher et oserais-je lui donner l'embarras de soutenir ma vue ? Par où pourrais-je me justifier ? Je n'ai point d'excuse, je

1215 suis indigne d'être regardé de Mme de Clèves, et je n'espère pas aussi qu'elle me regarde jamais. Je ne lui ai donné par ma faute de meilleurs moyens pour se défendre contre moi que tous ceux qu'elle cherchait et qu'elle eût peut-être cherchés inutilement. Je perds par mon imprudence le bonheur et la gloire d'être aimé de

1220 la plus aimable et de la plus estimable personne du monde, mais, si j'avais perdu ce bonheur sans qu'elle en eût souffert et sans lui avoir donné une douleur mortelle, ce me serait une consolation, et je sens plus dans ce moment le mal que je lui ai fait, que celui que je me suis fait auprès d'elle. »

1225 M. de Nemours fut longtemps à s'affliger et à penser les mêmes choses. L'envie de parler à Mme de Clèves lui venait toujours à l'esprit. Il songea à en trouver les moyens, il pensa à lui écrire, mais enfin il trouva qu'après la faute qu'il avait faite, et de l'humeur dont elle était, le mieux qu'il pût faire était de lui

1230 témoigner un profond respect par son affliction et par son silence, de lui faire voir même qu'il n'oserait se présenter devant elle et d'attendre ce que le temps, le hasard et l'inclination qu'elle avait pour lui, pourraient faire en sa faveur. Il résolut aussi de ne point faire de reproches au vidame de Chartres de l'infidélité

1235 qu'il lui avait faite, de peur de fortifier ses soupçons.

Les fiançailles de Madame, qui se faisaient le lendemain, et le mariage qui se faisait le jour suivant, occupaient tellement toute la cour, que Mme de Clèves et M. de Nemours cachèrent aisément au public leur tristesse et leur trouble. Mme la Dauphine ne parla

1240 même qu'en passant à Mme de Clèves de la conversation qu'elles avaient eue avec M. de Nemours, et M. de Clèves affecta de ne plus parler à sa femme de tout ce qui s'était passé, de sorte qu'elle ne se trouva pas dans un aussi grand embarras qu'elle l'avait imaginé.

1245 Les fiançailles se firent au Louvre, et, après le festin et le bal, toute la maison royale alla coucher à l'évêché comme c'était la coutume. Le matin, le duc d'Albe, qui n'était jamais vêtu que fort simplement, mit un habit de drap d'or mêlé de couleur de feu, de jaune et de noir, tout couvert de pierreries, et il avait une
1250 couronne fermée sur la tête. Le prince d'Orange, habillé aussi magnifiquement avec ses livrées, et tous les Espagnols suivis des leurs, vinrent prendre le duc d'Albe à l'hôtel de Villeroi où il était logé, et partirent, marchant quatre à quatre, pour venir à l'évêché. Sitôt qu'il fut arrivé, on alla par ordre à l'église ; le roi
1255 menait Madame qui avait aussi une couronne fermée et sa robe portée par Mlles de Montpensier et de Longueville. La reine marchait ensuite, mais sans couronne. Après elle, venaient la reine dauphine, Madame, sœur du roi, Mme de Lorraine et la reine de Navarre, leurs robes portées par des princesses. Les
1260 reines et les princesses avaient toutes leurs filles magnifiquement habillées des mêmes couleurs qu'elles étaient vêtues, en sorte que l'on connaissait à qui étaient les filles par la couleur de leurs habits. On monta sur l'échafaud qui était préparé dans l'église, et l'on fit la cérémonie des mariages. On retourna ensuite dîner à
1265 l'évêché et, sur les cinq heures, on en partit pour aller au palais, où se faisait le festin et où le parlement, les cours souveraines et la maison de ville étaient priés d'assister. Le roi, les reines, les princes et princesses mangèrent sur la table de marbre dans la grande salle du palais, le duc d'Albe assis auprès de la nouvelle
1270 reine d'Espagne. Au-dessous des degrés de la table pour les ambassadeurs, les archevêques et les chevaliers de l'ordre et, de l'autre côté, une table pour MM. du parlement.

Le duc de Guise, vêtu d'une robe de drap d'or frisé, servait le roi de grand-maître[1], M. le prince de Condé, de panetier[2], et le

---

1. *Grand-maître* : celui qui organise le service du repas.
2. *Panetier* : grand officier de la maison du roi chargé de servir le pain.

1275 duc de Nemours, d'échanson[1]. Après que les tables furent
levées, le bal commença, il fut interrompu par des ballets et par
des machines[2] extraordinaires. On le reprit ensuite, et enfin,
après minuit, le roi et toute la cour s'en retourna au Louvre[3].
Quelque triste que fût Mme de Clèves, elle ne laissa pas de
1280 paraître aux yeux de tout le monde, et surtout aux yeux de M. de
Nemours, d'une beauté incomparable. Il n'osa lui parler,
quoique l'embarras de cette cérémonie lui en donnât plusieurs
moyens, mais il lui fit voir tant de tristesse et une crainte si
respectueuse de l'approcher, qu'elle ne le trouva plus si
1285 coupable, quoiqu'il ne lui eût rien dit pour se justifier. Il eut la
même conduite les jours suivants, et cette conduite fit aussi le
même effet sur le cœur de Mme de Clèves.

Enfin, le jour du tournoi arriva. Les reines se rendirent dans les
galeries et sur les échafauds qui leur avaient été destinés. Les
1290 quatre tenants parurent au bout de la lice, avec une quantité de
chevaux et de livrées qui faisaient le plus magnifique spectacle
qui eût jamais paru en France.

Le roi n'avait point d'autres couleurs que le blanc et le noir,
qu'il portait toujours à cause de Mme de Valentinois qui était
1295 veuve. M. de Ferrare et toute sa suite avaient du jaune et du
rouge, M. de Guise parut avec de l'incarnat et du blanc ; on ne
savait d'abord par quelle raison il avait ces couleurs, mais on se
souvint que c'étaient celles d'une belle personne qu'il avait
aimée pendant qu'elle était fille, et qu'il aimait encore, quoiqu'il
1300 n'osât plus le lui faire paraître. M. de Nemours avait du jaune et
du noir, on en chercha inutilement la raison. Mme de Clèves n'eut
pas de peine à la deviner ; elle se souvint d'avoir dit devant lui
qu'elle aimait le jaune, et qu'elle était fâchée d'être blonde, parce

---

1. *Échanson :* celui qui sert les boissons.
2. *Machines :* termes de théâtre désignant les mécanismes permettant les changements de décor.
3. *Au Louvre :* au palais du roi à Paris, aujourd'hui une partie du musée.

qu'elle n'en pouvait mettre. Ce prince crut pouvoir paraître
1305 avec cette couleur, sans indiscrétion, puisque, Mme de Clèves
n'en mettant point, on ne pouvait soupçonner que ce fût la
sienne.

Jamais on n'a fait voir tant d'adresse que les quatre tenants en
firent paraître. Quoique le roi fût le meilleur homme de cheval
1310 de son royaume, on ne savait à qui donner l'avantage. M. de
Nemours avait un agrément dans toutes ses actions qui pouvait
faire pencher en sa faveur des personnes moins intéressées que
Mme de Clèves. Sitôt qu'elle le vit paraître au bout de la lice, elle
sentit une émotion extraordinaire et, à toutes les courses de ce
1315 prince, elle avait de la peine à cacher sa joie, lorsqu'il avait
heureusement fourni sa carrière[1].

Sur le soir, comme tout était presque fini et que l'on était près
de se retirer, le malheur de l'État fit que le roi voulût encore
rompre une lance. Il manda au comte de Montgomery, qui était
1320 extrêmement adroit, qu'il se mît sur la lice. Le comte supplia le
roi de l'en dispenser et allégua toutes les excuses dont il put
s'aviser, mais le roi, quasi en colère, lui fit dire qu'il le voulait
absolument. La reine manda au roi qu'elle le conjurait de ne plus
courir, qu'il avait si bien fait qu'il devait être content, et qu'elle le
1325 suppliait de revenir auprès d'elle. Il répondit que c'était pour
l'amour d'elle qu'il allait courir encore et entra dans la barrière.
Elle lui renvoya M. de Savoie pour le prier une seconde fois de
revenir, mais tout fut inutile. Il courut, les lances se brisèrent, et
un éclat de celle du comte de Montgomery lui donna dans l'œil
1330 et y demeura. Ce prince tomba du coup ; ses écuyers et M. de
Montmorency, qui était un des maréchaux du camp, coururent à
lui. Ils furent étonnés de le voir si blessé, mais le roi ne s'étonna
point. Il dit que c'était peu de chose, et qu'il pardonnait au comte
de Montgomery. On peut juger quel trouble et quelle affliction

---

1. *Carrière* : lieu des tournois et par extension la course elle-même.

1335 apporta un accident si funeste dans une journée destinée à la
joie. Sitôt que l'on eut porté le roi dans son lit, et que les
chirurgiens eurent visité sa plaie, ils la trouvèrent très
considérable. Monsieur le connétable se souvint, dans ce
moment, de la prédiction que l'on avait faite au roi, qu'il serait
1340 tué dans un combat singulier, et il ne douta point que la
prédiction ne fût accomplie.

Le roi d'Espagne qui était lors à Bruxelles, étant averti de cet
accident, envoya son médecin, qui était un homme d'une grande
réputation, mais il jugea le roi sans espérance[1].

1345 Une cour, aussi partagée et aussi remplie d'intérêts opposés,
n'était pas dans une médiocre agitation à la veille d'un si grand
événement ; néanmoins, tous les mouvements étaient cachés, et
l'on ne paraissait occupé que de l'unique inquiétude de la santé
du roi. Les reines, les princes et les princesses ne sortaient
1350 presque point de son antichambre.

Mme de Clèves sachant qu'elle était obligée d'y être, qu'elle y
verrait M. de Nemours, qu'elle ne pourrait cacher à son mari
l'embarras que lui causait cette vue, connaissant aussi que la
seule présence de ce prince le justifiait à ses yeux et détruisait
1355 toutes ses résolutions, prit le parti de feindre d'être malade. La
cour était trop occupée pour avoir de l'attention à sa conduite et
pour démêler si son mal était faux ou véritable. Son mari seul
pouvait en connaître la vérité, mais elle n'était pas fâchée qu'il la
connût. Ainsi elle demeura chez elle, peu occupée du grand
1360 changement qui se préparait, et, remplie de ses propres pensées,
elle avait toute la liberté de s'y abandonner. Tout le monde était
chez le roi. M. de Clèves venait à de certaines heures lui en dire
des nouvelles. Il conservait avec elle le même procédé qu'il avait
toujours eu, hors que, quand ils étaient seuls, il y avait quelque
1365 chose d'un peu plus froid et de moins libre. Il ne lui avait point

---

1. *Sans espérance :* perdu, sans espoir de guérison.

reparlé de tout ce qui s'était passé, et elle n'avait pas eu la force et n'avait pas même jugé à propos de reprendre cette conversation.

M. de Nemours, qui s'était attendu à trouver quelques
1370 moments à parler à Mme de Clèves, fut bien surpris et bien affligé de n'avoir pas seulement le plaisir de la voir. Le mal du roi se trouva si considérable que, le septième jour, il fut désespéré des médecins. Il reçut la certitude de sa mort avec une fermeté extraordinaire et d'autant plus admirable qu'il perdait la vie par
1375 un accident si malheureux, qu'il mourait à la fleur de son âge, heureux, adoré de ses peuples et aimé d'une maîtresse qu'il aimait éperdument. La veille de sa mort, il fit faire le mariage de Madame, sa sœur, avec M. de Savoie, sans cérémonie. L'on peut juger en quel état était la duchesse de Valentinois. La reine ne
1380 permit point qu'elle vît le roi et lui envoya demander les cachets[1] de ce prince et les pierreries de la couronne qu'elle avait en garde. Cette duchesse s'enquit si le roi était mort, et comme on lui eut répondu que non :

« Je n'ai donc point encore de maître, répondit-elle, et
1385 personne ne peut m'obliger à rendre ce que sa confiance m'a mis entre les mains. »

Sitôt qu'il fut expiré au château des Tournelles, le duc de Ferrare, le duc de Guise et le duc de Nemours conduisirent au Louvre la reine mère, le roi[2] et la reine sa femme. M. de Nemours
1390 menait la reine mère. Comme ils commençaient à marcher, elle se recula de quelques pas et dit à la reine, sa belle-fille, que c'était à elle à passer la première, mais il fut aisé de voir qu'il y avait plus d'aigreur que de bienséance dans ce compliment.

---

1. *Cachets* : sceaux royaux, bagues ou tampons qui équivalaient à la signature du roi.
2. *Le roi* : le nouveau roi, François II.

La scène de l'aveu (l. 444 à 583)

UNE SAVANTE PRÉPARATION

Pour comprendre cette scène, qui est l'une des plus fameuses du roman, il convient d'en mesurer la savante préparation. En effet, quatre fois déjà la princesse a pensé avouer sa situation à son mari. Parcourez rapidement les tomes I et II pour en retrouver les traces.

1. Relevez les expressions par lesquelles la princesse et son mari eux-mêmes qualifient l'aveu.

2. Qu'est-ce qui a amené la princesse à cette extrémité ? Que désirait-elle obtenir de son mari ?

3. Qu'avoue-t-elle ? Que ne dit-elle pas ? Pourquoi ? Quel résultat obtient-elle effectivement ? Vous commenterez le décalage entre les intentions et les conséquences effectives de cet aveu.

UNE SCÈNE AVEC TÉMOIN

Le duc de Nemours assiste à cette entrevue. Cette situation a été très souvent reprochée à Mme de Lafayette, ses détracteurs ayant vu là une concession faite au romanesque des vieux récits, qui n'hésitaient pas à proposer des scènes invraisemblables.

4. Pourquoi la présence de Nemours est-elle nécessaire à la suite du roman ? Étudiez en détail pour répondre à cette question les conséquences de la présence du duc et de son indiscrétion auprès du vidame dans la suite de l'histoire.

5. Vous pouvez comparer cette scène à la scène 2 de l'acte II de la pièce de Corneille *Suréna,* entre Eurydice et Pacorus, qui propose déjà, en 1674, un aveu du même type. Comparez les motivations d'Eurydice et celle de la princesse de Clèves pour cacher le nom de l'amant. Étudiez les conséquences de ces deux aveux pour les deux destinataires, Pacorus et le prince de Clèves.

Ensemble du tome III : bonheur et sincérité

BONHEUR ET VERTU

Le tome commence sur un moment, le seul du roman, de bonheur parfait.

1. Pourquoi, lors de la réécriture de la lettre, ce bonheur est-il si parfait ? Quel a été le rôle du mari (p. 143-144, l. 153 à 167) ? Que pouvez-vous en conclure ?

2. Précisez l'état d'esprit de chacun des trois personnages après l'aveu (p. 156 à 159). Quels sentiments les animent ?

3. Le piège se referme autour de la princesse. À quoi ressemble la suite des actions du prince de Clèves en cette fin de tome ? Quelle est la stratégie de défense de la princesse ?

LE RÔLE DE L'HISTOIRE

4. Pourquoi la romancière interrompt-elle son récit pour revenir à l'histoire de France ? Quel effet cela produit-il sur le lecteur ?

5. Quel rapport y a-t-il entre la mort du roi et l'histoire des trois personnages principaux ? Qu'est-ce qui meurt avec le roi ?

6. Comment peut-on qualifier l'état de la cour à ce moment ? Quel est l'état du cœur de la princesse ?

Portrait de Catherine de Médicis.
Peinture attribuée à F. Clouet (1510-1572).
Musée Carnavalet, Paris.

Tome IV

Le cardinal de Lorraine s'était rendu maître absolu de
l'esprit de la reine mère, le vidame de Chartres n'avait plus
aucune part dans ses bonnes grâces, et l'amour qu'il avait pour
Mme de Martigues et pour la liberté, l'avait même empêché de
sentir cette perte autant qu'elle méritait d'être sentie. Ce
cardinal, pendant les dix jours de la maladie du roi, avait eu le
loisir de former ses desseins et de faire prendre à la reine des
résolutions conformes à ce qu'il avait projeté, de sorte que,
sitôt que le roi fut mort, la reine ordonna au connétable de
demeurer aux Tournelles auprès du corps du feu roi, pour faire
les cérémonies ordinaires. Cette commission l'éloignait de tout
et lui ôtait la liberté d'agir. Il envoya un courrier au roi de
Navarre pour le faire venir en diligence, afin de s'opposer
ensemble à la grande élévation où il voyait que MM. de Guise
allaient parvenir. On donna le commandement des armées au
duc de Guise et les finances au cardinal de Lorraine. La duchesse
de Valentinois fut chassée de la cour ; on fit revenir le cardinal de
Tournon, ennemi déclaré du connétable, et le chancelier
Olivier, ennemi déclaré de la duchesse de Valentinois. Enfin, la
cour changea entièrement de face. Le duc de Guise prit le même
rang que les princes du sang à porter le manteau du roi aux
cérémonies des funérailles ; lui et ses frères furent entièrement
les maîtres, non seulement par le crédit du cardinal sur
l'esprit de la reine, mais parce que cette princesse crut qu'elle
pourrait les éloigner s'ils lui donnaient de l'ombrage, et qu'elle
ne pourrait éloigner le connétable, qui était appuyé des princes
du sang.

Lorsque les cérémonies du deuil furent achevées, le
connétable vint au Louvre et fut reçu du roi avec beaucoup de
froideur. Il voulut lui parler en particulier, mais le roi appela

MM. de Guise, et lui dit devant eux qu'il lui conseillait de se
reposer, que les finances et le commandement des armées
étaient donnés et que, lorsqu'il aurait besoin de ses conseils,
il l'appellerait auprès de sa personne. Il fut reçu de la reine
35 mère encore plus froidement que du roi, et elle lui fit même
des reproches de ce qu'il avait dit au feu roi que ses enfants
ne lui ressemblaient point. Le roi de Navarre arriva et ne fut
pas mieux reçu. Le prince de Condé, moins endurant que son
frère, se plaignit hautement, ses plaintes furent inutiles, on
40 l'éloigna de la cour sous le prétexte de l'envoyer en Flandre
signer la ratification de la paix. On fit voir au roi de Navarre une
fausse lettre du roi d'Espagne qui l'accusait de faire des
entreprises sur ses places[1], on lui fit craindre pour ses terres,
enfin, on lui inspira le dessein de s'en aller en Béarn. La reine lui
45 en fournit un moyen en lui donnant la conduite de Mme Élisabeth
et l'obligea même à partir devant cette princesse, et ainsi il ne
demeura personne à la cour qui pût balancer le pouvoir de la
maison de Guise.

Quoique ce fût une chose fâcheuse pour M. de Clèves de ne
50 pas conduire Mme Élisabeth, néanmoins il ne put s'en plaindre
par la grandeur de celui qu'on lui préférait, mais il regrettait
moins cet emploi par l'honneur qu'il en eût reçu que parce que
c'était une chose qui éloignait sa femme de la cour sans qu'il
parût qu'il eût dessein de l'en éloigner.

55 Peu de jours après la mort du roi, on résolut d'aller à Reims
pour le sacre. Sitôt qu'on parla de ce voyage, Mme de Clèves, qui
avait toujours demeuré chez elle, feignant d'être malade, pria
son mari de trouver bon qu'elle ne suivît point la cour et qu'elle
s'en allât à Coulommiers prendre l'air et songer à sa santé. Il lui
60 répondit qu'il ne voulait point pénétrer si c'était la raison de sa

---

1. *Faire des entreprises sur ses places :* avoir des vues sur des places fortes et
donc préparer des attaques.

santé qui l'obligeait à ne pas faire le voyage, mais qu'il consentait qu'elle ne le fît point. Il n'eut pas de peine à consentir à une chose qu'il avait déjà résolue ; quelque bonne opinion qu'il eût de la vertu de sa femme, il voyait bien que la prudence ne voulait pas qu'il l'exposât plus longtemps à la vue d'un homme qu'elle aimait.

M. de Nemours sut bientôt que Mme de Clèves ne devait pas suivre la cour, il ne put se résoudre à partir sans la voir et, à la veille du départ, il alla chez elle aussi tard que la bienséance le pouvait permettre, afin de la trouver seule. La fortune favorisa son intention. Comme il entra dans la cour, il trouva Mme de Nevers et Mme de Martigues qui en sortaient et qui lui dirent qu'elles l'avaient laissée seule. Il monta avec une agitation et un trouble qui ne se peut comparer qu'à celui qu'eut Mme de Clèves, quand on lui dit que M. de Nemours venait pour la voir. La crainte qu'elle eut qu'il ne lui parlât de sa passion, l'appréhension de lui répondre trop favorablement, l'inquiétude que cette visite pouvait donner à son mari, la peine de lui en rendre compte ou de lui cacher toutes ces choses, se présentèrent en un moment à son esprit et lui firent un si grand embarras, qu'elle prit la résolution d'éviter la chose du monde qu'elle souhaitait peut-être le plus. Elle envoya une de ses femmes à M. de Nemours, qui était dans son antichambre, pour lui dire qu'elle venait de se trouver mal et qu'elle était bien fâchée de ne pouvoir recevoir l'honneur qu'il lui voulait faire. Quelle douleur pour ce prince de ne pas voir Mme de Clèves et de ne la pas voir parce qu'elle ne voulait pas qu'il la vît ! Il s'en allait le lendemain, il n'avait plus rien à espérer du hasard. Il ne lui avait rien dit depuis cette conversation de chez Mme la Dauphine, et il avait lieu de croire que la faute d'avoir parlé au vidame avait détruit toutes ses espérances, enfin il s'en allait avec tout ce qui peut aigrir une vive douleur.

Sitôt que Mme de Clèves fut un peu remise du trouble que lui avait donné la pensée de la visite de ce prince, toutes les raisons qui la lui avaient fait refuser, disparurent ; elle trouva même

qu'elle avait fait une faute[1] et, si elle eût osé ou qu'il eût encore
été assez à temps, elle l'aurait fait appeler.

Mmes de Nevers et de Martigues, en sortant de chez elle,
allèrent chez la reine dauphine, M. de Clèves y était. Cette
100 princesse leur demanda d'où elles venaient ; elles lui dirent
qu'elles venaient de chez Mme de Clèves où elles avaient passé
une partie de l'après-dînée avec beaucoup de monde et qu'elles
n'y avaient laissé que M. de Nemours. Ces paroles, qu'elles
croyaient si indifférentes, ne l'étaient pas pour M. de Clèves.
105 Quoiqu'il dût bien s'imaginer que M. de Nemours pouvait
trouver souvent des occasions de parler à sa femme, néanmoins
la pensée qu'il était chez elle, qu'il y était seul et qu'il lui pouvait
parler de son amour, lui parut dans ce moment une chose si
nouvelle et si insupportable, que la jalousie s'alluma dans son
110 cœur avec plus de violence qu'elle n'avait encore fait. Il lui fut
impossible de demeurer chez la reine, il s'en revint, ne sachant
pas même pourquoi il revenait et s'il avait dessein d'aller
interrompre M. de Nemours. Sitôt qu'il approcha de chez lui, il
regarda s'il ne verrait rien qui lui pût faire juger si ce prince y
115 était encore, il sentit du soulagement en voyant qu'il n'y était
plus et il trouva de la douceur à penser qu'il ne pouvait y avoir
demeuré longtemps. Il s'imagina que ce n'était peut-être pas
M. de Nemours, dont il devait être jaloux et, quoiqu'il n'en
doutât point, il cherchait à en douter, mais tant de choses l'en
120 auraient persuadé qu'il ne demeurait pas longtemps dans cette
incertitude qu'il désirait. Il alla d'abord dans la chambre de sa
femme et, après lui avoir parlé quelque temps de choses
indifférentes, il ne put s'empêcher de lui demander ce qu'elle
avait fait et qui elle avait vu ; elle lui en rendit compte. Comme il
125 vit qu'elle ne lui nommait point M. de Nemours, il lui demanda,
en tremblant, si c'était tout ce qu'elle avait vu, afin de lui donner

---

1. *Faute :* erreur.

lieu de nommer ce prince et de n'avoir pas la douleur qu'elle lui en fît une finesse. Comme elle ne l'avait point vu, elle ne le lui nomma point, et M. de Clèves reprenant la parole avec un ton
130 qui marquait son affliction :

« Et monsieur de Nemours, lui dit-il, ne l'avez-vous point vu ou l'avez-vous oublié ?

— Je ne l'ai point vu, en effet, répondit-elle, je me trouvais mal et j'ai envoyé une de mes femmes lui faire des excuses.

135 — Vous ne vous trouviez donc mal que pour lui, reprit M. de Clèves. Puisque vous avez vu tout le monde, pourquoi des distinctions pour M. de Nemours ? Pourquoi ne vous est-il pas comme un autre ? Pourquoi faut-il que vous craigniez sa vue ? Pourquoi lui laissez-vous voir que vous la craignez ? Pourquoi
140 lui faites-vous connaître que vous vous servez du pouvoir que sa passion vous donne sur lui ? Oseriez-vous refuser de le voir si vous ne saviez bien qu'il distingue vos rigueurs de l'incivilité ? Mais pourquoi faut-il que vous ayez des rigueurs pour lui ? D'une personne comme vous, madame, tout est des faveurs hors
145 l'indifférence.

— Je ne croyais pas, reprit Mᵐᵉ de Clèves, quelque soupçon que vous ayez sur M. de Nemours, que vous pussiez me faire des reproches de ne l'avoir pas vu.

— Je vous en fais pourtant, madame, répliqua-t-il, et ils sont
150 bien fondés. Pourquoi ne le pas voir s'il ne vous a rien dit ? Mais, madame, il vous a parlé ; si son silence seul vous avait témoigné sa passion, elle n'aurait pas fait en vous une si grande impression. Vous n'avez pu me dire la vérité tout entière, vous m'en avez caché la plus grande partie, vous vous êtes repentie
155 même du peu que vous m'avez avoué et vous n'avez pas eu la force de continuer. Je suis plus malheureux que je ne l'ai cru et je suis le plus malheureux de tous les hommes. Vous êtes ma femme, je vous aime comme ma maîtresse, et je vous en vois aimer un autre. Cet autre est le plus aimable de la cour et il vous
160 voit tous les jours, il sait que vous l'aimez. Eh ! j'ai pu croire, s'écria-t-il, que vous surmonteriez la passion que vous avez

pour lui. Il faut que j'aie perdu la raison pour avoir cru que ce fût possible.

— Je ne sais, reprit tristement Mme de Clèves, si vous avez eu
165 tort de juger favorablement d'un procédé aussi extraordinaire que le mien, mais je ne sais si je ne me suis trompée d'avoir cru que vous me feriez justice ?

— N'en doutez pas, madame, répliqua M. de Clèves, vous vous êtes trompée, vous avez attendu de moi des choses aussi
170 impossibles que celles que j'attendais de vous. Comment pouviez-vous espérer que je conservasse de la raison ? Vous aviez donc oublié que je vous aimais éperdument et que j'étais votre mari ? L'un des deux peut porter aux extrémités, que ne peuvent point les deux ensemble ? Eh ! que ne sont-ils point
175 aussi, continua-t-il ; je n'ai que des sentiments violents et incertains dont je ne suis pas le maître. Je ne me trouve plus digne de vous, vous ne me paraissez plus digne de moi. Je vous adore, je vous hais, je vous offense, je vous demande pardon, je vous admire, j'ai honte de vous admirer. Enfin il n'y a plus en
180 moi ni de calme, ni de raison. Je ne sais comment j'ai pu vivre depuis que vous me parlâtes à Coulommiers et depuis le jour que vous apprîtes de Mme la Dauphine que l'on savait votre aventure. Je ne saurais démêler par où elle a été sue, ni ce qui se passa entre M. de Nemours et vous sur ce sujet, vous ne me
185 l'expliquerez jamais, et je ne vous demande point de me l'expliquer. Je vous demande seulement de vous souvenir que vous m'avez rendu le plus malheureux homme du monde. »

M. de Clèves sortit de chez sa femme après ces paroles et partit le lendemain sans la voir, mais il lui écrivit une lettre pleine
190 d'affliction, d'honnêteté et de douceur. Elle y fit une réponse si touchante et si remplie d'assurances de sa conduite passée et de celle qu'elle aurait à l'avenir, que, comme ses assurances étaient fondées sur la vérité et que c'étaient en effet ses sentiments, cette lettre fit de l'impression sur M. de Clèves et lui donna
195 quelque calme, joint que M. de Nemours, allant trouver le roi aussi bien que lui, il avait le repos de savoir qu'il ne serait pas au

même lieu que Mme de Clèves. Toutes les fois que cette princesse
parlait à son mari, la passion qu'il lui témoignait, l'honnêteté de
son procédé, l'amitié qu'elle avait pour lui et ce qu'elle lui devait,
200 faisaient des impressions dans son cœur, qui affaiblissaient l'idée
de M. de Nemours, mais ce n'était que pour quelque temps, et
cette idée revenait bientôt plus vive et plus présente
qu'auparavant.

Les premiers jours du départ de ce prince, elle ne sentit quasi
205 pas son absence ; ensuite elle lui parut cruelle. Depuis qu'elle
l'aimait, il ne s'était point passé de jour qu'elle n'eût craint ou
espéré de le rencontrer, et elle trouva une grande peine à penser
qu'il n'était plus au pouvoir du hasard de faire qu'elle le
rencontrât.

210 Elle s'en alla à Coulommiers, et, en y allant, elle eut soin d'y
faire porter de grands tableaux que M. de Clèves avait fait copier
sur des originaux qu'avait fait faire Mme de Valentinois pour
sa belle maison d'Anet. Toutes les actions remarquables, qui
s'étaient passées du règne du roi, étaient dans ces tableaux. Il y
215 avait entre autres le siège de Metz, et tous ceux qui s'y étaient
distingués étaient peints fort ressemblants. M. de Nemours était
de ce nombre et c'était peut-être ce qui avait donné envie à
Mme de Clèves d'avoir ces tableaux.

Mme de Martigues, qui n'avait pu partir avec la cour, lui promit
220 d'aller passer quelques jours à Coulommiers. La faveur de la
reine qu'elles partageaient, ne leur avait point donné d'envie, ni
d'éloignement l'une de l'autre ; elles étaient amies sans
néanmoins se confier leurs sentiments. Mme de Clèves savait
que Mme de Martigues aimait le vidame, mais Mme de Martigues ne
225 savait pas que Mme de Clèves aimât M. de Nemours, ni qu'elle en
fût aimée. La qualité de nièce du vidame rendait Mme de Clèves
plus chère à Mme de Martigues, et Mme de Clèves l'aimait aussi
comme une personne qui avait une passion aussi bien qu'elle et
qui l'avait pour l'ami intime de son amant.

230 Mme de Martigues vint à Coulommiers, comme elle l'avait
promis à Mme de Clèves, elle la trouva dans une vie fort solitaire.

Cette princesse avait même cherché le moyen d'être dans une solitude entière et de passer les soirs dans les jardins sans être accompagnée de ses domestiques. Elle venait dans ce pavillon
235 où M. de Nemours l'avait écoutée, elle entrait dans le cabinet qui était ouvert sur le jardin. Ses femmes et ses domestiques demeuraient dans l'autre cabinet, ou sous le pavillon, et ne venaient point à elle qu'elle ne les appelât. Mme de Martigues n'avait jamais vu Coulommiers, elle fut surprise de toutes les
240 beautés qu'elle y trouva et surtout de l'agrément de ce pavillon. Mme de Clèves et elle y passaient tous les soirs. La liberté de se trouver seules la nuit dans le plus beau lieu du monde, ne laissait pas finir la conversation entre deux jeunes personnes, qui avaient des passions violentes dans le cœur, et, quoiqu'elles ne s'en
245 fissent point de confidence, elles trouvaient un grand plaisir à se parler. Mme de Martigues aurait eu de la peine à quitter Coulommiers si, en le quittant elle n'eût dû aller dans un lieu où était le vidame. Elle partit pour aller à Chambord, où la cour était alors.
250 Le sacre avait été fait à Reims par le cardinal de Lorraine, et l'on devait passer le reste de l'été dans le château de Chambord, qui était nouvellement bâti. La reine témoigna une grande joie de revoir Mme de Martigues, et, après lui en avoir donné plusieurs marques, elle lui demanda des nouvelles de Mme de Clèves et de
255 ce qu'elle faisait à la campagne. M. de Nemours et M. de Clèves étaient alors chez cette reine. Mme de Martigues, qui avait trouvé Coulommiers admirable, en conta toutes les beautés, et elle s'étendit extrêmement sur la description de ce pavillon de la forêt et sur le plaisir qu'avait Mme de Clèves de s'y promener
260 seule une partie de la nuit. M. de Nemours, qui connaissait assez le lieu pour entendre ce qu'en disait Mme de Martigues, pensa qu'il n'était pas impossible qu'il y pût voir Mme de Clèves sans être vu que d'elle. Il fit quelques questions à Mme de Martigues pour s'en éclaircir encore, et M. de Clèves, qui l'avait toujours
265 regardé pendant que Mme de Martigues avait parlé, crut voir dans ce moment ce qui lui passait dans l'esprit. Les questions que fit

ce prince le confirmèrent encore dans cette pensée, en sorte qu'il
ne douta point qu'il n'eût dessein d'aller voir sa femme. Il ne se
trompait pas dans ses soupçons. Ce dessein entra si fortement
270 dans l'esprit de M. de Nemours qu'après avoir passé la nuit à
songer aux moyens de l'exécuter, dès le lendemain matin, il
demanda congé au roi pour aller à Paris, sur quelque prétexte
qu'il inventa.

M. de Clèves ne douta point du sujet de ce voyage, mais il
275 résolut de s'éclaircir de la conduite de sa femme et de ne pas
demeurer dans une cruelle incertitude. Il eut envie de partir en
même temps que M. de Nemours et de venir lui-même caché
découvrir quel succès aurait ce voyage, mais, craignant que son
départ ne parût extraordinaire, et que M. de Nemours, en étant
280 averti, ne prît d'autres mesures, il résolut de se fier à un
gentilhomme qui était à lui, dont il connaissait la fidélité et
l'esprit. Il lui conta dans quel embarras il se trouvait. Il lui dit
quelle avait été jusqu'alors la vertu de Mme de Clèves et lui
ordonna de partir sur les pas de M. de Nemours, de l'observer
285 exactement, de voir s'il n'irait point à Coulommiers et s'il
n'entrerait point la nuit dans le jardin.

Le gentilhomme, qui était très capable d'une telle commission, s'en acquitta avec toute l'exactitude imaginable. Il
suivit M. de Nemours jusqu'à un village, à une demi-lieue de
290 Coulommiers, où ce prince s'arrêta, et le gentilhomme devina
aisément que c'était pour y attendre la nuit. Il ne crut pas à
propos de l'y attendre aussi, il passa le village et alla dans la forêt,
à l'endroit par où il jugeait que M. de Nemours pouvait passer, il
ne se trompa point dans tout ce qu'il avait pensé. Sitôt que la
295 nuit fut venue, il entendit marcher, et quoiqu'il fît obscur, il
reconnut aisément M. de Nemours. Il le vit faire le tour du jardin,
comme pour écouter s'il n'y entendrait personne et pour choisir
le lieu par où il pourrait passer le plus aisément. Les palissades
étaient fort hautes, et il y en avait encore derrière, pour
300 empêcher qu'on ne pût entrer, en sorte qu'il était assez difficile
de se faire passage. M. de Nemours en vint à bout néanmoins ;

sitôt qu'il fut dans ce jardin, il n'eut pas de peine à démêler où
était Mme de Clèves. Il vit beaucoup de lumières dans le cabinet,
toutes les fenêtres en étaient ouvertes et, en se glissant le long
305 des palissades, il s'en approcha avec un trouble et une émotion
qu'il est aisé de se représenter. Il se rangea derrière une des
fenêtres, qui servaient de porte, pour voir ce que faisait
Mme de Clèves. Il vit qu'elle était seule, mais il la vit d'une si
admirable beauté, qu'à peine fut-il maître du transport que
310 lui donna cette vue. Il faisait chaud, et elle n'avait rien sur sa
tête et sur sa gorge que ses cheveux confusément rattachés.
Elle était sur un lit de repos, avec une table devant elle, où il y
avait plusieurs corbeilles pleines de rubans, elle en choisit
quelques-uns, et M. de Nemours remarqua que c'étaient des
315 mêmes couleurs qu'il avait portées au tournoi. Il vit qu'elle en
faisait des nœuds à une canne des Indes, fort extraordinaire, qu'il
avait portée quelque temps et qu'il avait donnée à sa sœur, à qui
Mme de Clèves l'avait prise sans faire semblant de la reconnaître
pour avoir été à M. de Nemours. Après qu'elle eut achevé son
320 ouvrage avec une grâce et une douceur que répandaient sur son
visage les sentiments qu'elle avait dans le cœur, elle prit un
flambeau et s'en alla, proche d'une grande table, vis-à-vis du
tableau du siège de Metz, où était le portrait de M. de Nemours,
elle s'assit et se mit à regarder ce portrait avec une attention et
325 une rêverie que la passion seule peut donner.

On ne peut exprimer ce que sentit M. de Nemours dans ce
moment. Voir au milieu de la nuit, dans le plus beau lieu du
monde, une personne qu'il adorait, la voir sans qu'elle sût qu'il la
voyait, et la voir tout occupée de choses qui avaient du rapport à
330 lui et à la passion qu'elle lui cachait, c'est ce qui n'a jamais été
goûté ni imaginé par nul autre amant.

Ce prince était aussi tellement hors de lui-même, qu'il
demeurait immobile à regarder Mme de Clèves, sans songer que
les moments lui étaient précieux. Quand il fut un peu remis, il
335 pensa qu'il devait attendre à lui parler qu'elle allât dans le jardin,
il crut qu'il le pourrait faire avec plus de sûreté, parce qu'elle

serait plus éloignée de ses femmes, mais, voyant qu'elle
demeurait dans le cabinet, il prit la résolution d'y entrer. Quand
il voulut l'exécuter, quel trouble n'eut-il point ! Quelle crainte de
340 lui déplaire ! Quelle peur de faire changer ce visage où il y avait
tant de douceur et de le voir devenir plein de sévérité et de
colère !

Il trouva qu'il y avait eu de la folie, non pas à venir voir
Mᵐᵉ de Clèves sans en être vu, mais à penser de s'en faire voir, il
345 vit tout ce qu'il n'avait point encore envisagé. Il lui parut de
l'extravagance dans sa hardiesse de venir surprendre, au milieu
de la nuit, une personne à qui il n'avait encore jamais parlé de
son amour. Il pensa qu'il ne devait pas prétendre qu'elle le voulût
écouter, et qu'elle aurait une juste colère du péril où il l'exposait
350 par les accidents qui pouvaient arriver. Tout son courage
l'abandonna, et il fut prêt plusieurs fois à prendre la résolution
de s'en retourner sans se faire voir. Poussé néanmoins par le désir
de lui parler, et rassuré par les espérances que lui donnait tout ce
qu'il avait vu, il avança quelques pas, mais avec tant de trouble,
355 qu'une écharpe qu'il avait, s'embarrassa dans la fenêtre, en sorte
qu'il fit du bruit. Mᵐᵉ de Clèves tourna la tête, et, soit qu'elle eût
l'esprit rempli de ce prince, ou qu'il fût dans un lieu où la lumière
donnait assez pour qu'elle le pût distinguer, elle crut le
reconnaître et sans balancer ni se retourner du côté où il était,
360 elle entra dans le lieu où étaient ses femmes. Elle y entra avec
tant de trouble qu'elle fut contrainte, pour le cacher, de dire
qu'elle se trouvait mal, et elle le dit aussi pour occuper tous ses
gens et pour donner le temps à M. de Nemours de se retirer.
Quand elle eut fait quelque réflexion, elle pensa qu'elle s'était
365 trompée et que c'était un effet de son imagination d'avoir cru
voir M. de Nemours. Elle savait qu'il était à Chambord, elle ne
trouvait nulle apparence qu'il eût entrepris une chose si
hasardeuse, elle eut envie plusieurs fois de rentrer dans le
cabinet et d'aller voir dans le jardin s'il y avait quelqu'un.
370 Peut-être souhaitait-elle, autant qu'elle le craignait, d'y trouver
M. de Nemours, mais enfin la raison et la prudence

l'emportèrent sur tous ses autres sentiments, et elle trouva qu'il valait mieux demeurer dans le doute où elle était que de prendre le hasard de s'en éclaircir. Elle fut longtemps à se résoudre à
375 sortir d'un lieu dont elle pensait que ce prince était peut-être si proche, et il était quasi jour quand elle revint au château.

M. de Nemours était demeuré dans le jardin tant qu'il avait vu de la lumière, il n'avait pu perdre l'espérance de revoir Mme de Clèves, quoiqu'il fût persuadé qu'elle l'avait reconnu et
380 qu'elle n'était sortie que pour l'éviter, mais voyant qu'on fermait les portes, il jugea bien qu'il n'avait plus rien à espérer. Il vint reprendre son cheval tout proche du lieu où attendait le gentilhomme de M. de Clèves. Ce gentilhomme le suivit jusqu'au même village, d'où il était parti le soir. M. de Nemours
385 se résolut d'y passer tout le jour, afin de retourner la nuit à Coulommiers, pour voir si Mme de Clèves aurait encore la cruauté de le fuir, ou celle de ne se pas exposer à être vue ; quoiqu'il eût une joie sensible de l'avoir trouvée si remplie de son idée, il était néanmoins très affligé de lui avoir vu un
390 mouvement si naturel de le fuir.

La passion n'a jamais été si tendre et si violente qu'elle l'était alors en ce prince. Il s'en alla sous des saules, le long d'un petit ruisseau qui coulait derrière la maison où il était caché. Il s'éloigna le plus qu'il lui fut possible, pour n'être vu ni entendu
395 de personne ; il s'abandonna aux transports de son amour et son cœur en fut tellement pressé qu'il fut contraint de laisser couler quelques larmes, mais ces larmes n'étaient pas de celles que la douleur seule fait répandre, elles étaient mêlées de douceur et de ce charme qui ne se trouve que dans l'amour.

400 Il se mit à repasser toutes les actions de Mme de Clèves depuis qu'il en était amoureux, quelle rigueur honnête et modeste elle avait toujours eue pour lui, quoiqu'elle l'aimât. « Car, enfin, elle m'aime, disait-il, elle m'aime, je n'en saurais douter ; les plus grands engagements et les plus grandes faveurs ne sont pas des
405 marques si assurées que celles que j'en ai eues. Cependant je suis traité avec la même rigueur que si j'étais haï ; j'ai espéré au

temps[1], je n'en dois plus rien attendre, je la vois toujours se
défendre également contre moi et contre elle-même. Si je n'étais
point aimé, je songerais à plaire, mais je plais, on m'aime, et on
410 me le cache. Que puis-je donc espérer, et quel changement
dois-je attendre dans ma destinée ? Quoi ! je serais aimé de la
plus aimable personne du monde et je n'aurais cet excès d'amour
que donnent les premières certitudes d'être aimé, que pour
mieux sentir la douleur d'être maltraité ! Laissez-moi voir que
415 vous m'aimez, belle princesse, s'écria-t-il, laissez-moi voir vos
sentiments ; pourvu que je les connaisse par vous une fois en ma
vie, je consens que vous repreniez pour toujours ces rigueurs
dont vous m'accabliez. Regardez-moi du moins avec ces mêmes
yeux dont je vous ai vue cette nuit regarder mon portrait ;
420 pouvez-vous l'avoir regardé avec tant de douceur et m'avoir fui
moi-même si cruellement ? Que craignez-vous ? Pourquoi mon
amour vous est-il si redoutable ? Vous m'aimez, vous me le
cachez inutilement ; vous-même m'en avez donné des marques
involontaires. Je sais mon bonheur, laissez-m'en jouir, et cessez
425 de me rendre malheureux. Est-il possible, reprenait-il, que je
sois aimé de Mᵐᵉ de Clèves et que je sois malheureux ? Qu'elle
était belle cette nuit ! Comment ai-je pu résister à l'envie de me
jeter à ses pieds ? Si je l'avais fait, je l'aurais peut-être empêchée
de me fuir, mon respect l'aurait rassurée, mais peut-être elle ne
430 m'a pas reconnu, je m'afflige plus que je ne dois, et la vue d'un
homme, à une heure si extraordinaire, l'a effrayée. »

Ces mêmes pensées occupèrent tout le jour M. de Nemours ;
il attendit la nuit avec impatience, et, quand elle fut venue, il
reprit le chemin de Coulommiers. Le gentilhomme de M. de
435 Clèves, qui s'était déguisé afin d'être moins remarqué, le suivit
jusqu'au lieu où il l'avait suivi le soir d'auparavant et le vit entrer
dans le même jardin. Ce prince connut bientôt que Mᵐᵉ de
Clèves n'avait pas voulu hasarder qu'il essayât encore de la voir,

---

1. *J'ai espéré au temps* : j'ai espéré que le temps ferait son œuvre.

toutes les portes étaient fermées. Il tourna de tous les côtés pour
440 découvrir s'il ne verrait point de lumières mais ce fut
inutilement.

Mme de Clèves, s'étant doutée que M. de Nemours pourrait
revenir, était demeurée dans sa chambre ; elle avait appréhendé
de n'avoir pas toujours la force de le fuir, et elle n'avait pas voulu
445 se mettre au hasard de lui parler d'une manière si peu conforme
à la conduite qu'elle avait eue jusqu'alors.

Quoique M. de Nemours n'eût aucune espérance de la voir, il
ne put se résoudre à sortir si tôt d'un lieu où elle était si souvent.
Il passa la nuit entière dans le jardin et trouva quelque
450 consolation à voir du moins les mêmes objets qu'elle voyait tous
les jours. Le soleil était levé devant qu'il pensât à se retirer, mais
enfin la crainte d'être découvert l'obligea à s'en aller.

Il lui fut impossible de s'éloigner sans voir Mme de Clèves, et il
alla chez Mme de Mercœur, qui était alors dans cette maison
455 qu'elle avait proche de Coulommiers. Elle fut extrêmement
surprise de l'arrivée de son frère. Il inventa une cause de son
voyage, assez vraisemblable pour la tromper, et enfin il conduisit
si habilement son dessein, qu'il l'obligea à lui proposer
d'elle-même d'aller chez Mme de Clèves. Cette proposition fut
460 exécutée dès le même jour, et M. de Nemours dit à sa sœur qu'il
la quitterait à Coulommiers pour s'en retourner en diligence
trouver le roi. Il fit ce dessein de la quitter à Coulommiers dans la
pensée de l'en laisser partir la première, et il crut avoir trouvé un
moyen infaillible de parler à Mme de Clèves.

465 Comme ils arrivèrent, elle se promenait dans une grande allée
qui borde le parterre. La vue de M. de Nemours ne lui causa pas
un médiocre trouble et ne lui laissa plus de douter que ce ne fût
lui qu'elle avait vu la nuit précédente. Cette certitude lui donna
quelque mouvement de colère par la hardiesse et l'imprudence
470 qu'elle trouvait dans ce qu'il avait entrepris. Ce prince remarqua
une impression de froideur sur son visage qui lui donna une
sensible douleur. La conversation fut de choses indifférentes, et
néanmoins il trouva l'art d'y faire paraître tant d'esprit, tant de

complaisance et tant d'admiration pour Mme de Clèves, qu'il
475 dissipa, malgré elle, une partie de la froideur qu'elle avait eue
d'abord.

Lorsqu'il se sentit rassuré de sa première crainte, il témoigna
une extrême curiosité d'aller voir le pavillon de la forêt. Il en
parla comme du plus agréable lieu du monde et en fit même une
480 description si particulière que Mme de Mercœur lui dit qu'il fallait
qu'il y eût été plusieurs fois pour en connaître si bien toutes les
beautés.

« Je ne crois pourtant pas, reprit Mme de Clèves, que M. de
Nemours y ait jamais entré, c'est un lieu qui n'est achevé que
485 depuis peu.

— Il n'y a pas longtemps aussi que j'y ai été, reprit M. de
Nemours en la regardant, et je ne sais si je ne dois point être bien
aise que vous ayez oublié de m'y avoir vu. »

Mme de Mercœur, qui regardait la beauté des jardins, n'avait
490 point d'attention à ce que disait son frère. Mme de Clèves rougit
et, baissant les yeux sans regarder M. de Nemours :

« Je ne me souviens point, lui dit-elle, de vous y avoir vu, et, si
vous y avez été, c'est sans que je l'aie su.

— Il est vrai, madame, répliqua M. de Nemours, que j'y ai été
495 sans vos ordres, et j'y ai passé les plus doux et les plus cruels
moments de ma vie. »

Mme de Clèves entendait trop bien tout ce que disait ce prince,
mais elle n'y répondit point ; elle songea à empêcher Mme de
Mercœur d'aller dans ce cabinet parce que le portrait de M. de
500 Nemours y était et qu'elle ne voulait pas qu'elle l'y vît. Elle fit si
bien que le temps se passa insensiblement, et Mme de Mercœur
parla de s'en retourner. Mais quand Mme de Clèves vit que M. de
Nemours et sa sœur ne s'en allaient pas ensemble, elle jugea bien
à quoi elle allait être exposée, elle se trouva dans le même
505 embarras où elle s'était trouvée à Paris, et elle prit aussi le même
parti. La crainte que cette visite ne fût encore une confirmation
des soupçons qu'avait son mari, ne contribua pas peu à la
déterminer, et, pour éviter que M. de Nemours ne demeurât seul

avec elle, elle dit à Mme de Mercœur qu'elle l'allait conduire
510 jusques au bord de la forêt, et elle ordonna que son carrosse la
suivît. La douleur qu'eut ce prince de trouver toujours cette
même continuation des rigueurrs en Mme de Clèves fut si
violente, qu'il en pâlit dans le même moment. Mme de Mercœur
lui demande s'il se trouvait mal, mais il regarda Mme de Clèves,
515 sans que personne s'en aperçût, et il lui fit juger par ses regards
qu'il n'avait d'autre mal que son désespoir. Cependant il fallut
qu'il les laissât partir sans oser les suivre, et, après ce qu'il avait
dit, il ne pouvait plus retourner avec sa sœur ; ainsi il revint à
Paris, et en partit le lendemain.

520 Le gentilhomme de M. de Clèves l'avait toujours observé, il
revint aussi à Paris et, comme il vit M. de Nemours parti pour
Chambord, il prit la poste afin d'y arriver devant lui et de rendre
compte de son voyage. Son maître attendait son retour, comme
ce qui allait décider du malheur de toute sa vie.

525 Sitôt qu'il le vit, il jugea, par son visage et par son silence, qu'il
n'avait que des choses fâcheuses à lui apprendre. Il demeura
quelque temps saisi d'affliction, la tête baissée, sans pouvoir
parler ; enfin, il lui fit signe de la main de se retirer :

« Allez, lui dit-il, je vois ce que vous avez à me dire, mais je
530 n'ai pas la force de l'écouter.

— Je n'ai rien à vous apprendre, lui répondit le gentilhomme,
sur quoi on puisse faire de jugement assuré. Il est vrai que M. de
Nemours a entré deux nuits de suite dans le jardin de la forêt, et
qu'il a été le jour d'après à Coulommiers avec Mme de Mercœur.

535 — C'est assez, répliqua M. de Clèves, c'est assez, en lui
faisant encore signe de se retirer, et je n'ai pas besoin d'un plus
grand éclaircissement. »

Le gentilhomme fut contraint de laisser son maître abandonné
à son désespoir. Il n'y en a peut-être jamais eu un plus violent, et
540 peu d'hommes d'un aussi grand courage et d'un cœur aussi
passionné que M. de Clèves, ont ressenti en même temps la
douleur que cause l'infidélité d'une maîtresse, et la honte d'être
trompé par une femme.

M. de Clèves ne put résister à l'accablement où il se trouva. La
545 fièvre lui prit dès la nuit même, et avec de si grands accidents[1],
que, dès ce moment, sa maladie parut très dangereuse. On en
donna avis à Mme de Clèves ; elle vint en diligence. Quand elle
arriva, il était encore plus mal, elle lui trouva quelque chose de si
froid et de si glacé pour elle qu'elle en fut extrêmement surprise
550 et affligée. Il lui parut même qu'il recevait avec peine les services
qu'elle lui rendait, mais enfin elle pensa que c'était peut-être un
effet de sa maladie.

D'abord qu'elle fut à Blois, où la cour était alors, M. de
Nemours ne put s'empêcher d'avoir de la joie de savoir qu'elle
555 était dans le même lieu que lui. Il essaya de la voir et alla tous
les jours chez M. de Clèves, sur le prétexte de savoir de ses
nouvelles, mais ce fut inutilement. Elle ne sortait point de la
chambre de son mari et avait une douleur violente de l'état où
elle le voyait. M. de Nemours était désespéré qu'elle fût si
560 affligée ; il jugeait aisément combien cette affliction renouvelait
l'amitié qu'elle avait pour M. de Clèves, et combien cette amitié
faisait une diversion dangereuse à la passion qu'elle avait dans
le cœur. Ce sentiment lui donna un chagrin mortel pendant
quelque temps, mais, l'extrémité du mal de M. de Clèves lui
565 ouvrit de nouvelles espérances. Il vit que Mme de Clèves serait
peut-être en liberté de suivre son inclination, et qu'il pourrait
trouver dans l'avenir une suite de bonheurs et de plaisirs
durables. Il ne pouvait soutenir cette pensée, tant elle lui donnait
de trouble et de transports, et il en éloignait son esprit par la
570 crainte de se trouver trop malheureux, s'il venait à perdre ses
espérances.

Cependant M. de Clèves était presque abandonné des
médecins. Un des derniers jours de son mal, après avoir passé
une nuit très fâcheuse[2], il dit sur le matin qu'il voulait reposer.

---

1. *Accidents :* complications dans la maladie.
2. *Fâcheuse :* désagréable, pénible.

575 Mme de Clèves demeura seule dans sa chambre, il lui parut
qu'au lieu de reposer, il avait beaucoup d'inquiétude. Elle
s'approcha et se vint mettre à genoux devant son lit, le visage
tout couvert de larmes. M. de Clèves avait résolu de ne lui point
témoigner le violent chagrin qu'il avait contre elle, mais les
580 soins qu'elle lui rendait, et son affliction, qui lui paraissait
quelquefois véritable et qu'il regardait aussi quelquefois comme
des marques de dissimulation et de perfidie, lui causaient des
sentiments si opposés et si douloureux qu'il ne les put renfermer
en lui-même.

585 « Vous versez bien des pleurs, madame, lui dit-il, pour une
mort que vous causez et qui ne vous peut donner la douleur
que vous faites paraître. Je ne suis plus en état de vous faire
des reproches, continua-t-il avec une voix affaiblie par la
maladie et par la douleur, mais je meurs du cruel déplaisir
590 que vous m'avez donné. Fallait-il qu'une action aussi
extraordinaire que celle que vous aviez faite de me parler à
Coulommiers eût si peu de suite ? Pourquoi m'éclairer sur la
passion que vous aviez pour M. de Nemours, si votre vertu
n'avait pas plus d'étendue pour y résister ? Je vous aimais
595 jusqu'à être bien aise d'être trompé, je l'avoue à ma honte,
j'ai regretté ce faux repos dont vous m'avez tiré. Que ne me
laissiez-vous dans cet aveuglement tranquille dont jouissent
tant de maris ? J'eusse, peut-être, ignoré toute ma vie que
vous aimiez M. de Nemours. Je mourrai, ajouta-t-il, mais
600 sachez que vous me rendez la mort agréable, et qu'après
m'avoir ôté l'estime et la tendresse que j'avais pour vous, la vie
me ferait horreur. Que ferais-je de la vie, reprit-il, pour la passer
avec une personne que j'ai tant aimée, et dont j'ai été si
cruellement trompé, ou pour vivre séparé de cette même
605 personne, et en venir à un éclat et à des violences si opposées à
mon humeur et à la passion que j'avais pour vous ? Elle a été
au-delà de ce que vous en avez vu, madame, je vous en ai caché
la plus grande partie, par la crainte de vous importuner, ou de
perdre quelque chose de votre estime, par des manières qui ne

610 convenaient pas à un mari. Enfin je méritais votre cœur ; encore
une fois, je meurs sans regret, puisque je n'ai pu l'avoir, et que je
ne puis plus le désirer. Adieu, madame, vous regretterez quelque
jour un homme qui vous aimait d'une passion véritable et
légitime. Vous sentirez le chagrin que trouvent les personnes
615 raisonnables dans ces engagements, et vous connaîtrez la
différence d'être aimée, comme je vous aimais, à l'être par des
gens qui, en vous témoignant de l'amour, ne cherchent que
l'honneur de vous séduire. Mais ma mort vous laissera en liberté,
ajouta-t-il, et vous pourrez rendre M. de Nemours heureux,
620 sans qu'il vous en coûte des crimes. Qu'importe, reprit-il, ce qui
arrivera quand je ne serai plus, et faut-il que j'aie la faiblesse d'y
jeter les yeux.

Mᵐᵉ de Clèves était si éloignée de s'imaginer que son mari pût
avoir des soupçons contre elle qu'elle écouta toutes ces paroles
625 sans les comprendre, et sans avoir d'autre idée, sinon qu'il lui
reprochait son inclination pour M. de Nemours ; enfin, sortant
tout d'un coup de son aveuglement :

« Moi, des crimes ! s'écria-t-elle, la pensée même m'en est
inconnue. La vertu la plus austère ne peut inspirer d'autre
630 conduite que celle que j'ai eue, et je n'ai jamais fait d'action dont
je n'eusse souhaité que vous eussiez été témoin.

— Eussiez-vous souhaité, répliqua M. de Clèves, en la
regardant avec dédain, que je l'eusse été des nuits que vous avez
passées avec M. de Nemours ? Ah ! madame, est-ce de vous
635 dont je parle, quand je parle d'une femme qui a passé des nuits
avec un homme ?

— Non, monsieur, reprit-elle, non, ce n'est pas de moi dont
vous parlez. Je n'ai jamais passé ni de nuits ni de moments
avec M. de Nemours. Il ne m'a jamais vue en particulier, je
640 ne l'ai jamais souffert, ni écouté, et j'en ferais tous les
serments...

— N'en dites pas davantage, interrompit M. de Clèves,
de faux serments ou un aveu me feraient peut-être une égale
peine. »

645 Mme de Clèves ne pouvait répondre, ses larmes et sa douleur lui ôtaient la parole ; enfin, faisant un effort :

« Regardez-moi du moins ; écoutez-moi, lui dit-elle. S'il n'y allait que de mon intérêt, je souffrirais ces reproches, mais il y va de votre vie. Écoutez-moi, pour l'amour de vous-même, il est
650 impossible qu'avec tant de vérité, je ne vous persuade mon innocence.

— Plût à Dieu que vous me la puissiez persuader ! s'écria-t-il, mais que me pouvez-vous dire ? M. de Nemours n'a-t-il pas été à Coulommiers avec sa sœur ? Et n'avait-il
655 pas passé les deux nuits précédentes avec vous dans le jardin de la forêt ?

— Si c'est là mon crime, répliqua-t-elle, il m'est aisé de me justifier. Je ne vous demande point de me croire, mais croyez tous vos domestiques, et sachez si j'allai dans le jardin de la forêt
660 la veille que M. de Nemours vint à Coulommiers, et si je n'en sortis pas le soir d'auparavant deux heures plus tôt que je n'avais accoutumé. »

Elle lui conta ensuite comme elle avait cru voir quelqu'un dans ce jardin. Elle lui avoua qu'elle avait cru que c'était
665 M. de Nemours. Elle lui parla avec tant d'assurance, et la vérité se persuade si aisément lors même qu'elle n'est pas vraisemblable, que M. de Clèves fut presque convaincu de son innocence.

« Je ne sais, lui dit-il, si je me dois laisser aller à vous croire. Je
670 me sens si proche de la mort que je ne veux rien voir de ce qui me pourrait faire regretter la vie. Vous m'avez éclairci trop tard, mais ce me sera toujours un soulagement d'emporter la pensée que vous êtes digne de l'estime que j'ai eue pour vous. Je vous prie que je puisse encore avoir la consolation de croire
675 que ma mémoire vous sera chère, et que, s'il eût dépendu de vous, vous eussiez eu pour moi les sentiments que vous avez pour un autre. »

Il voulut continuer ; mais une faiblesse lui ôta la parole. Mme de Clèves fit venir les médecins, ils le trouvèrent presque

680 sans vie. Il languit néanmoins encore quelques jours et mourut
enfin avec une constance admirable[1].

Mme de Clèves demeura dans une affliction si violente, qu'elle
perdit quasi l'usage de la raison. La reine la vint voir avec soin et
la mena dans un couvent sans qu'elle sût où on la conduisait. Ses
685 belles-sœurs la remenèrent[2] à Paris, qu'elle n'était pas encore en
état de sentir distinctement sa douleur. Quand elle commença
d'avoir la force de l'envisager et qu'elle vit quel mari elle avait
perdu, qu'elle considéra qu'elle était la cause de sa mort, et que
c'était par la passion qu'elle avait eue pour un autre qu'elle en
690 était cause, l'horreur qu'elle eut pour elle-même et pour
M. de Nemours ne se peut représenter.

Ce prince n'osa, dans ces commencements, lui rendre d'autres
soins que ceux que lui ordonnait la bienséance. Il connaissait
assez Mme de Clèves pour croire qu'un plus grand empressement
695 lui serait désagréable, mais ce qu'il apprit ensuite lui fit bien voir
qu'il devait avoir longtemps la même conduite.

Un écuyer qu'il avait lui conta que le gentilhomme de
M. de Clèves, qui était son ami intime, lui avait dit, dans sa
douleur de la perte de son maître, que le voyage de M. de
700 Nemours à Coulommiers était cause de sa mort. M. de Nemours
fut extrêmement surpris de ce discours, mais, après y avoir fait
réflexion, il devina une partie de la vérité, et il jugea bien quels
seraient d'abord les sentiments de Mme de Clèves et quel
éloignement elle aurait de lui, si elle croyait que le mal de son
705 mari eût été causé par la jalousie. Il crut qu'il ne fallait pas même
la faire sitôt souvenir de son nom et il suivit cette conduite,
quelque pénible qu'elle lui parût.

Il fit un voyage à Paris et ne peut s'empêcher néanmoins d'aller
à sa porte pour apprendre de ses nouvelles. On lui dit que
710 personne ne la voyait et qu'elle avait même défendu qu'on

---

1. Le prince de Clèves mourut en réalité le 6 septembre 1564.
2. *Remenèrent* : ramenèrent.

lui rendît compte de ceux qui l'iraient chercher. Peut-être que
ces ordres si exacts étaient donnés en vue de ce prince, et pour
ne point entendre parler de lui. M. de Nemours était trop
amoureux pour pouvoir vivre si absolument privé de la vue de
715 Mᵐᵉ de Clèves. Il résolut de trouver des moyens, quelque
difficiles qu'ils pussent être, de sortir d'un état qui lui paraissait
si insupportable.

La douleur de cette princesse passait les bornes de la raison.
Ce mari mourant, et mourant à cause d'elle et avec tant de
720 tendresse pour elle, ne lui sortait point de l'esprit. Elle repassait
incessamment tout ce qu'elle lui devait, et elle se faisait un crime
de n'avoir pas eu de la passion pour lui, comme si c'eût été une
chose qui eût été en son pouvoir. Elle ne trouvait de consolation
qu'à penser qu'elle le regrettait autant qu'il méritait d'être
725 regretté et qu'elle ne ferait dans le reste de sa vie que ce qu'il
aurait été bien aise qu'elle eût fait s'il avait vécu.

Elle avait pensé plusieurs fois comment il avait su que
M. de Nemours était venu à Coulommiers, elle ne soupçonnait
pas ce prince de l'avoir conté, et il lui paraissait même indifférent
730 qu'il l'eût redit, tant elle se croyait guérie et éloignée de la
passion qu'elle avait eue pour lui. Elle sentait néanmoins
une douleur vive de s'imaginer qu'il était cause de la mort
de son mari, et elle se souvenait avec peine de la crainte que
M. de Clèves lui avait témoignée en mourant qu'elle ne
735 l'épousât, mais toutes ces douleurs se confondaient dans celle de
la perte de son mari, et elle croyait n'en avoir point d'autre.

Après que plusieurs mois furent passés, elle sortit de cette
violente affliction où elle était et passa dans un état de tristesse et
de langueur[1]. Mᵐᵉ de Martigues fit un voyage à Paris, et la vit
740 avec soin pendant le séjour qu'elle y fit. Elle l'entretint de la cour
et de tout ce qui s'y passait, et, quoique Mᵐᵉ de Clèves ne parût

---

1. *Langueur* : mélancolie souvent due à un amour malheureux.

pas y prendre intérêt, Mme de Martigues ne laissait pas de lui en parler pour la divertir.

Elle lui conta des nouvelles du vidame, de M. de Guise et de
745 tous les autres qui étaient distingués par leur personne ou par leur mérite.

« Pour M. de Nemours, dit-elle, je ne sais si les affaires ont pris dans son cœur la place de la galanterie, mais il a bien moins de joie qu'il n'avait accoutumé d'en avoir, il paraît fort retiré du
750 commerce des femmes. Il fait souvent des voyages à Paris et je crois même qu'il y est présentement. »

Le nom de M. de Nemours surprit Mme de Clèves et la fit rougir. Elle changea de discours, et Mme de Martigues ne s'aperçut point de son trouble.

755 Le lendemain, cette princesse, qui cherchait des occupations conformes à l'état où elle était, alla proche de chez elle voir un homme qui faisait des ouvrages de soie d'une façon particulière, et elle y fut dans le dessein d'en faire de semblables. Après qu'on les lui eut montrés, elle vit la porte d'une chambre où elle crut
760 qu'il y en avait encore, elle dit qu'on la lui ouvrît. Le maître répondit qu'il n'en avait pas la clef et qu'elle était occupée par un homme qui y venait quelquefois pendant le jour pour dessiner de belles maisons et des jardins que l'on voyait de ses fenêtres.

« C'est l'homme du monde le mieux fait, ajouta-t-il, il n'a
765 guère la mine d'être réduit à gagner sa vie. Toutes les fois qu'il vient céans, je le vois toujours regarder les maisons et les jardins, mais je ne le vois jamais travailler. »

Mme de Clèves écoutait ce discours avec une grande attention. Ce que lui avait dit Mme de Martigues, que M. de Nemours était
770 quelquefois à Paris, se joignit, dans son imagination, à cet homme bien fait qui venait proche de chez elle, et lui fit une idée de M. de Nemours, et de M. de Nemours appliqué à la voir, qui lui donna un trouble confus, dont elle ne savait pas même la cause. Elle alla vers les fenêtres pour voir où elles donnaient, elle
775 trouva qu'elles voyaient tout son jardin et la face de son appartement. Et, lorsqu'elle fut dans sa chambre, elle remarqua

aisément cette même fenêtre où l'on lui avait dit que venait
cet homme. La pensée que c'était M. de Nemours changea
entièrement la situation de son esprit ; elle ne se trouva plus dans
780 un certain triste repos qu'elle commençait à goûter, elle se sentit
inquiète et agitée. Enfin ne pouvant demeurer avec elle-même,
elle sortit et alla prendre l'air dans le jardin hors des faubourgs,
où elle pensait être seule. Elle crut en y arrivant qu'elle ne s'était
pas trompée ; elle ne vit aucune apparence qu'il y eût quelqu'un
785 et elle se promena assez longtemps.

Après avoir traversé un petit bois, elle aperçut, au bout d'une
allée, dans l'endroit le plus reculé du jardin, une manière de
cabinet ouvert de tous côtés, où elle adressa ses pas[1]. Comme
elle en fut proche, elle vit un homme couché sur des bancs, qui
790 paraissait enseveli dans une rêverie profonde, et elle reconnut
que c'était M. de Nemours. Cette vue l'arrêta tout court. Mais
ses gens qui la suivaient firent quelque bruit, qui tira M. de
Nemours de sa rêverie. Sans regarder qui avait causé le bruit qu'il
avait entendu, il se leva de sa place pour éviter la compagnie qui
795 venait vers lui et tourna dans une autre allée, en faisant une
révérence fort basse qui l'empêcha même de voir ceux qu'il
saluait.

S'il eût su ce qu'il évitait, avec quelle ardeur serait-il retourné
sur ses pas, mais il continua à suivre l'allée, et Mme de Clèves le
800 vit sortir par une porte de derrière où l'attendait son carrosse.
Quel effet produisit cette vue d'un moment dans le cœur de
Mme de Clèves ! Quelle passion endormie se ralluma dans son
cœur, et avec quelle violence ! Elle s'alla asseoir dans le même
endroit d'où venait de sortir M. de Nemours, elle y demeura
805 comme accablée. Ce prince se présenta à son esprit, aimable
au-dessus de tout ce qui était au monde, l'aimant depuis
longtemps avec une passion pleine de respect et de fidélité,

---

1. *Où elle adressa ses pas* : vers lequel elle se dirigea.

Elle vit un homme couché sur un banc.....

4ᵉ partie

Gravure anonyme pour le frontispice
d'une édition de 1826. B.N. (imprimés), Paris.

méprisant tout pour elle, respectant jusqu'à sa douleur, songeant
à la voir sans songer à en être vu, quittant la cour, dont il faisait
810 les délices, pour aller regarder les murailles qui la renfermaient,
pour venir rêver dans des lieux où il ne pouvait prétendre de la
rencontrer, enfin un homme digne d'être aimé par son seul
attachement, et pour qui elle avait une inclination si violente
qu'elle l'aurait aimé quand il ne l'aurait pas aimée, mais, de plus,
815 un homme d'une qualité élevée et convenable à la sienne. Plus
de devoir, plus de vertu qui s'opposassent à ses sentiments, tous
les obstacles étaient levés, et il ne restait de leur état passé que la
passion de M. de Nemours pour elle et que celle qu'elle avait
pour lui.

820   Toutes ces idées furent nouvelles à cette princesse. L'affliction
de la mort de M. de Clèves l'avait assez occupée pour avoir
empêché qu'elle n'y eût jeté les yeux. La présence de M. de
Nemours les amena en foule dans son esprit, mais, quand il en
eut été pleinement rempli et qu'elle se souvint aussi que ce
825 même homme, qu'elle regardait comme pouvant l'épouser, était
celui qu'elle avait aimé du vivant de son mari et qui était la cause
de sa mort, que même, en mourant, il lui avait témoigné de la
crainte qu'elle ne l'épousât, son austère vertu était si blessée de
cette imagination, qu'elle ne trouvait guère moins de crime à
830 épouser M. de Nemours, qu'elle en avait trouvé à l'aimer
pendant la vie de son mari. Elle s'abandonna à ces réflexions si
contraires à son bonheur, elle les fortifia encore de plusieurs
raisons qui regardaient son repos et les maux qu'elle prévoyait
en épousant ce prince. Enfin, après avoir demeuré deux heures
835 dans le lieu où elle était, elle s'en revint chez elle, persuadée
qu'elle devait fuir sa vue comme une chose entièrement opposée
de son devoir.

   Mais cette persuasion, qui était un effet de sa raison et de sa
vertu, n'entraînait pas son cœur. Il demeurait attaché à M. de
840 Nemours avec une violence qui la mettait dans un état digne de
compassion et qui ne lui laissa plus de repos ; elle passa une des
plus cruelles nuits qu'elle eût jamais passées. Le matin, son

premier mouvement fut d'aller voir s'il n'y aurait personne à la fenêtre qui donnait chez elle ; elle y alla, elle y vit M. de

845 Nemours. Cette vue la surprit, et elle se retira avec une promptitude qui fit juger à ce prince qu'il avait été reconnu. Il avait souvent désiré de l'être, depuis que sa passion lui avait fait trouver ces moyens de voir Mme de Clèves, et, lorsqu'il n'espérait pas d'avoir ce plaisir, il allait rêver dans le même jardin où elle

850 l'avait trouvé.

Lassé enfin d'un état si malheureux et si incertain, il résolut de tenter quelque voie d'éclaircir sa destinée. « Que veux-je attendre ? disait-il, il y a longtemps que je sais que j'en suis aimé, elle est libre, elle n'a plus de devoir à m'opposer. Pourquoi me

855 réduire à la voir sans en être vu et sans lui parler ? Est-il possible que l'amour m'ait si absolument ôté la raison et la hardiesse, et qu'il m'ait rendu si différent de ce que j'ai été dans les autres passions de ma vie ? J'ai dû respecter la douleur de Mme de Clèves, mais je la respecte trop longtemps et je lui donne le loisir

860 d'éteindre l'inclination qu'elle a pour moi. »

Après ces réflexions, il songea aux moyens dont il devait se servir pour la voir. Il crut qu'il n'y avait plus rien qui l'obligeât à cacher sa passion au vidame de Chartres. Il résolut de lui en parler et de lui dire le dessein qu'il avait pour sa nièce.

865 Le vidame était alors à Paris ; tout le monde y était venu donner ordre à son équipage et à ses habits, pour suivre le roi qui devait conduire la reine d'Espagne. M. de Nemours alla donc chez le vidame et lui fit un aveu sincère de tout ce qu'il lui avait caché jusqu'alors, à la réserve des sentiments de Mme de Clèves,

870 dont il ne voulut pas paraître instruit.

Le vidame reçut tout ce qu'il lui dit avec beaucoup de joie et l'assura que, sans savoir ses sentiments, il avait souvent pensé, depuis que Mme de Clèves était veuve, qu'elle était la seule personne digne de lui. M. de Nemours le pria de lui donner les

875 moyens de lui parler et de savoir quelles étaient ses dispositions.

Le vidame lui proposa de le mener chez elle, mais M. de Nemours crut qu'elle en serait choquée, parce qu'elle ne voyait

encore personne. Ils trouvèrent qu'il fallait que M. le vidame la
priât de venir chez lui, sur quelque prétexte, et que M. de
880 Nemours y vînt par un escalier dérobé, afin de n'être vu de
personne. Cela s'exécuta comme ils l'avaient résolu ; Mme de
Clèves vint, le vidame l'alla recevoir et la conduisit dans un
grand cabinet, au bout de son appartement. Quelque temps
après, M. de Nemours entra, comme si le hasard l'eût conduit.
885 Mme de Clèves fut extrêmement surprise de le voir ; elle rougit, et
essaya de cacher sa rougeur. Le vidame parla d'abord de choses
indifférentes et sortit, supposant[1] qu'il avait quelque ordre à
donner. Il dit à Mme de Clèves qu'il la priait de faire les honneurs
de chez lui et qu'il allait rentrer dans un moment.
890   L'on ne peut exprimer ce que sentirent M. de Nemours et
Mme de Clèves de se trouver seuls et en état de se parler pour la
première fois. Ils demeurèrent quelque temps sans rien dire ;
enfin, M. de Nemours, rompant le silence :
      « Pardonnerez-vous à M. de Chartres, madame, lui dit-il, de
895 m'avoir donné l'occasion de vous voir et de vous entretenir, que
vous m'avez toujours si cruellement ôtée ?
      — Je ne lui dois pas pardonner, répondit-elle, d'avoir oublié
l'état où je suis et à quoi il expose ma réputation. »
      En prononçant ces paroles, elle voulut s'en aller, et M. de
900 Nemours, la retenant :
      « Ne craignez rien, madame, répliqua-t-il, personne ne sait
que je suis ici et aucun hasard n'est à craindre. Écoutez-moi,
madame, écoutez-moi ; si ce n'est par bonté, que ce soit du
moins pour l'amour de vous-même, et pour vous délivrer des
905 extravagances où m'emporterait infailliblement une passion
dont je ne suis plus le maître. »
      Mme de Clèves céda pour la première fois au penchant qu'elle
avait pour M. de Nemours, et, le regardant avec des yeux pleins
de douceur et de charmes :

---

1. *Supposant :* prétextant.

910 « Mais qu'espérez-vous, lui dit-elle, de la complaisance que vous me demandez ? Vous vous repentirez peut-être de l'avoir obtenue, et je me repentirai infailliblement de vous l'avoir accordée. Vous méritez une destinée plus heureuse que celle que vous avez eue jusques ici et que celle que vous pouvez trouver à
915 l'avenir, à moins que vous ne la cherchiez ailleurs !

— Moi, madame, lui dit-il, chercher du bonheur ailleurs ! Et y en a-t-il d'autre que d'être aimé de vous ? Quoique je ne vous aie jamais parlé, je ne saurais croire, madame, que vous ignoriez ma passion et que vous ne la connaissiez pour la plus véritable et
920 la plus violente qui sera jamais. À quelle épreuve a-t-elle été par des choses qui vous sont inconnues ? Et à quelle épreuve l'avez-vous mise par vos rigueurs ?

— Puisque vous voulez que je vous parle et que je m'y résous, répondit Mᵐᵉ de Clèves en s'asseyant, je le ferai avec une
925 sincérité que vous trouverez malaisément dans les personnes de mon sexe. Je ne vous dirai point que je n'ai pas vu l'attachement que vous avez eu pour moi ; peut-être ne me croiriez-vous pas quand je vous le dirais. Je vous avoue donc, non seulement que je l'ai vu, mais je l'ai vu tel que vous pouvez souhaiter qu'il m'ait
930 paru.

— Et si vous l'avez vu, madame, interrompit-il, est-il possible que vous n'en ayez point été touchée ? Et oserais-je vous demander s'il n'a fait aucune impression dans votre cœur ?

— Vous en avez dû juger par ma conduite, lui répliqua-t-elle,
935 mais je voudrais bien savoir ce que vous en avez pensé.

— Il faudrait que je fusse dans un état plus heureux pour vous l'oser dire, répondit-il, et ma destinée a trop peu de rapport à ce que je vous dirais. Tout ce que je puis vous apprendre, madame, c'est que j'ai souhaité ardemment que vous n'eussiez pas avoué
940 à M. de Clèves ce que vous me cachiez, et que vous lui eussiez caché ce que vous m'eussiez laissé voir.

— Comment avez-vous pu découvrir, reprit-elle en rougissant, que j'ai avoué quelque chose à M. de Clèves ?

— Je l'ai su par vous-même, madame, répondit-il, mais, pour

945 me pardonner la hardiesse que j'ai eue de vous écouter, souvenez-vous si j'ai abusé de ce que j'ai entendu, si mes espérances en ont augmenté et si j'ai eu plus de hardiesse à vous parler ? »

Il commença à lui conter comme il avait entendu sa 950 conversation avec M. de Clèves mais elle l'interrompit avant qu'il eût achevé.

« Ne m'en dites pas davantage, lui dit-elle, je vois présentement par où vous avez été si bien instruit. Vous ne me le parûtes déjà que trop chez Mme la dauphine, qui avait su cette 955 aventure par ceux à qui vous l'aviez confiée. »

M. de Nemours lui apprit alors de quelle sorte la chose était arrivée.

« Ne vous excusez point, reprit-elle, il y a longtemps que je vous ai pardonné sans que vous m'ayez dit de raison. Mais 960 puisque vous avez appris par moi-même ce que j'avais eu dessein de vous cacher toute ma vie, je vous avoue que vous m'avez inspiré des sentiments qui m'étaient inconnus devant que de vous avoir vu, et dont j'avais même si peu d'idée qu'ils me donnèrent d'abord une surprise qui augmentait encore le 965 trouble qui les suit toujours. Je vous fais cet aveu avec moins de honte, parce que je le fais dans un temps où je le puis faire sans crime et que vous avez vu que ma conduite n'a pas été réglée par mes sentiments.

— Croyez-vous, madame, lui dit M. de Nemours, en se jetant 970 à ses genoux, que je n'expire pas à vos pieds de joie et de transport ?

— Je ne vous apprends, lui répondit-elle en souriant, que ce que vous ne saviez déjà que trop.

— Ah ! madame, répliqua-t-il, quelle différence de le savoir 975 par un effet du hasard ou de l'apprendre par vous-même, et de voir que vous voulez bien que je le sache !

— Il est vrai, lui dit-elle, que je veux bien que vous le sachiez et que je trouve de la douceur à vous le dire. Je ne sais même si je ne vous le dis point, plus pour l'amour de moi que pour l'amour

980 de vous. Car enfin cet aveu n'aura point de suite et je suivrai les
règles austères que mon devoir m'impose.

— Vous n'y songez pas, madame, répondit M. de Nemours ;
il n'y a plus de devoir qui vous lie, vous êtes en liberté, et si
j'osais, je vous dirais même qu'il dépend de vous de faire en sorte
985 que votre devoir vous oblige un jour à conserver les sentiments
que vous avez pour moi.

— Mon devoir, répliqua-t-elle, me défend de penser jamais à
personne, et moins à vous qu'à qui que ce soit au monde, par des
raisons qui vous sont inconnues.

990 — Elles ne me le sont peut-être pas, madame, reprit-il,
mais ce ne sont point de véritables raisons. Je crois savoir que
M. de Clèves m'a cru plus heureux que je n'étais et qu'il s'est
imaginé que vous aviez approuvé des extravagances que la
passion m'a fait entreprendre sans votre aveu.

995 — Ne parlons point de cette aventure, lui dit-elle, je n'en
saurais soutenir la pensée, elle me fait honte, et elle m'est aussi
trop douloureuse par les suites qu'elle a eues. Il n'est que trop
véritable que vous êtes cause de la mort de M. de Clèves ; les
soupçons que lui a donnés votre conduite inconsidérée lui ont
1000 coûté la vie, comme si vous la lui aviez ôtée de vos propres
mains. Voyez ce que je devrais faire, si vous en étiez venus
ensemble à ces extrémités, et que le même malheur en fût arrivé.
Je sais bien que ce n'est pas la même chose à l'égard du monde,
mais au mien il n'y a aucune différence, puisque je sais que c'est
1005 par vous qu'il est mort et que c'est à cause de moi.

— Ah ! madame, lui dit M. de Nemours, quel fantôme de
devoir opposez-vous à mon bonheur ? Quoi ! madame, une
pensée vaine et sans fondement vous empêchera de rendre
heureux un homme que vous ne haïssez pas ? Quoi ! j'aurais pu
1010 concevoir l'espérance de passer ma vie avec vous, ma destinée
m'aurait conduit à aimer la plus estimable personne du monde,
j'aurais vu en elle tout ce qui peut faire une adorable maîtresse,
elle ne m'aurait pas haï, et je n'aurais trouvé dans sa conduite
que tout ce qui peut être à désirer dans une femme ? Car enfin,

1015 madame, vous êtes peut-être la seule personne en qui ces deux choses se soient jamais trouvées au degré qu'elles sont en vous. Tous ceux qui épousent des maîtresses dont ils sont aimés tremblent en les épousant, et regardent avec crainte par rapport aux autres, la conduite qu'elles ont eue avec eux, mais en vous,
1020 madame, rien n'est à craindre, et on ne trouve que des sujets d'admiration. N'aurai-je envisagé, dis-je, une si grande félicité que pour vous y voir apporter vous-même des obstacles ? Ah ! madame, vous oubliez que vous m'avez distingué du reste des hommes, ou plutôt vous ne m'en avez jamais distingué, vous
1025 vous êtes trompée et je me suis flatté.

— Vous ne vous êtes point flatté, lui répondit-elle ; les raisons de mon devoir ne me paraîtraient peut-être pas si fortes sans cette distinction dont vous vous doutez, et c'est elle qui me fait envisager des malheurs à m'attacher à vous.

1030 — Je n'ai rien à répondre, madame, reprit-il, quand vous me faites voir que vous craignez des malheurs, mais je vous avoue qu'après tout ce que vous avez bien voulu me dire, je ne m'attendais pas à trouver une si cruelle raison.

— Elle est si peu offensante pour vous, reprit Mme de Clèves,
1035 que j'ai même beaucoup de peine à vous l'apprendre.

— Hélas ! madame, répliqua-t-il, que pouvez-vous craindre qui me flatte trop, après ce que vous venez de me dire ?

— Je veux vous parler encore, avec la même sincérité que j'ai déjà commencé, reprit-elle, et je vais passer par-dessus toute la
1040 retenue et toutes les délicatesses que je devrais avoir dans une première conversation, mais je vous conjure de m'écouter sans m'interrompre.

Je crois devoir à votre attachement la faible récompense de ne vous cacher aucun de mes sentiments et de vous les laisser voir
1045 tels qu'ils sont. Ce sera apparemment la seule fois de ma vie que je me donnerai la liberté de vous les faire paraître ; néanmoins je ne saurais vous avouer, sans honte, que la certitude de n'être plus aimée de vous comme je le suis, me paraît un si horrible malheur que, quand je n'aurais point des raisons de devoir

1050 insurmontables, je doute si je pourrais me résoudre à m'exposer
à ce malheur. Je sais que vous êtes libre, que je le suis, et que les
choses sont d'une sorte que le public n'aurait peut-être pas sujet
de vous blâmer, ni moi non plus, quand nous nous engagerions
ensemble pour jamais. Mais les hommes conservent-ils de la
1055 passion dans ces engagements éternels ? Dois-je espérer un
miracle en ma faveur et puis-je me mettre en état de voir
certainement finir cette passion dont je ferais toute ma félicité ?
M. de Clèves était peut-être l'unique homme du monde capable
de conserver de l'amour dans le mariage. Ma destinée n'a pas
1060 voulu que j'aie pu profiter de ce bonheur ; peut-être aussi que sa
passion n'avait subsisté que parce qu'il n'en aurait pas trouvé en
moi. Mais je n'aurais pas le même moyen de conserver la vôtre,
je crois même que les obstacles ont fait votre constance. Vous en
avez assez trouvé pour vous animer à vaincre et mes actions
1065 involontaires, ou les choses que le hasard vous a apprises, vous
ont donné assez d'espérance pour ne vous pas rebuter.

— Ah ! madame, reprit M. de Nemours, je ne saurais garder
le silence que vous m'imposez, vous me faites trop d'injustice et
vous me faites trop voir combien vous êtes éloignée d'être
1070 prévenue en ma faveur.

— J'avoue, répondit-elle, que les passions peuvent me
conduire ; mais elles ne sauraient m'aveugler. Rien ne me peut
empêcher de connaître que vous êtes né avec toutes les
dispositions pour la galanterie et toutes les qualités qui sont
1075 propres à y donner des succès heureux. Vous avez déjà eu
plusieurs passions, vous en auriez encore ; je ne ferais plus votre
bonheur, je vous verrais pour une autre comme vous auriez été
pour moi. J'en aurais une douleur mortelle, et je ne serais pas
même assurée de n'avoir point le malheur de la jalousie. Je vous
1080 en ai trop dit pour vous cacher que vous me l'avez fait connaître
et que je souffris de si cruelles peines le soir que la reine me
donna cette lettre de Mme de Thémines, que l'on disait qui
s'adressait à vous, qu'il m'en est demeuré une idée qui me fait
croire que c'est le plus grand de tous les maux.

1085 Par vanité ou par goût, toutes les femmes souhaitent de vous attacher. Il y en a peu à qui vous ne plaisiez, mon expérience me ferait croire qu'il n'y en a point à qui vous ne puissiez plaire. Je vous croirais toujours amoureux et aimé et je ne me tromperais pas souvent. Dans cet état néanmoins, je n'aurais d'autre parti à
1090 prendre que celui de la souffrance, je ne sais même si j'oserais me plaindre. On fait des reproches à un amant, mais en fait-on à un mari, quand on n'a qu'à lui reprocher de n'avoir plus d'amour ? Quand je pourrais m'accoutumer à cette sorte de malheur, pourrais-je m'accoutumer à celui de croire voir
1095 toujours M. de Clèves vous accuser de sa mort, me reprocher de vous avoir aimé, de vous avoir épousé et me faire sentir la différence de son attachement au vôtre ? Il est impossible, continua-t-elle, de passer par-dessus des raisons si fortes, il faut que je demeure dans l'état où je suis et dans les résolutions que
1100 j'ai prises de n'en sortir jamais.

— Hé ! croyez-vous le pouvoir, madame ? s'écria M. de Nemours. Pensez-vous que vos résolutions tiennent contre un homme qui vous adore et qui est assez heureux pour vous plaire ? Il est plus difficile que vous ne pensez, madame, de
1105 résister à ce qui nous plaît et à ce qui nous aime. Vous l'avez fait par une vertu austère, qui n'a presque point d'exemple, mais cette vertu ne s'oppose plus à vos sentiments et j'espère que vous les suivrez malgré vous.

— Je sais bien qu'il n'y a rien de plus difficile que ce que
1110 j'entreprends, répliqua Mme de Clèves, je me défie de mes forces au milieu de mes raisons. Ce que je crois devoir à la mémoire de M. de Clèves serait faible, s'il n'était soutenu par l'intérêt de mon repos, et les raisons de mon repos ont besoin d'être soutenues de celles de mon devoir. Mais, quoique je me défie de
1115 moi-même, je crois que je ne vaincrai jamais mes scrupules, et je n'espère pas aussi de surmonter l'inclination que j'ai pour vous. Elle me rendra malheureuse et je me priverai de votre vue, quelque violence qu'il m'en coûte. Je vous conjure, par tout le pouvoir que j'ai sur vous, de ne chercher aucune occasion de me

1120 voir. Je suis dans un état qui me fait des crimes de tout ce qui pourrait être permis dans un autre temps, et la seule bienséance interdit tout commerce entre nous. »

M. de Nemours se jeta à ses pieds et s'abandonna à tous les divers mouvements dont il était agité. Il lui fit voir, et par ses
1125 paroles, et par ses pleurs, la plus vive et la plus tendre passion dont un cœur ait jamais été touché. Celui de Mme de Clèves n'était plus insensible et, regardant ce prince avec des yeux un peu grossis par les larmes :

« Pourquoi faut-il, s'écria-t-elle, que je vous puisse accuser
1130 de la mort de M. de Clèves ? Que n'ai-je commencé à vous connaître depuis que je suis libre, ou pourquoi ne vous ai-je pas connu devant que d'être engagée ? Pourquoi la destinée nous sépare-t-elle par un obstacle si invincible ?

— Il n'y a point d'obstacle, madame, reprit M. de Nemours.
1135 Vous seule vous opposez à mon bonheur, vous seule vous imposez une loi que la vertu et la raison ne vous sauraient imposer.

— Il est vrai, répliqua-t-elle, que je sacrifie beaucoup à un devoir qui ne subsiste que dans mon imagination. Attendez ce
1140 que le temps pourra faire. M. de Clèves ne fait encore que d'expirer, et cet objet funeste est trop proche pour me laisser des vues claires et distinctes. Ayez cependant le plaisir de vous être fait aimer d'une personne qui n'aurait rien aimé, si elle ne vous avait jamais vu, croyez que les sentiments que j'ai pour vous
1145 seront éternels et qu'ils subsisteront également, quoi que je fasse. Adieu, lui dit-elle, voici une conversation qui me fait honte, rendez-en compte à M. le vidame, j'y consens, et je vous en prie. »

Elle sortit en disant ces paroles, sans que M. de Nemours pût
1150 la retenir. Elle trouva M. le vidame dans la chambre la plus proche. Il la vit si troublée qu'il n'osa lui parler et il la remit en son carrosse sans lui rien dire. Il revint trouver M. de Nemours, qui était si plein de joie, de tristesse, d'étonnement et d'admiration, enfin, de tous les sentiments que peut donner une

1155 passion pleine de crainte et d'espérance, qu'il n'avait pas l'usage de la raison. Le vidame fut longtemps à obtenir qu'il lui rendît compte de sa conversation. Il le fit enfin, et M. de Chartres, sans être amoureux, n'eut pas moins d'admiration pour la vertu, l'esprit et le mérite de Mme de Clèves que M. de Nemours en 1160 avait lui-même. Ils examinèrent ce que ce prince devait espérer de sa destinée, et, quelques craintes que son amour lui pût donner, il demeura d'accord avec M. le vidame qu'il était impossible que Mme de Clèves demeurât dans les résolutions où elle était. Ils convinrent, néanmoins, qu'il fallait suivre ses 1165 ordres, de crainte que, si le public s'apercevait de l'attachement qu'il avait pour elle, elle ne fît des déclarations et ne prît des engagements vers le monde, qu'elle soutiendrait dans la suite, par la peur qu'on ne crût qu'elle l'eût aimé du vivant de son mari.

1170 M. de Nemours se détermina à suivre le roi. C'était un voyage dont il ne pouvait aussi bien se dispenser, et il résolut à s'en aller, sans tenter même de revoir Mme de Clèves, du lieu où il l'avait vue quelquefois. Il pria M. le vidame de lui parler. Que ne lui dit-il point pour lui dire ? Quel nombre infini de raisons pour la 1175 persuader de vaincre ses scrupules ! Enfin, une partie de la nuit était passée devant que M. de Nemours songeât à le laisser en repos.

Mme de Clèves n'était pas en état d'en trouver ; ce lui était une chose si nouvelle d'être sortie de cette contrainte qu'elle s'était 1180 imposée, d'avoir souffert, pour la première fois de sa vie, qu'on lui dît qu'on était amoureux d'elle, et d'avoir dit elle-même qu'elle aimait, qu'elle ne se connaissait plus. Elle fut étonnée de ce qu'elle avait fait, elle s'en repentit, elle en eut de la joie, tous ses sentiments étaient pleins de trouble et de passion. Elle 1185 examina encore les raisons de son devoir qui s'opposaient à son bonheur, elle sentit de la douleur de les trouver si fortes, et elle se repentit de les avoir si bien montrées à M. de Nemours. Quoique la pensée de l'épouser lui fût venue dans l'esprit sitôt qu'elle l'avait revu dans ce jardin, elle ne lui avait pas fait la même

1190 impression que venait de faire la conversation qu'elle avait eue avec lui, et il y avait des moments où elle avait de la peine à comprendre qu'elle pût être malheureuse en l'épousant. Elle eût bien voulu se pouvoir dire qu'elle était mal fondée, et dans ses scrupules du passé, et dans ses craintes de l'avenir. La raison et

1195 son devoir lui montraient, dans d'autres moments, des choses tout opposées, qui l'emportaient rapidement à la résolution de ne se point remarier et de ne voir jamais M. de Nemours. Mais c'était une résolution bien violente à établir dans un cœur aussi touché que le sien et aussi nouvellement abandonné aux

1200 charmes de l'amour. Enfin, pour se donner quelque calme, elle pensa qu'il n'était point encore nécessaire qu'elle se fît la violence de prendre des résolutions ; la bienséance lui donnait un temps considérable à se déterminer, mais elle résolut de demeurer ferme à n'avoir aucun commerce avec M. de

1205 Nemours. Le vidame la vint voir et servit ce prince avec tout l'esprit et l'application imaginables, il ne la put faire changer sur sa conduite, ni sur celle qu'elle avait imposée à M. de Nemours. Elle lui dit que son dessein était de demeurer dans l'état où elle se trouvait, qu'elle connaissait que ce dessein était difficile à

1210 exécuter ; mais qu'elle espérait d'en avoir la force. Elle lui fit si bien voir à quel point elle était touchée de l'opinion que M. de Nemours avait causé la mort à son mari, et combien elle était persuadée qu'elle ferait une action contre son devoir en l'épousant, que le vidame craignit qu'il ne fût malaisé de lui ôter

1215 cette impression. Il ne dit pas à ce prince ce qu'il pensait et, en lui rendant compte de sa conversation, il lui laissa toute l'espérance que la raison doit donner à un homme qui est aimé.

    Ils partirent le lendemain et allèrent joindre le roi. M. le vidame écrivit à Mme de Clèves, à la prière de M. de Nemours,

1220 pour lui parler de ce prince, et, dans une seconde lettre qui suivit bientôt la première, M. de Nemours y mit quelques lignes de sa main. Mais Mme de Clèves, qui ne voulait pas sortir des règles qu'elle s'était imposées et qui craignait les accidents qui peuvent arriver par les lettres, manda au vidame qu'elle ne recevrait plus

1225 les siennes, s'il continuait à lui parler de M. de Nemours, et elle
lui manda si fortement que ce prince le pria même de ne le plus
nommer.

La cour alla conduire la reine d'Espagne jusqu'en Poitou.
Pendant cette absence, Mme de Clèves demeura à elle-même et, à
1230 mesure qu'elle était éloignée de M. de Nemours et de tout ce qui
l'en pouvait faire souvenir, elle rappelait la mémoire de M. de
Clèves, qu'elle se faisait un honneur de conserver. Les raisons
qu'elle avait de ne point épouser M. de Nemours lui paraissaient
fortes du côté de son devoir et insurmontables du côté de son
1235 repos. La fin de l'amour de ce prince, et les maux de la jalousie
qu'elle croyait infaillibles dans un mariage, lui montraient un
malheur certain où elle s'allait jeter, mais elle voyait aussi qu'elle
entreprenait une chose impossible, que de résister en présence
du plus aimable homme du monde qu'elle aimait et dont elle
1240 était aimée, et de lui résister sur une chose qui ne choquait ni
la vertu, ni la bienséance. Elle jugea que l'absence seule et
l'éloignement pouvaient lui donner quelque force, elle trouva
qu'elle en avait besoin, non seulement pour soutenir la
résolution de ne se pas engager, mais même pour se défendre de
1245 voir M. de Nemours, et elle résolut de faire un assez long voyage,
pour passer tout le temps que la bienséance l'obligeait à vivre
dans la retraite. De grandes terres qu'elle avait vers les Pyrénées
lui parurent le lieu le plus propre qu'elle pût choisir. Elle partit
peu de jours avant que la cour revînt, et, en partant, elle écrivit à
1250 M. le vidame, pour le conjurer que l'on ne songeât point à avoir
de ses nouvelles, ni à lui écrire.

M. de Nemours fut affligé de ce voyage, comme un autre
l'aurait été de la mort de sa maîtresse. La pensée d'être privé
pour longtemps de la vue de Mme de Clèves lui était une douleur
1255 sensible, et surtout dans un temps où il avait senti le plaisir de la
voir et de la voir touchée de sa passion. Cependant il ne pouvait
faire autre chose que s'affliger, mais son affliction augmenta
considérablement. Mme de Clèves, dont l'esprit avait été si agité,
tomba dans une maladie violente sitôt qu'elle fut arrivée chez

Dame de la cour, d'après Saint-Igny.
Gravure d'Abraham Bosse (1602-1676).

1260 elle ; cette nouvelle vint à la cour. M. de Nemours était
inconsolable, sa douleur allait au désespoir et à l'extravagance.
Le vidame eut beaucoup de peine à l'empêcher de faire voir sa
passion au public ; il en eut beaucoup aussi à le retenir et à lui
ôter le dessein d'aller lui-même apprendre de ses nouvelles.
1265 La parenté et l'amitié de M. le vidame furent un prétexte à y
envoyer plusieurs courriers ; on sut enfin qu'elle était hors
de cet extrême péril où elle avait été, mais elle demeura
dans une maladie de langueur, qui ne laissait guère d'espérance
de sa vie.

1270   Cette vue si longue et si prochaine de la mort fit paraître à
Mᵐᵉ de Clèves les choses de cette vie de cet œil si différent de
celui dont on les voit dans la santé. La nécessité de mourir[1] dont
elle se voyait si proche, l'accoutuma à se détacher de toutes
choses, et la longueur de sa maladie lui en fit une habitude.
1275 Lorsqu'elle revint de cet état, elle trouva néanmoins que M. de
Nemours n'était pas effacé de son cœur, mais elle appela à son
secours, pour se défendre contre lui, toutes les raisons qu'elle
croyait avoir pour ne l'épouser jamais. Il se passa un assez grand
combat en elle-même. Enfin, elle surmonta les restes de cette
1280 passion qui était affaiblie par les sentiments que sa maladie lui
avait donnés. Les pensées de la mort lui avaient rapproché la
mémoire de M. de Clèves[2]. Ce souvenir, qui s'accordait à son
devoir, s'imprima fortement dans son cœur. Les passions et les
engagements du monde lui parurent tels qu'ils paraissent aux
1285 personnes qui ont des vues plus grandes et plus éloignées. Sa
santé, qui demeura considérablement affaiblie, lui aida à
conserver ses sentiments, mais comme elle connaissait ce que
peuvent les occasions sur les résolutions les plus sages, elle ne
voulut pas s'exposer à détruire les siennes, ni revenir dans les

---

1. *La nécessité de mourir* : la certitude, l'évidence de la mort.
2. *Les pensées … M. de Clèves* : l'idée de sa propre mort la rapproche des
morts et donc de son mari.

1290 lieux où était ce qu'elle avait aimé. Elle se retira, sur le prétexte
de changer d'air, dans une maison religieuse, sans faire paraître
un dessein arrêté de renoncer à la cour.

À la première nouvelle qu'en eut M. de Nemours, il sentit le
poids de cette retraite, et il en vit l'importance. Il crut, dans ce
1295 moment, qu'il n'avait plus rien à espérer ; la perte de ses
espérances ne l'empêcha pas de mettre tout en usage pour faire
revenir Mme de Clèves. Il fit écrire la reine, il fit écrire le vidame, il
l'y fit aller, mais tout fut inutile. Le vidame la vit, elle ne lui dit
point qu'elle eût pris de résolution. Il jugea néanmoins qu'elle ne
1300 reviendrait jamais. Enfin M. de Nemours y alla lui-même, sur le
prétexte d'aller à des bains [1]. Elle fut extrêmement troublée et
surprise d'apprendre sa venue. Elle lui fit dire, par une personne
de mérite qu'elle aimait et qu'elle avait alors auprès d'elle,
qu'elle le priait de ne pas trouver étrange si elle ne s'exposait
1305 point au péril de le voir et de détruire par sa présence des
sentiments qu'elle devait conserver ; qu'elle voulait bien qu'il
sût, qu'ayant trouvé que son devoir et son repos s'opposaient au
penchant qu'elle avait d'être à lui, les autres choses du monde lui
avaient paru si indifférentes qu'elle y avait renoncé pour jamais ;
1310 qu'elle ne pensait plus qu'à celles de l'autre vie et qu'il ne lui
restait aucun sentiment que le désir de le voir dans les mêmes
dispositions où elle était.

M. de Nemours pensa expirer de douleur en présence de celle
qui lui parlait. Il la pria vingt fois de retourner à Mme de Clèves,
1315 afin de faire en sorte qu'il la vît, mais cette personne lui dit que
Mme de Clèves lui avait non seulement défendu de lui aller redire
aucune chose de sa part, mais même de lui rendre compte de
leur conversation. Il fallut enfin que ce prince repartît, aussi
accablé de douleur que le pouvait être un homme qui perdait

---

1. *Aller à des bains* : aller dans une ville dont les eaux sont réputées pour
soigner. Il y en avait beaucoup dans les Pyrénées, fameux depuis le Moyen Âge
(Cauterets, Cambo, Ax-les-Thermes...).

1320 toutes sortes d'espérances de revoir jamais une personne qu'il aimait d'une passion la plus violente, la plus naturelle et la mieux fondée qui ait jamais été. Néanmoins il ne se rebuta point encore, et il fit tout ce qu'il put imaginer de capable de la faire changer de dessein. Enfin, des années entières s'étant passées, le

1325 temps et l'absence ralentirent sa douleur et éteignirent sa passion[1]. Mme de Clèves vécut d'une sorte qui ne laissa pas d'apparence qu'elle pût jamais revenir. Elle passait une partie de l'année dans cette maison religieuse et l'autre chez elle, mais dans une retraite et dans des occupations plus saintes que celles

1330 des couvents les plus austères, et sa vie, qui fut assez courte, laissa des exemples de vertu inimitables.

(signature)

---

1. Le duc de Nemours épousa, en 1566, Anne d'Este, veuve du duc de Brière, un des modèles présumés pour _la Princesse de Clèves_.

La scène de « la canne des Indes » (l. 287 à 360)

UNE SCÈNE SYMBOLIQUE

Cette scène, dite « de la canne des Indes », est l'une des plus troubles du roman. Elle se déroule dans le pavillon de Coulommiers, où le duc de Nemours épie la princesse de Clèves et est lui-même épié par l'espion du mari.

1. Quel est le mode de perception qui organise la scène ? Quel est le verbe le plus employé dans l'ensemble du passage ? Comment caractériseriez-vous une scène de ce genre ?

2. Précisez la mise en scène du passage, les lieux, les positions et mouvements des deux protagonistes.

3. Quelle importance a la lumière dans cette scène ? Vous préciserez quelles sont les zones éclairées et celles qui ne le sont pas ; vous caractériserez la qualité de la lumière dans laquelle baigne cette scène et son sens symbolique.

4. Quel effet produit cet éclairage sur le duc puis sur la princesse ? Que révèle-t-il ?

UNE JOUISSANCE SOLITAIRE

5. Quelle est la condition essentielle du plaisir pris par les deux amants ? Pourquoi ?

6. Comparez cette scène à la scène du pavillon lors de l'aveu (p. 153 et suivantes) ? Quel est le point de vue qui organise chacune d'entre elles ? Étudiez les points communs et les différences.

7. Vous répéterez cette comparaison avec la scène de la réécriture de la lettre du vidame (p. 149). Autre moment de bonheur mais très différent. Vous montrerez à quoi tient cette différence.

La scène du renoncement (l. 890 à 1148)

UNE SCÈNE CONCLUSIVE

C'est la troisième fois que les deux amants se retrouvent seuls, sans témoin, après la réécriture de la lettre et la scène de la canne des Indes.

1. Qu'est-ce qui est différent dans le traitement de cette scène-là ? Vous rapprocherez vos conclusions de la situation des deux amants à ce moment du récit.

2. Montrez comment cette scène reprend et interprète la totalité de l'histoire d'amour de la princesse et du duc.

3. Quelle est l'issue de la conversation ? Quelles en sont les suites à prévoir pour les deux amants ?

LE REFUS DU BONHEUR

4. Quelles sont les raisons successives qu'invoque la princesse pour refuser l'amour du duc de Nemours ?

5. Quels sont les arguments du duc ?

6. Relevez les mots ou expressions qui révèlent les sentiments éprouvés par la princesse envers le duc.

7. Faites le point sur les contradictions qui agitent la princesse.

8. Précisez la notion de « repos ». Quel sens lui donne la princesse ?

Ensemble du tome IV : l'hiver du deuil
et du sacrifice

LES MORTS QUI ACCUSENT

1. Commentez l'expression « il [...] mourut enfin avec une constance admirable » (l. 680-681). À la lumière de ce commentaire, dites quelle est la raison de la mort du prince de Clèves ?

2. Après avoir rapproché les derniers mots du prince avec ceux de la mère au tome I (l. 1291 à 1315), montrez quelles conséquences cela aura sur la princesse.

LE DÉNOUEMENT

3. Après avoir considéré les destins différents du duc et de la princesse, précisez les intentions de Mme de Lafayette dans ce dénouement.

4. Pourquoi les événements historiques et la révolution de palais qui a lieu à Paris s'éloignent-ils pour laisser les personnages principaux sur le devant de la scène ? Quel effet cela produit-il sur le lecteur ?

5. Commentez la dernière phrase de l'ouvrage.

Amants dans un jardin, *Œuvres poétiques*
de Christine de Pisan (1365-1430 ?).
British library, Londres.

Documentation thématique

Index des principaux thèmes

La passion :
l'héroïsme au féminin

La passion, une découverte
et une malédiction

L'amour comme conquête de soi

L'amour est le sentiment qui permet d'accéder à des profondeurs qui restent cachées à ceux qui ne le connaissent pas. Mlle de Chartres ne connaît rien de son propre cœur avant de rencontrer le duc de Nemours. Ce sentiment est donc essentiel car il devient la force agissante d'une conquête exaltante. Tous les romans de la fin du XVIIe et du XVIIIe siècle vont donc décrire la passion comme un long itinéraire vers la connaissance et la pleine maîtrise de soi. Les êtres amoureux atteignent des dimensions extraordinaires auxquelles celui qui ignore ce sentiment ne peut prétendre. On pense l'amour comme la part du divin que Dieu a donnée aux hommes. Il sera donc au centre de toutes les préoccupations. La femme idéalisée en est la plus parfaite réalisation.

La malédiction de la passion

Cependant, la découverte de cet infini à l'intérieur de l'individu ne mène pas au bonheur car, dans le contexte chrétien qui modèle les mentalités depuis le Moyen Âge, il s'y mêle la part humaine, c'est-à-dire le corps et ses exigences d'une part, et, d'autre part, l'amour de soi qui empêche la purification totale de l'amour divin. C'est soi que l'on aime dans l'amour. La séduction de l'être aimé est souvent une victoire de l'orgueil, aussitôt conquis, aussitôt abandonné. Ainsi, l'individu aperçoit la part de Dieu, l'amour éperdu et sublime, mais subit le poids de sa condition d'humain, qui dénature cet idéal. Cette tension permanente et insoluble rend la passion douloureuse et destructrice.

La fin de l'héroïsme au masculin

Les valeurs de l'héroïsme masculin sont, au XVIIe siècle, tombées en désuétude. Le chevalier du roman courtois au XIIe siècle (Lancelot ou Tristan) se définissait d'abord par ses prouesses. Sa qualification comme héros de l'amour et de la passion brûlante dépendait en grande partie des qualités qu'il montrait au combat. Courage et cœur étaient de véritables synonymes et le vocabulaire guerrier était la métaphore la plus exacte de la conquête amoureuse. Mais la fin du siècle de Mme de Lafayette voit les nobles, héritiers de ces valeurs, trop compromis dans la Fronde et matés par Louis XIV, qui a fait d'eux des courtisans occupés d'étiquette, plus soucieux d'assister au lever du roi que de perdre leur temps à des exploits militaires. Le modèle de l'amour glorieux et viril a donc fait son temps. Dans *la Princesse de Clèves,* les exploits guerriers sont totalement absents. La guerre est remplacée par les tournois et les jeux sportifs. Seul le chevalier de Guise part à la guerre, « prendre Rhodes », et encore ne le fait-il que par dépit amoureux, pour aller chercher la mort.

L'honneur et la valeur sont ailleurs, dans la pratique de la vie sociale, dans l'approfondissement des sentiments et du cœur. Le roman de Mme de Lafayette se situe exactement au moment où les mentalités basculent. La paix de Cercamp (Cateau-Cambrésis, 1559) marque symboliquement la mort du soldat et le passage à une période où les armes sont inutiles. Les premiers mots du texte de Mme de Lafayette sont à entendre dans ce sens : « la galanterie et la magnificence » insistent sur le sentiment et l'ostentation des vertus sociales.

L'héroïsme, un mot féminin

Cependant, les êtres ont toujours besoin de critères pour affirmer leur valeur et leur excellence. L'exaltation et la violence, le mépris de sa vie, en un mot le « courage » va donc trouver un nouveau terrain de prédilection. Le champ de bataille est remplacé par le champ clos de l'individu et de ses sentiments les plus profonds. La femme, dont c'est le territoire depuis toujours, accède ainsi à une dignité que la gloire lui avait jusque-là interdite. L'héroïsme est devenu un mot féminin. Corneille et ses grandes tragédies du devoir et de la gloire ont cédé la place à Racine et à ses héroïnes, dont le cœur ressemble à un terrible et sanglant champ de bataille, car l'amour est le seul combat digne d'être mené en cette seconde moitié du XVIIe siècle. La figure féminine est devenue le théâtre du plus grand combat du siècle. Ce sera à elle que l'on demandera le plus grand sacrifice.

La vertu du sacrifice

La passion impose une contradiction quasi insoluble. Elle est humaine mais, poussant les êtres jusqu'à entrevoir le sublime, elle le leur refuse. Pour accéder à ce dernier, il faut renoncer à la passion elle-même. Mais sans passion l'être humain n'est rien. Entre nécessité et impossibilité, elle apparaît comme l'une des données tragiques par excellence.

Le seul moyen d'échapper à ce dilemme est de sacrifier la part humaine de son individu. Sur ce chemin, l'homme est un infirme car, plus engagé, plus compromis avec les choses terrestres, il n'aperçoit jamais le sublime de l'idéal amoureux. De plus, pour les mentalités de l'époque, il est moins coupable que sa compagne. Il faut se rappeler que, selon le mythe biblique, c'est Ève, le principe féminin, qui avait introduit l'amour dans le jardin d'Éden. Ainsi la femme doit-elle en quelque sorte racheter son crime : responsable à la fois du sublime et de la culpabilité attachés à l'amour, elle se verra toujours octroyer le rôle de la sacrifiée. C'est en effet en elle que la contradiction est la plus insoutenable. L'homme amoureux investit tout ce qu'il a de plus sacré dans l'aimée, qui suffit à engloutir tout son amour. En revanche, il est, pour sa part, totalement insuffisant pour résumer l'amour de la femme. Aussi cette dernière est-elle conduite à désirer l'impossible. Son amant ne peut la satisfaire totalement, ne lui proposant que l'une des facettes de l'amour, soit le bonheur terrestre, soit l'idéalisation totale, qui méprise les désirs terrestres. La femme exige les deux et meurt toujours de n'avoir pu les concilier. En cela elle incarne le plus exactement la folie de l'amour, qui pousse l'être à tenter de se hisser plus haut qu'il ne lui est permis. Cette tentative de dépassement est un acte héroïque tout à sa gloire. Chaque œuvre donnera sa solution et sa tonalité au nécessaire sacrifice de la femme.

Avant *la Princesse de Clèves* : le refus du sacrifice

Le modèle du sacrifice vient du Moyen Âge, du fameux couple que forment Héloïse et Abélard. Abélard, châtré pour le « crime » d'avoir aimé Héloïse, a renoncé au monde et à l'amour pour se consacrer à Dieu. Il exhorte Héloïse à en faire autant. Mais elle lui répond dans ses longues et douloureuses lettres par des chants d'amour et de désir. Elle se sacrifie, contrainte et forcée, dominée par le désir humain, alors que son amant a été capable de convertir sa passion en pur amour de Dieu et de renoncer à elle.

Ô malheureuse, bien digne qu'on lui applique cette plainte d'un cœur blessé : « Infortuné, qui me délivrera de ce corps de mort ? » Que ne puis-je véridiquement ajouter ce qui suit : « Grâce en soit à Dieu, par Notre-Seigneur Jésus-Christ ! » Cette grâce, mon bien-aimé, est venue à toi d'elle-même. Une seule blessure dans ton corps a suffi pour guérir toutes les plaies de ton âme. C'est à l'instant où Dieu te semblait montrer envers toi le plus de rigueur qu'il t'était le plus propice, à la manière du bon médecin qui n'hésite pas à infliger une souffrance si la guérison en dépend. Je brûle au contraire de toutes les flammes qu'attisent en moi les ardeurs de la chair, celles d'une jeunesse encore trop sensible au plaisir, et l'expérience des plus délicieuses voluptés. Leurs morsures me sont d'autant plus cruelles que plus faible la nature qui leur est livrée.

On vante ma chasteté, parce qu'on ignore à quel point je suis fausse. On exalte comme une vertu la continence de mon corps, alors que la vraie continence relève moins de la chair que de l'esprit. Les hommes répètent mes louanges, mais je n'ai aucun mérite, aux yeux du Dieu qui sonde les reins et les cœurs et à qui rien ne demeure caché. On me juge pieuse, certes ; mais, de nos jours, la religion n'est plus, pour une grande part, qu'hypocrisie, et l'on fait une réputation de sainteté à qui ne heurte point les préjugés du monde.

Héloïse et Abélard, *Correspondance,* XIIᵉ siècle.
Traduction de Paul Zumthor,
U.G.E., coll. 10/18, 1979.

Dans *Phèdre,* de Racine, la passion est encore coupable quoiqu'elle soit ici une malédiction des dieux. L'énormité de la faute est renforcée par le choix d'un objet d'amour interdit. Phèdre, par décret divin, aime son beau-fils. Elle doit l'aimer mais n'en a pas le droit. La malédiction la contraint à affronter l'amour impossible. La contradiction est cette fois si insoluble qu'elle amène à la folie. L'ensemble de la pièce sera constitué par le refus du sacrifice de Phèdre, qui était pourtant inéluctable dès sa première apparition, lorsqu'elle avoue son amour à sa nourrice. Les deux hommes qui entourent l'héroïne n'incarnent chacun qu'un seul aspect de l'amour : Thésée, le mari volage et emporté n'en connaît que le côté trivial ; Hippolyte est tout à la perfection et au sentiment d'idéal. Seule Phèdre est passsionnée, car à la fois capable de sublime et coupable de démesure. Elle devra mourir.

PHÈDRE

Mon mal vient de plus loin. À peine au fils d'Égée
Sous les lois de l'hymen je m'étais engagée,
Mon repos, mon bonheur semblait être affermi ;
Athènes me montra mon superbe ennemi :
Je le vis, je rougis, je pâlis à sa vue ;

Un trouble s'éleva dans mon âme éperdue ;
Mes yeux ne voyaient plus, je ne pouvais parler ;
Je sentis tout mon corps et transir et brûler ;
Je reconnus Vénus et ses feux redoutables,
D'un sang qu'elle poursuit tourments inévitables.
Par des vœux assidus je crus les détourner :
Je lui bâtis un temple, et pris soin de l'orner ;
De victimes moi-même à toute heure entourée,
Je cherchais dans leurs flancs ma raison égarée :
D'un incurable amour remèdes impuissants !
En vain sur les autels ma main brûlait l'encens :
Quand ma bouche implorait le nom de la déesse,
J'adorais Hippolyte ; et, le voyant sans cesse,
Même au pied des autels que je faisais fumer,
J'offrais tout à ce dieu que je n'osais nommer.
Je l'évitais partout. Ô comble de misère !
Mes yeux le retrouvaient dans les traits de son père.
Contre moi-même enfin j'osai me révolter :
J'excitai mon courage à le persécuter.
Pour bannir l'ennemi dont j'étais idolâtre,
J'affectai les chagrins d'une injuste marâtre ;
Je pressai son exil ; et mes cris éternels
L'arrachèrent du sein et des bras paternels.
Je respirais, Œnone ; et, depuis son absence,
Mes jours moins agités coulaient dans l'innocence ;
Soumise à mon époux, et cachant mes ennuis,
De son fatal hymen je cultivais les fruits.
Vaines précautions ! Cruelle destinée !
Par mon époux lui-même à Trézène amenée,
J'ai revu l'ennemi que j'avais éloigné :
Ma blessure trop vive aussitôt a saigné.
Ce n'est plus une ardeur dans mes veines cachée :
C'est Vénus tout entière à sa proie attachée.
J'ai conçu pour mon crime une juste terreur :
J'ai pris la vie en haine et ma flamme en horreur ;
Je voulais en mourant prendre soin de ma gloire,
Et dérober au jour une flamme si noire :
Je n'ai pu soutenir tes larmes, tes combats :
Je t'ai tout avoué ; je ne m'en repens pas,

Pourvu que, de ma mort respectant les approches,
Tu ne m'affliges plus par d'injustes reproches,
Et que tes vains secours cessent de rappeler
Un reste de chaleur tout prêt à s'exhaler.

Jean Racine, *Phèdre*, acte I scène 3, 1677.

L'effet de sourdine

Dans *la Princesse de Clèves,* l'homme n'a plus à assumer une part du sacrifice. Nemours et le prince de Clèves sont des figures complexes, mais ils prouveront leur insuffisance. C'est la princesse qui atteint au sublime en se sacrifiant à sa passion, car elle sait que la vivre est tout aussi impossible que de survivre sans elle. Sa mort est une renoncement sans violence mais dans la souffrance : elle se tue plus sûrement qu'avec un poignard, sans pour autant prononcer un mot. La passion est toujours un sentiment trop grand pour l'être humain et seule la femme le sait (voir la fin de la dernière entrevue et le dénouement).

Le règne du pathétique

Dans le roman de Robert Challes, *les Illustres Françaises,* les héroïnes féminines éduquent les hommes en les conduisant à se vaincre pour trouver le calme des passions, seul susceptible de mener au bonheur. Cependant, ce bonheur est fragile et en partie utopique. L'une des héroïnes les plus importantes du roman, Silvie, déchire le tranquille paysage du bonheur en subissant les assauts d'un désir physique qu'elle croyait avoir dominé, et en trompant son amant, qu'elle aime pourtant, avec un autre homme. Elle se rachète en mourant de manière atroce, sans toutefois comprendre ce qui lui est effectivement arrivé. Dans un dernier souffle, elle congédie son amant, en exprimant son impuissance devant ses propres contradictions.

Adieu, Madame, je vous... — C'en est assez, Monsieur, dit-elle en m'interrompant, épargnez-moi le reste ; je ne vous parlerai plus de rien qui puisse vous faire de la peine. Prenez mes pierreries où je les ai mises, elles sont sous la paillasse du lit où j'ai passé cette nuit ; c'est tout ce qui me reste au monde. Voilà, poursuivit-elle, vos papiers et votre argent, je n'en ai aucun besoin. Je vous ai tout donné, je vous donne tout encore, bien certaine de n'en rien regretter. Je ne restais au monde que pour vous, et vous perdant je n'y ai plus que faire. Je n'ai plus aucun retour vers la vie, elle sera bientôt finie ; mais le peu qui m'en reste vous fera avouer que j'aurai fait une vraie pénitence d'un crime qui n'était pas volontaire. Ne me voyez jamais, je vous supplie, aidez-moi à vous oublier ; ne vous informez point de moi. Je vais me persuader que vous êtes mort ; c'en sera assez pour abréger des jours qui me sont à charge. Je tâcherai d'étouffer dans mon cœur les retours que j'aurai, non pas vers le monde que je quitte sans regret, mais vers vous ; et je mourrai bientôt victime en même temps d'un amour légitime, d'un crime effectif, et de mon innocence entière ! La vertu ne m'a jamais abandonnée et pourtant je suis criminelle ! Mon Dieu, continua-t-elle avec un torrent de larmes, par quel charme se peut-il, que ces contrariétés soient effectivement dans moi ? Hélas ! qu'il est bien vrai que les enfants sont souvent punis des iniquités de leurs parents ! Je porte toute celle qui m'a donné la naissance. Pardonnez, Monsieur, ajouta-t-elle en me regardant, à ma mémoire après ma mort, l'horreur que ma vie vous inspire. Ne portez point votre haine jusques à mes cendres. J'avais mérité votre amour, je me suis attiré votre horreur, mais mes derniers malheurs méritent aussi votre compassion. Adieu, Monsieur, ne songez plus du tout à moi, vous en vivrez plus content. Je prie Dieu qu'il vous comble de ses grâces, et me prenne pour votre victime. C'est l'unique souhait avec lequel je prends de vous le dernier congé.

Robert Challes, *les Illustres Françaises*, 1713.

Le sacrifice muet

De la même manière, le héros narrateur du roman de l'abbé Prévost, *Manon Lescaut,* ne comprend pas l'ampleur de la passion de sa maîtresse avant de la voir expirer comme une sainte. L'élément nouveau (qui cependant ne modifie en rien les données fondamentales) est que, dans ce roman, la société apparaît comme l'opposant majeur à la réalisation de l'amour, alors que le monde de la princesse de Clèves ne faisait que suggérer cette opposition. La passion de Manon et de Des Grieux est en effet contrariée par la différence sociale entre les deux amants. Le sacrifice est nécessaire, car le monde humain ne peut accepter la transgression d'un amour qui dépasse les classes sociales. Cependant, l'abbé Prévost n'est pas un révolutionnaire et c'est à l'intérieur de l'individu que la passion introduit les contradictions majeures. La femme obtient encore une fois la rédemption dans le sacrifice et la mort, l'homme continue à vivre, seul et incomplet. Manon, courtisane et sublime, trouve une mort de sainte. Le récit fait par l'amant est d'autant plus pathétique que ses émotions filtrent l'ensemble de la scène et que Manon est totalement silencieuse.

Nous avions passé tranquillement une partie de la nuit. Je croyais ma chère maîtresse endormie et je n'osais pousser le moindre souffle, dans la crainte de troubler son sommeil. Je m'aperçus dès le point du jour, en touchant ses mains, qu'elle les avait froides et tremblantes. Je les approchai de mon sein, pour les échauffer. Elle sentit ce mouvement, et, faisant un effort pour saisir les miennes, elle me dit, d'une voix faible, qu'elle se croyait à sa dernière heure. Je ne pris d'abord ce discours que pour un langage ordinaire dans l'infortune, et je n'y répondis que par les tendres consolations de l'amour. Mais, ses soupirs fréquents, son silence à mes interrogations, le serrement de ses mains, dans lesquelles elle continuait de tenir les miennes me firent connaître que la fin de ses malheurs approchait. N'exigez point de moi que je vous décrive mes sentiments, ni que je vous rapporte ses dernières expressions. Je la perdis ; je reçus d'elle des marques d'amour, au moment même qu'elle expirait. C'est tout ce que j'ai la force de vous apprendre de ce fatal et déplorable événement.

Mon âme ne suivit pas la sienne. Le Ciel ne me trouva point, sans doute, assez rigoureusement puni. Il a voulu que j'aie traîné, depuis, une vie languissante et misérable. Je renonce volontairement à la mener jamais plus heureuse.

Abbé Prévost, *Manon Lescaut*, 1731.

Le sacrifice au nom de Dieu

Le roman qui fit pleurer toute une génération autour de 1761, *Julie ou la Nouvelle Héloïse,* de Jean-Jacques Rousseau, propose également l'histoire d'une femme qui ne trouve pas à concilier bonheur et amour. Encore une fois, c'est elle qui se sacrifie et résout dans la mort la contradiction d'une passion à la fois coupable et désirable. La passion terrestre est condamnée, mais il est impossible d'exister pleinement sans elle, comme le prouvent les personnages falots ou insatisfaits qui entourent l'héroïne (son mari Wolmar et son amie Claire). Là aussi le pathétique est de rigueur. Mais la nouveauté vient de ce que Julie, l'héroïne, avoue son échec après un très long combat. À la différence de ce qui se passe dans *la Princesse de Clèves,* l'héroïne trouvera un refuge dans l'amour divin, qui permet de regarder le monde des humains et son insuffisance. Elle exprime son sentiment dans sa lettre posthume à l'amant qu'elle a essayé d'oublier en vain.

Je me suis longtemps fait illusion. Cette illusion me fut salutaire ; elle se détruit au moment que je n'en ai plus besoin. Vous m'avez crue guérie, et j'ai cru l'être. Rendons grâces à celui qui fit durer cette erreur autant qu'elle était utile : qui sait si, me voyant si près de l'abîme, la tête ne m'eût point tourné ? Oui, j'eus beau vouloir étouffer le premier sentiment qui m'a fait vivre, il s'est concentré dans mon cœur. Il s'y réveille au moment qu'il n'est plus à craindre ; il me soutient quand mes forces m'abandonnent ; il me ranime quand je me meurs. Mon ami, je fais cet aveu sans honte ; ce sentiment resté malgré moi fut involontaire ; il n'a rien coûté à mon innocence ; tout ce qui dépend de ma volonté fut pour mon devoir : si le cœur qui n'en dépend pas fut pour vous, ce fut mon tourment et non pas mon crime. J'ai fait ce que j'ai dû faire ; la vertu me reste sans tache, et l'amour m'est resté sans remords.

J'ose m'honorer du passé ; mais qui m'eût pu répondre de l'avenir ? Un jour de plus peut-être, et j'étais coupable ! Qu'était-ce de la vie entière passée avec vous ? Quels dangers j'ai courus sans le savoir ! À quels dangers plus grands j'allais être exposée ! Sans doute je sentais pour moi les craintes que je croyais sentir pour vous. Toutes les épreuves ont été faites ; mais elles pouvaient trop revenir. N'ai-je pas assez vécu pour le bonheur et pour la vertu ? Que me restait-il d'utile à tirer de la vie ? En me l'ôtant, le ciel ne m'ôte plus rien de regrettable, et met mon honneur à couvert. Mon ami, je pars au moment favorable, contente de vous et de moi ; je pars avec joie, et ce départ n'a rien de cruel. Après tant de sacrifices, je compte pour peu celui qui me reste à faire : ce n'est que mourir une fois de plus. [...]

Adieu, adieu, mon doux ami... Hélas ! j'achève de vivre comme j'ai commencé. J'en dis trop peut-être en ce moment où le cœur ne déguise plus rien... Eh ! pourquoi craindrais-je d'exprimer tout ce que je sens ? Ce n'est plus moi qui te parle ; je suis déjà dans les bras de la mort. Quand tu verras cette lettre, les vers rongeront le visage de ton amante, et son cœur où tu ne seras plus. Mais mon âme existerait-elle sans toi ? Sans toi quelle félicité goûterais-je ? Non, je ne te quitte pas, je vais t'attendre. La vertu qui nous sépara sur la terre nous unira dans le séjour éternel. Je meurs dans cette douce attente : trop heureuse d'acheter au prix de ma vie le droit de t'aimer toujours sans crime, et de te le dire encore une fois !

Jean-Jacques Rousseau, *Julie ou la Nouvelle Héloïse*, 1761.

La femme est celle qui, dans le roman des XVIIe et XVIIIe siècles, incarne de la manière la plus exemplaire la malédiction qui pèse sur la passion. Elle est devenue le héros de l'amour et est menée à la mort dans chacune des grandes œuvres qui marquèrent la sensibilité de toute une époque. Dans cette galerie de portraits, la princesse de Clèves apparaît comme la seule qui choisisse vraiment son sort. C'est en effet elle qui intériorise le plus complètement ses contradictions et c'est elle seule qui saura mourir dans le silence le plus poignant ; la force du dénouement repose en effet sur les mystères de sa décision. Le XVIIIe siècle, en faisant la place au pathétique, a dénaturé la grandeur héroïque et désespérée de la princesse de Clèves. La femme est devenue une victime que l'on plaint, alors que la princesse de Clèves suscitait l'admiration.

Annexes

La nouvelle historique : un savant mélange

Le roman à la recherche d'une légitimité

Au XVIIe siècle, tout auteur doit se situer dans une grande tradition qui fixe les règles de son projet. Une fois le genre choisi, les sources d'inspiration sont clairement définies. Or, le roman avait pour défaut premier de n'être qu'une œuvre d'imagination, libre, sans ancêtre antique, sans racines et donc sans importance. Aussi, lorsque Mme de Lafayette décide de se consacrer à l'élaboration d'un nouveau roman, doit-elle chercher un moyen de conférer de la respectabilité à ce nouveau genre. La nouvelle historique lui permettait de trouver la caution de la vérité nécessaire au sérieux de l'ouvrage. De plus, elle se soumit à la loi d'une autre notion essentielle, le vraisemblable, qui imposait que les actions, les personnages, le temps et l'espace soient semblables au vrai, c'est-à-dire à la réalité. De fait, tous les débats sur le roman pour les deux siècles à venir tourneront autour de ces mots de « vrai » et de « vraisemblable ». C'est donc dans cette perspective qu'il convient de considérer la relation aux sources et la stratégie qu'elle révèle.

Les sources historiques

Le roman se situe dans un cadre connu pour lequel Mme de Lafayette disposait de références historiques précises. Elle utilise principalement les chroniques de Pierre Mathieu, de François Eudes de Mezeray, de Castelnau et de Brantôme, y puisant un grand nombre d'informations qui se retrouvent sous une forme plus ou moins concentrée dans le roman. La prédiction faite au roi par l'astrologue est ainsi reprise pratiquement mot pour mot aux *Mémoires* de Castelnau. Les faits et gestes du roi, la situation politique de la noblesse avec ses intrigues et ses jeux de pouvoir sont également parfaitement exacts. Le cadre historique de la fin des guerres contre Charles Quint, des négociations de Cercamp et des diverses alliances matrimoniales des familles royales sont rigoureusement conformes à la vérité historique.

L'ensemble impose donc une impression de vérité aux lecteurs qui connaissaient bien cette période de l'histoire. Les personnages inventés ou modifiés par la romancière s'intègrent parfaitement à cette trame. M. de Nemours a effectivement eu une intrigue avec Élisabeth d'Angleterre, mais il n'a jamais eu d'aventure avec Mme de Clèves, qui n'a jamais existé. En revanche, il a vécu une histoire d'amour avec Anne d'Este, alors mariée, et qu'il épousa après qu'elle fut veuve. La romancière a donc constitué un arrière-plan historique exact dans lequel elle a fait entrer, au prix de quelques distorsions, les éléments imaginaires qui lui étaient nécessaires. Ainsi, si la famille de Chartres est une pure invention, elle vient s'insérer dans un réseau d'amitiés et d'intérêts (le parti du vidame et du prince de Clèves) qui est, lui, parfaitement réel. La vérité du cadre rend vraisemblable ce qui est imaginaire, lui donnant par contamination le vernis de l'histoire.

Peut-on pour autant suivre la romancière lorsqu'elle dit de son ouvrage « surtout ce que j'y trouve, c'est une parfaite imitation du monde de la cour et de la manière dont on y vit ; aussi n'est-ce pas un roman, c'est proprement des mémoires » ? Le terme essentiel est « l'imitation ». Est-ce que le roman imite (dans le sens de « copier ») la réalité, la reproduit simplement ou bien s'en inspire ?

L'histoire asservie au roman

Parallèlement à l'adaptation de la matière imaginaire à la vraisemblance historique, Mme de Lafayette transforme l'histoire afin de la faire servir son propos en donnant une signification symbolique à tous les événements empruntés à l'histoire de France. Pour interpréter correctement cette transformation, il suffit de considérer que le centre du roman est le personnage de la princesse de Clèves, précisément absente de la réalité. De fait, la princesse ne participe jamais qu'indirectement à l'histoire, en étant témoin des grands événements. Cependant, ces derniers sont toujours en relation avec la passion secrète de la princesse. Certains en annoncent l'issue tragique, d'autres servent à instruire la jeune fille, d'autres enfin influent sur l'action elle-même, la rendant inéluctable.

Le choix de la période de la mort d'Henri II n'est pas innocent puisque la tragédie royale est l'annonce du désordre général régnant à la cour et dans les cœurs, désordre qui condamne la princesse à ne connaître l'amour qu'après le mariage. Chaque précision historique devient significative. Ainsi les mariages, ceux des rois et les autres, sont tous, dans cet univers, asservis à un ou à des intérêts politiques ou financiers. Le long épisode du mariage de la princesse avec M. de Clèves en est la preuve la plus évidente puisque l'amour du prince se heurte à l'intérêt de la maîtresse du roi. À l'opposé, tout tend à montrer que l'amour véritable et la sincérité, s'ils commandent seuls les stratégies amoureuses, conduisent à la souffrance et à la mort. Les tragédies de Mme de Tournon, de M. d'Anville et du vidame attestent que la princesse n'a aucune chance d'atteindre le bonheur en se laissant guider par sa seule passion.

Ces destins tragiques, ces histoires vraies n'ont qu'une influence indirecte sur la princesse, qui les entend, les écoute sans y participer. Cependant, ils constituent son seul horizon, la conduisant, lorsque son bonheur est enfin entre ses mains, lors de l'entrevue finale avec son amant, à repousser comme impossible la satisfaction de son désir. À M. de Nemours qui lui dit « vous seule vous opposez à mon bonheur », elle répond, lucide, « je sacrifie beaucoup à un devoir qui ne subsiste que dans mon imagination ». Ce faisant, elle évoque la destinée qui impose un obstacle invincible, car inconscient et diffus. Les images et les peurs inscrites à l'intérieur de sa conscience par tant de trahisons et de malheurs accumulés autour d'elle, que sa mère, son mari et les autres se chargent de lui rappeler (les quatre récits qui s'insèrent dans le roman), sont insurmontables.

La contamination de l'histoire

L'histoire fournit donc un cadre réel à l'aventure de la princesse, mais elle s'infiltre plus profondément dans le personnage en portant devant ses yeux les preuves que la passion est toujours malheureuse et que l'autre est toujours dangereux, susceptible d'abandonner et de trahir les serments les plus brûlants. Les sources sont donc présentes, respectées, mais complètement intégrées au projet romanesque. Cet équilibre — cette subtile contamination du roman et de l'histoire — constitue l'une des réussites les plus originales de l'ouvrage.

Le roman d'analyse

L'idéalisation

Les personnages sont très nombreux dans ce roman. Ils ont tous en commun d'appartenir au cercle de la cour et donc à la noblesse, à l'exception de la fugitive silhouette des deux marchands, le joaillier et le marchand de soie. Cependant, cette homogénéité est surtout le signe de l'excellence que partagent toutes les figures de la cour, car « Jamais cour n'a eu tant de belles personnes et d'hommes admirablement bien faits, et il semblait que la nature eût pris plaisir à placer ce qu'elle donne de plus beau dans les plus grandes princesses et dans les plus grands princes ». Tous sont donc beaux (sauf le prince de Condé), ont de l'esprit, du mérite et de la valeur au point que, pour désigner ceux qui en ont plus encore, la romancière doive employer l'hyperbole (voir le portrait de Nemours). Ainsi le monde de la cour fond tous les grands dans un seul et même moule de perfection. La princesse de Clèves est « une beauté parfaite », le prince de Clèves est « parfaitement bien fait », Nemours est « l'homme du monde le mieux fait et le plus beau », Marie Stuart est « une personne parfaite pour l'esprit et pour le corps »... Les portraits sont imprécis et conventionnels, répétitifs même, tant le souci de la romancière est de créer un monde de majesté et de grandeur, comme le faisaient Racine ou Corneille dans leurs tragédies. Les faiblesses, les souffrances, les passions qui vont ensuite affecter ces personnages en sont grandies et magnifiées. Ainsi l'idéalisation et l'imprécision n'interdisent en rien les sentiments communs à tous les humains. Bien au contraire, ces sentiments sont plus nettement dessinés, plus inéluctables puisque même les plus grands n'y échappent pas.

La princesse : l'initiation à l'amour

L'action dure un an. Cette année voit la princesse arriver à la cour, se marier, découvrir l'amour, y céder puis le repousser définitivement pour achever sa carrière au couvent, un goût de cendre à la bouche, avant de mourir. En une année, la jeune fille de 16 ans accomplit le parcours d'une vie pour se retirer du monde à 17 ans, vieillie et meurtrie. De fait, son éducation et son initiation à l'amour occupent l'essentiel du roman, éducation subie d'abord puis, grâce au coup de foudre, continuée seule dans le secret de sa conscience. Ainsi l'analyse de soi progresse au rythme de la découverte des sentiments amoureux.

Lorsqu'elle arrive à la cour, la jeune fille ne connaît du monde que ce que lui en a conté sa mère. Ce n'est pas l'Agnès de *l'École des femmes* de Molière qui, elle, ne savait rien de l'amour, car Mme de Chartres, moins naïve qu'Arnolphe, « faisait souvent à sa fille des peintures de l'amour », des dangers et des malheurs auxquels s'exposait la jeune fille séduite par des hommes infidèles, versatiles et trompeurs. Mme de Chartres continue ses leçons lorsqu'elle raconte les aventures de la maîtresse du roi. Après sa mort, d'autres récits viennent édifier la jeune femme, celui de son mari sur les amours de M. de Sancerre, ou celui du duc de Nemours sur les amours du vidame. La cour et ses intrigues renforcent les premiers sentiments imprimés dans l'esprit de la jeune fille par sa mère. Cet apprentissage des vices attachés à l'amour colore toutes les expériences futures de Mme de Clèves, jusqu'à trouver une conclusion logique dans les doutes exprimés sur la fidélité du duc de Nemours lors de la dernière entrevue, alors même que rien ne les justifie.

Le second aspect de la formation de la princesse est la découverte d'elle-même lorsqu'elle éprouve ce sentiment dont on lui a tant parlé. Elle reconnaît progressivement à l'intérieur d'elle-même les faiblesses et les failles qui jusque-là n'étaient pour elle que des objets de discours. Elle fait l'expérience de la jalousie, du mensonge, de l'égoïsme, de la souffrance et de la trahison. Constamment tiraillée entre la tentation du plaisir et la culpabilité, elle perd sa tranquillité et ses certitudes. Sur leurs lits de mort, sa mère puis, plus tard, son mari lui infligent des mots très durs qui la conduisent à se sentir coupable de leur trépas. Son amour est donc la cause de tous les maux. Cependant, c'est aussi grâce à lui qu'elle approfondit sa connaissance d'elle-même. Ses premières réflexions personnelles suivent de près sa première rencontre avec le duc. Par la suite, chaque événement est suivi d'une longue introspection « dans le secret de son cabinet ». Elle passe progressivement du langage involontaire de la rougeur et de l'évanouissement à l'initiative personnelle jusqu'à parvenir enfin à maîtriser suffisamment la parole pour affronter, dans un terrible face-à-face, son amant. Apprenant à contrôler son corps et sa volonté, elle devient un personnage autonome, décidé, sans pour cela triompher de ses contradictions. À la cour, dont elle est au début absente, elle devient un objet de convoitise puis de transaction ; elle s'en dégage enfin pour affirmer sa position de sujet plein et entier. Ce parcours fascinant donne donc à suivre la difficile naissance d'une femme dont la conscience et la lucidité précipitent cependant la fin.

Le duc de Nemours : don Juan amoureux

Dès sa première apparition, le duc est décrit comme un séducteur absolument irrésistible, « un chef-d'œuvre de la nature » auquel « peu de celles à qui il s'était attaché se pouvaient vanter de [lui] avoir résisté ». Il est promis à un très glorieux avenir puisqu'il est engagé dans une aventure avec la future reine d'Angleterre, Élisabeth. Dès le début de ses amours avec la princesse de Clèves, il se montre plein d'audace (lors du vol du portrait), sûr de lui et de son charme. Cependant, la sincérité de son amour lui donne une profondeur et une épaisseur nouvelles. En effet, il se conduit en amant respectueux et timide lorsqu'il est tenu à l'écart et éprouve la souffrance et la jalousie quand il assiste à l'aveu, au pavillon de Coulommiers. Il sacrifie son ambition politique afin de se garder libre pour l'amour de la princesse. Il sait également garder, malgré une involontaire indiscrétion causée par son exaltation, le secret de son amour sans s'abandonner à l'orgueil et à la fatuité lorsqu'il comprend qu'il est aimé en retour. Le lecteur voit des faiblesses et des doutes qui en font un homme comme les autres. Ainsi son évolution tend à le rendre plus humain au fur et à mesure que son amour s'approfondit. Le don Juan habile, beau parleur et homme de plaisir est devenu, par la grâce de l'amour et de l'austère vertu de sa maîtresse, un homme sensible, impulsif et capable de la plus sincère douleur. Toutefois, la fin du roman laisse planer le doute puisqu'il semble se consoler et oublier son amour. Il n'était effectivement qu'un homme !

Le prince de Clèves : les méfaits de la jalousie

Ce personnage n'a rien du mari traditionnel. Ce n'est ni un vieux mari jaloux ni un jeune homme inconséquent. Dès son apparition, il est doté d'une « prudence qui ne se trouve guère avec la jeunesse ». D'emblée, c'est un être double, à la fois jeune et sage, qui deviendra le mari en restant toujours l'amant. La passion soudaine pour Mlle de Chartres l'a rendu audacieux, la souffrance de la jalousie lui donnera une profondeur étonnante. Il brave en effet tous les obstacles pour épouser celle qu'il aime. Cependant, il est un personnage très secondaire dès qu'il a obtenu la main de Mlle de Chartres. Lucide, il sait que sa passion n'est pas partagée, mais il s'en contente jusqu'au jour de l'aveu. La sincérité de sa femme réveille « tout ensemble de jalousie d'un mari et celle d'un amant ». Dès cet instant, il n'a plus de paix et épie sa femme afin de découvrir le nom de l'amant. Il a en effet compris que sa femme n'est pas incapable de passion, mais que c'est lui qui n'a pu en susciter chez elle. Dès lors, il agit avec cruauté et légèreté, ce qui le mène à la mort. L'ironie de la romancière commentant sa fin (il « mourut enfin avec une constance admirable ») réduit quasiment sa mort à un suicide, pour échapper à la souffrance, et rend impardonnables les mots cruels qu'il lance à sa femme dans son dernier souffle. Le prince de Clèves est l'exemple même de la jalousie poussée à son comble, le héros du terrible déchirement intérieur qu'une passion non partagée peut produire. Dans le roman, un autre personnage, le chevalier de Guise, meurt aussi de jalousie, allant trouver la mort au combat. Comme le prince de Clèves, il ne peut soutenir le dédain infligé à son amour et par là même à toute sa personne. Néanmoins, ce personnage reste une figure sans grande importance, puisque Mme de Lafayette ne lui a pas accordé d'accomplir un véritable parcours psychologique. Le prince de Clèves est, pour sa part, descendu aux Enfers. Délaissant sa prudence naturelle, il sombre dans la plus totale inconséquence, allant jusqu'à mourir pour de vagues soupçons. Cependant, il s'est imposé à l'esprit de sa femme, triomphant finalement, par son sacrifice, de son rival. La véritable victoire du prince de Clèves reste d'avoir acquis la stature d'un grand personnage, toujours vivant par la grâce de la souffrance qu'il a endurée.

Le système des personnages secondaires

Les autres personnages ne sont pas comparables aux trois protagonistes de l'histoire principale, dans la mesure où ils n'évoluent jamais, prisonniers qu'ils sont d'une psychologie fixée dès leur première apparition. Aucun d'entre eux n'a de profondeur réelle. Toutefois, ils forment un système autour du trio central auquel ils font écho. Ils sont tous occupés de la même chose, l'amour. Tous le vivent avec la même intensité et tous en subissent les méfaits avec la même cruauté, jusqu'au roi qui meurt de vouloir rompre une dernière lance pour sa maîtresse.

Ils cernent la princesse d'aventures désastreuses s'achevant dans la mort ou la trahison. Leur rôle est donc plus thématique que narratif. Les hommes sont prisonniers de leur honneur ou du changement de leurs désirs. Les femmes ne peuvent ni se fier à un amant ni vivre loin de l'amour. Les quelques rares qui éprouvent une réelle passion y trouvent la mort (d'Anville, le chevalier de Guise). Leur exemple fait comprendre à la princesse de Clèves que la passion terrestre est condamnée et participe de sa décision finale au moins autant que les événements de sa propre aventure.

De plus, pour le lecteur, le monde de la cour, clos sur lui-même, devient étouffant, hostile à la vie et à l'épanouissement personnel. Ainsi les autres personnages imposent une atmosphère et une vision très noires de l'humanité. Cette utilisation de la peinture du milieu fait penser au roman réaliste du XIXe siècle en ce qu'il brosse le tableau d'une petite société qui résume l'humanité tout entière. Dans ce contexte, les héros principaux sont déterminés par ceux qui les entourent et n'ont aucune chance d'échapper à la loi commune. *La Princesse de Clèves* apparaît comme un roman désespéré qui fait entendre la revendication de l'individu, pour l'étouffer aussitôt sous le poids d'une société oppressive et agressive. Cette peinture n'est cependant pas politique, comme elle le deviendra au XIXe siècle. En effet, sous Louis XIV, la « faute » est inscrite à l'intérieur de l'homme et non à l'intérieur de la société. Mme de Lafayette est une contemporaine de La Rochefoucauld, pas de Zola ou de Marx.

Une structure très élaborée

La trame du roman est apparemment très simple puisqu'une série d'événements s'enchaînent dans l'espace d'une année, qui voit le début et la fin de l'histoire de la passion adultère de la princesse de Clèves et du duc de Nemours. Ces événements se succèdent en suivant tout naturellement la chronologie. La grande originalité du récit est cependant d'imposer un rythme très particulier. En effet, il est impossible de tout raconter dans le détail ; la romancière doit choisir ce à quoi elle va accorder le plus d'importance. De ces choix dépendent en grande partie l'orientation générale de l'histoire, son sens et ses objectifs.

Les quatre récits secondaires

Au cours du roman, quatre récits sont faits par des personnages à d'autres personnages. Ils occupent un cinquième du texte et donc prennent une grande importance. L'action s'arrête pour laisser la place à une histoire qui concerne un personnage de second plan. Mme de Chartres raconte l'histoire de Diane de Poitiers (tome I) ; le prince de Clèves, celle de Mme de Tournon (tomes I et II) ; la Dauphine, celle d'Anne de Boulen (tome II). Enfin, l'histoire du vidame est relatée par lui-même au duc de Nemours puis par ce dernier à la princesse de Clèves.

Ces récits rappellent les anciens romans à tiroirs qui « entassaient » ce genre d'histoires et prenaient ainsi des dimensions extraordinaires. Cependant, l'originalité de *la Princesse de Clèves* réside dans le fait que ces narrations (sauf celle d'Anne de Boulen) se déroulent dans les limites du roman, sans proposer ni des personnages, ni un lieu, ni un temps différents. De plus, elles ont des fonctions thématique et symbolique communes.

En effet, elles ont un destinataire unique, l'héroïne, pour laquelle elles constituent à la fois un message et un avertissement (même le récit des aventures du vidame finit par lui parvenir, par l'intermédiaire de Nemours). C'est à chaque fois la réaction de la princesse qui est soulignée : elle se montre troublée par des récits qui, tous, révèlent le dessous des choses. Partant chaque fois d'une situation heureuse, ces récits s'achèvent immanquablement dans la souffrance à cause des méfaits d'une passion entre des individus qui ne peuvent ni y résister ni l'assumer. En cela, les récits participent à l'élaboration de la vision du monde de l'héroïne ; un monde dans lequel la passion amoureuse introduit le désordre, imposant le sacrifice de l'individu (voir comment Mme de Thémines dominera son amour, dans la lettre qu'elle envoie au vidame). Beaucoup de commentateurs ont remarqué que cette lettre de Mme de Thémines occupe le centre exact de l'ouvrage et qu'elle dicte sa loi en proposant la seule solution possible à la princesse.

On comprend donc que la structure de ces récits encadrés fait converger tous les éléments du roman vers un point unique, l'héroïne.

Le mode d'enchaînement des événements

Le second phénomène qui affecte le rythme du récit réside dans la transcription romanesque de la durée. La scène domine largement dans un roman qui semble se contenter de mettre bout à bout des rencontres et des conversations sans logique apparente autre que chronologique. Les salons de la reine et surtout de la Dauphine en sont les lieux privilégiés, les grands événements de la vie de cour, les occasions fortuites. Cette organisation n'est cependant pas due au hasard puisqu'une savante progression règle ces scènes, instaurant des redoublements et des correspondances significatives. Ainsi, les scènes de l'aveu et de la canne des Indes sont à regrouper : toutes deux à

Coulommiers, mises en scène indirectes de l'aveu d'amour au mari d'abord, puis à l'amant lui-même. Ces deux séquences sont à étudier ensemble car elles ont les mêmes caractéristiques, et pourtant elles impliquent une gradation dans la valeur de sincérité de la princesse, qui ne peut dire la vérité qu'en cachant le tout sous un voile. Les confrontations des deux amants, l'écriture de la lettre et la rencontre finale sont comparables, mais elles s'inversent : dans la première, l'obstacle du mari est présent et pourtant, il y règne le plus grand bonheur, quasiment autorisé par le prince de Clèves ; la seconde est celle de la rupture, alors même que l'obstacle concret est levé ; cependant, le mari mort est encore présent pour interdire l'amour. On pourra donc classer les scènes, les regrouper ou les opposer puisqu'elles ont des points communs (les espaces privés, publics, les personnages présents ou absents, etc.) et des différences. Le roman se décompose ainsi en petites unités autonomes dont l'ordre est extrêmement important.

La structure de l'analyse

À l'intérieur de chaque unité événementielle, on discerne une constante. En effet, chaque événement est présenté, décrit dans sa totalité et cela de manière objective, le narrateur précisant avec exactitude les motivations de chaque personnage. Puis la romancière livre les réactions et interprétations des trois personnages principaux, surtout celles de l'héroïne. La preuve est donc faite que les principaux protagonistes ne voient pas tout et réagissent subjectivement. Ce phénomène s'accentue au fur et à mesure que l'action avance : limitée à deux phrases qui suivent la première rencontre au bal, la réaction peut aller jusqu'à occuper plus d'espace que l'événement lui-même (le vol du portrait). Le lecteur accompagne le personnage, en en sachant toujours plus et se trouve de ce fait parfaitement à même de comprendre l'impossibilité de chacun à appréhender la vérité tout entière. Le

258

lecteur, en effet, sait dès le début que la lettre perdue appartient au vidame ; la jalousie injustifiée de la princesse en apparaît plus pénible encore. Ainsi la romancière, grâce à la structure particulière de chaque événement, livre le difficile cheminement intérieur de chacun des personnages, ses doutes et ses erreurs comme l'absurde de son aveuglement.

La Princesse de Clèves
et la critique

La querelle de *la Princesse de Clèves*

Le roman de Mme de Lafayette a, dès sa parution, suscité de très
vives réactions, au point que l'on a parlé d'une « querelle de *la
Princesse de Clèves* ». Cette controverse ne fut que le prétexte à un
débat plus large qui ouvre ce que l'on a appelé la querelle des
Anciens et des Modernes. Elle a donné lieu, d'une part, à une
véritable campagne de presse orchestrée par le *Mercure galant* et,
d'autre part, à la publication de deux textes polémiques : l'un de
J. H. du Trousset de Valincour, qui attaquait le roman dans ses
Lettres à Mme la marquise de*** sur le sujet de « la Princesse de Clèves »,
l'autre, inspiré par les défenseurs du roman, qui fut rédigé par
l'abbé de Charnes sous le titre de *Conversations sur la critique de
« la Princesse de Clèves »*.

L'enquête du « Mercure galant » autour de l'aveu
Fondé en 1672 par le plus célèbre critique de l'époque, Donneau
de Visé, ce journal se proposait de défendre et promouvoir le
bon goût des galants (voir p. 21). En mars 1678, le journal
annonce la sortie de *la Princesse de Clèves*. En mai, il publie une
lettre de Fontenelle qui est une véritable incitation à la lecture.
De plus, le journal publiait tous les trois mois un supplément :
l'Extraordinaire, constitué de jeux et de questions à débattre.
Dans le numéro d'avril 1678, ce supplément proposa à ses
lecteurs une question galante.

Je demande si une femme de vertu, qui a toute l'estime possible pour un
mari parfaitement honnête homme, et qui ne laisse pas d'être combattue

pour un amant d'une très forte passion qu'elle tâche d'étouffer par toute sorte de moyens ; je demande, dis-je, si cette femme voulant se retirer dans un lieu où elle ne soit point exposée à la vue de cet amant qu'elle sait qui l'aime sans qu'il sache qu'il soit aimé d'elle, et ne pouvant obliger son mari de consentir à cette retraite sans lui découvrir ce qu'elle sent pour l'amant qu'elle cherche à fuir, fait mieux de faire confidence de sa passion à ce mari, que de la taire au péril des combats qu'elle sera continuellement obligée de rendre par les indispensables occasions de voir cet amant, dont elle n'a aucun autre moyen de s'éloigner que celui de la confidence dont il s'agit.

À cette question des lecteurs de province répondent après en avoir débattu dans leurs salons.

La question que vous propose *l'Extraordinaire du Mercure* fut dernière-ment agitée dans une compagnie où je me trouvais. Chacun y dit son sentiment ; mais de cinq ou six aimables personnes qui y étaient, il n'y en eut pas une qui fût de votre avis. Elles plaignirent toutes le malheur de cette femme qui se voyait exposée à la vue d'un amant pour qui elle sentait en secret une passion violente qu'elle voulait étouffer ; mais elles soutinrent que puisqu'il n'y avait pour cette malheureuse aucun moyen de s'éloigner de ce qu'elle aimait, qu'en confiant son secret à son mari, il valait mieux éternellement combattre, et mourir même dans les combats, que d'aller faire une confidence si dangereuse à une personne dont elle devait toujours dépendre.

L'Insensible de Beauvais.

Il est à propos de vous dire que *la Princesse de Clèves* n'y est pas inconnue, même chez les bergers. Quoiqu'une déclaration pareille à celle de cette princesse ne se soit jamais faite parmi eux, ils demeurent d'accord qu'elle a pu le faire dans un temps où les maris n'étaient pas si délicats et si raffinés qu'aujourd'hui ; mais ils prétendent que si Mme de Clèves avait autant d'esprit que cette histoire lui en donne, elle en a peu manqué quand elle a pu se résoudre d'en venir à cette déclaration. Pour moi, je sais bien que par toutes les rives de Juine, où l'on n'est pas plus

261

bête qu'ailleurs, elle ne sera imitée d'aucune bergère. Mais c'est aussi ce qui fait le mérite de *la Princesse de Clèves*, que de s'être rendue inimitable.

Stedroc, berger des rives de Juine.

Ainsi, qu'on soit pour ou contre l'aveu, le roman donne à réfléchir. De plus, comme on le voit, les lecteurs se passionnent pour l'ouvrage et lui font un excellent accueil. En dernier lieu, il faut constater que le journal des galants est favorable au roman, y voyant une œuvre tout à fait conforme à l'esthétique qu'il défend.

La polémique

Les deux ouvrages de Valincour et Charnes se situent sur un autre terrain, puisqu'ils agitent non plus des questions de psychologie amoureuse, mais des problèmes d'esthétique et de technique romanesque. Cependant, il convient de voir que tous les deux cherchent à mettre au clair la théorie du genre romanesque. Valincour propose une série de règles pour la nouvelle historique et va se divertir à relever toutes les fautes commises par Mme de Lafayette, qui, selon lui, trompe et rebute le lecteur.

Car enfin, qu'importe que ces personnages soient feints ou véritables, pourvu qu'ils nous donnent du plaisir ? Que m'importe que Mme de Chartres n'ait jamais été à la cour d'Henri II, pourvu qu'elle me divertisse dans l'histoire de la princesse de Clèves, et qu'elle y soutienne, comme elle fait, le plus beau caractère du monde ? Et après tout, de tous ceux qui liront l'histoire de la princesse de Clèves, combien y en aura-t-il peu qui s'aillent aviser de penser si Mme de Chartres a été ou non ? Ceux qui n'y penseront pas, me dit-il, pourront y prendre du plaisir, comme ceux qui ont un diamant faux, sans le connaître, se croient riches jusqu'à ce qu'ils soient désabusés : mais cela ne peut manquer de faire un mauvais effet sur ceux qui remarqueront cette supposition, ou à qui l'on la fera remarquer dans la suite. Vous ne connaissez pas la fierté de l'esprit humain. Il ne peut souffrir que l'on prétende le surprendre, en lui donnant pour vrai ce qui est effectivement faux. Il est tellement né pour la vérité, qu'il en veut toujours voir l'image. Et lors même qu'il veut bien être trompé, c'est-à-dire, lors qu'il voit des comédies ou qu'il lit des romans, il veut que l'on le trompe avec respect, et avec tant de précaution, qu'il ne puisse s'en apercevoir : ainsi dès qu'il remarque quelque chose ou d'impossible ou de visiblement faux, soit dans une tragédie soit dans un roman, il s'élève aussitôt, et rejette l'ouvrage, quelque bon qu'il puisse être d'ailleurs.

Valincour, *Lettres à la marquise
sur le sujet de « la Princesse de Clèves »*, décembre 1678.

Valincour en profite pour proposer une classification des œuvres de fiction en feignant de prendre la défense du genre historique.

Il y a, me dit-il, deux sortes de fictions. L'une, dans laquelle il est permis à l'auteur de suivre son imagination en toutes choses, sans avoir aucun égard à la vérité : pourvu qu'il n'aille point contre le vraisemblable, il n'importe qu'il nous dise des choses qui ne sont jamais arrivées ; c'est assez qu'elles aient pu arriver. Telles sont les comédies des anciens, et celles de notre temps ; et les contes ou nouvelles, comme celles de Boccace, et des autres qui en ont écrit. La raison de la liberté, que les auteurs se peuvent donner en ces sortes d'ouvrages, c'est que comme ils ne représentent que les actions de quelques particuliers qui sont toujours obscures et inconnues, ils ne sont attachés ni aux noms de ceux dont ils parlent, ni au lieu, ni au temps où l'action s'est passée ; tout est inconnu, et ils peuvent tout inventer à leur fantaisie.

La seconde sorte de fiction, c'est de celles qui sont mêlées de vérité, et dans lesquelles l'auteur prend un sujet tiré de l'histoire, pour l'embellir, et le rendre agréable par ses inventions. C'est ainsi que seront les tragédies, les poèmes épiques, et ces sortes de romans que l'on a faits dans ces derniers temps, et qui l'on donne l'air d'histoire, comme font Cyrus, Cléopâtre, Clélie. Dans les ouvrages de cette nature, l'auteur n'est pas entièrement maître de ses inventions ; il peut bien ajouter à son sujet, ou en diminuer, mais ce ne doit être que dans les circonstances. Le fondement de l'ouvrage doit toujours être appuyé sur la vérité, parce que les noms et les événements étant tirés de l'histoire, comme je l'ai déjà dit, ils sont connus de tout le monde.

Idem, ibidem.

L'abbé de Charnes répond en proposant une autre nécessité, une autre règle et un autre objectif pour le roman.

Quoi qu'il en soit, je vous ai déjà fait remarquer qu'il [Valincour] a distingué deux sortes de fictions, et qu'il a rapporté *la Princesse de Clèves* à celle qui convenait le moins à cette histoire, seulement pour avoir moyen de la condamner. Mais je dois vous dire présentement, que les histoires galantes qu'on fait aujourd'hui ne sont ni l'une ni l'autre de ces deux espèces. Ce ne sont pas de ces pures fictions, où l'imagination se donne une libre étendue, sans égard à la vérité. Ce ne sont pas aussi de celles où l'auteur prend un sujet de l'histoire, pour l'embellir et le rendre agréable par ses inventions. C'en est une troisième espèce, dans laquelle, ou l'on invente un sujet, ou l'on en prend un qui ne soit pas universellement connu ; et on l'orne de plusieurs traits d'histoire, qui en appuient la vraisemblance, et réveillent la curiosité et l'attention du lecteur.

Enfin nos derniers auteurs ont pris une voie qui leur a semblé plus propre à s'attacher le lecteur, et à le divertir ; et ils ont inventé les histoires galantes, dont je vous ai fait d'abord la description. Ce ne sont plus des poèmes ou des romans assujettis à l'unité de temps, de lieu, et d'action, et composés d'incidents merveilleux et mêlés les uns dans les autres : ce sont des copies simples et fidèles de la véritable histoire, souvent si ressemblantes, qu'on les prend pour l'histoire même. Ce sont des actions particulières de personnes privées ou considérées dans un état privé, qu'on développe et qu'on expose à la vue du public dans une suite naturelle, en les revêtant de circonstances agréables ; et qui s'attirent la créance avec d'autant plus de facilité, qu'on peut souvent considérer les actions qu'elles contiennent, comme les ressorts secrets des événements mémorables, que nous avons pris dans l'histoire. Vous voyez par là l'injustice du critique, et la mauvaise application qu'il fait de ses règles et de son Castelvetro. Il ne s'agit pas ici d'un poème épique, d'un roman, ni d'une tragédie. Il s'agit d'une histoire suivie, et qui représente les choses de la manière qu'elles se passent dans le cours ordinaire du monde.

Charnes, *Conversation sur la critique
de « la Princesse de Clèves »*, mai 1679.

La critique impose donc le vraisemblable comme la condition du plaisir du lecteur, la défense invoque la liberté des moyens au nom du projet romanesque, du message (dirait-on aujourd'hui), pour le plaisir de l'instruction du lecteur. Doit-on sacrifier à l'efficacité du roman ou à la recherche du beau des classiques, c'est-à-dire l'imitation de la réalité idéale, parfaite et morale ? Entre asservissement et liberté, le roman doit trouver sa voie. Le débat se prolongea longtemps, relayé par les gazettes et les conversations de salons littéraires. Il n'y eut ni vainqueur ni vaincu, et le verdict ne vint qu'avec le passage du temps.

Un parcours critique

Le XVIIIe siècle : du roman irrégulier au modèle du classicisme

Le roman devait connaître une extraordinaire postérité, puisque les lecteurs ultérieurs proposèrent des lectures extrêmement différentes de celles du XVIIe siècle. À cette époque, les champions du classicisme disaient le roman irrégulier et invraisemblable, le sentant encore très proche de l'esthétique baroque du début du siècle. Or, dès le XVIIIe siècle, *la Princesse de Clèves* est devenue le modèle du roman classique, modèle à remanier et à moderniser, mais que tous les auteurs et critiques s'accorderont à considérer comme le premier grand roman français. Cependant, ils retiendront surtout de ce texte fondateur l'aspect moral et presque moralisateur de l'aventure. J.-J. Rousseau, dans le livre XI des *Confessions,* met directement en relation la quatrième partie de son propre roman, *la Nouvelle Héloïse,* et le prestigieux modèle. Aux yeux de tous, le roman de Mme de Lafayette est devenu la garantie de l'excellence, la caution à rechercher pour ses propres œuvres.

Il faut, à travers tant de préjugés et de passions factices, savoir bien analyser le cœur humain pour y démêler les vrais sentiments de la nature. Il faut une délicatesse de tact, qui ne s'acquiert que dans l'éducation du grand monde, pour sentir, si j'ose ainsi dire, les finesses de cœur dont cet ouvrage est rempli. Je mets sans crainte sa quatrième partie à côté de *la Princesse de Clèves,* et je dis que si ces deux morceaux n'eussent été lus qu'en province, on n'aurait jamais senti tout leur prix. Il ne faut donc pas s'étonner si le plus grand succès de ce livre fut à la cour. Il abonde en traits vifs, mais voilés, qui doivent y plaire, parce qu'on est plus exercé à les pénétrer. Il faut pourtant ici distinguer encore. Cette lecture n'est assurément pas propre à cette sorte de gens d'esprit qui n'ont que de la ruse, qui ne sont fins que pour pénétrer le mal, et qui ne voient rien du tout, où il n'y a que du bien à voir. Si, par exemple, la *Julie* [*ou la Nouvelle Héloïse*] eût été publiée en certain pays que je pense, je suis sûr que personne n'en eût achevé la lecture, et qu'elle serait morte en naissant.

> J.-J. Rousseau, *Confessions*, partie II, livre XI,
> publication posthume, 1782-1789.

Le XIXe siècle : le roman sage

Le grand critique Sainte-Beuve exprime l'opinion générale du siècle sur le roman de Mme de Lafayette, qui est déjà devenu, à l'époque, un classique, mais dont on connaît surtout les grands morceaux insérés dans toutes les anthologies de la littérature. Le roman est perçu comme archaïque et bourré de défauts mais délicat et charmant.

Nulle part comme dans *la Princesse de Clèves*, les contradictions et les duplicités délicates de l'amour n'ont été si naturellement exprimées. [...] Les scènes y sont justes, bien coupées, parlantes, en un ou deux cas seulement invraisemblables, mais sauvées encore par l'à-propos de l'intérêt et un certain air de négligence. Les épisodes n'éloignent jamais trop du progrès de l'action, et y aident quelquefois. La plus invraisemblable circonstance, celle du pavillon, quand M. de Nemours arrive singulièrement à temps pour entendre derrière une palissade l'aveu fait à M. de Clèves, cette scène que Bussy et Valincour relèvent, faisait pourant fondre en larmes, au dire de ce dernier, ceux mêmes qui n'avaient pleuré qu'une fois à *Iphigénie*. Pour nous, que ces invraisemblances choquent peu, et qui aimons de *la Princesse de Clèves* jusqu'à sa couleur un peu passée, ce qui nous charme encore, c'est la modération des peintures qui touchent si à point, c'est cette manière partout si discrète et qui donne à rêver : quelques saules le long d'un ruisseau quand l'amant s'y promène ; pour toute description de la beauté de l'amante, « ses cheveux confusément rattachés » ; plus loin, « des yeux un peu grossis par les larmes », et pour dernier trait, « cette vie qui fut assez courte », impression finale elle-même ménagée. La langue en est également délicieuse, exquise de choix, avec des négligences et des irrégularités qui ont leur grâce et que Valincour n'a notées en détail qu'en les supposant dénoncées par un grammairien de sa connaissance, et avec une sorte de honte d'en faire un reproche trop direct à l'aimable auteur.

Sainte-Beuve, *Portraits de femmes,* 1845.

Le XXᵉ siècle : un classique dépoussiéré

La perception de l'ouvrage se modifie progressivement, on redécouvre peu à peu la violence de la passion cachée sous des dehors conventionnels. Ainsi, Jean Cocteau lira, cédant — comme souvent — au goût du paradoxe, le roman comme un récit de débauches contenues mais réelles. On se rappelle que Cocteau travailla beaucoup avec Raymond Radiguet qui voulait, en écrivant *le Bal du comte d'Orgel,* réécrire *la Princesse de Clèves.*

Ce serait lire mal le roman de Mᵐᵉ de Lafayette que d'y voir un mécanisme de l'âme, une machine abstraite, de lourdes étoffes, des escaliers de marbre, des intrigues de palais, des tournois d'orgueil. L'idée fixe de Nemours nous renseigne sur la sensualité de ce prince dont la conteuse se contente de nous dire qu'il était « le mieux fait du monde ». Les ombres, les angoisses, les épouvantes, les fuites, les reprises, les reculs, les larmes de la princesse nous laissent entendre les rêves qui doivent la tourmenter la nuit. Là, ceux qui subissent une règle deviennent libres et trompent impunément ceux qui les regardent dormir. Que deviennent Mᵐᵉ de Clèves et le duc dans leurs sommeils ? Sade et Freud s'ébauchent dans ces âmes qui se croyaient simples. Cette vérité de sommeil, la conteuse ne nous la livre pas.

Un des innombrables privilèges de Mᵐᵉ de Lafayette, c'est de planter un décor qu'elle ne plante jamais, d'évoquer dans le moindre détail des accessoires dont elle ne s'occupe jamais, de nous jeter dans un parc ou sur une rivière par le seul fait qu'elle dise que ses héros traversent une rivière ou un parc.

Les épisodes de la miniature et de la lettre nous transportent par magie dans un autre siècle et nous font toucher des tables, des chaises, des encriers, des plumes, de la cire et des chandelles que les livres descriptifs ne mettent pas entre nos mains. Cette faculté de peindre sans dépeindre (atmosphériquement, pour ainsi dire) est une énigme, surtout dans *la Princesse de Montpensier, la Comtesse de Tende,* où cette énigme relève de la matérialisation spirite. Un objet n'est pas là et il est là. Voilà l'énigme. Voilà le privilège. Voilà un des points auxquels il faut réfléchir avant d'aborder la lecture d'un livre qu'on risquerait sinon de prendre pour quelque babillage du bosquet royal.

Mme de Clèves et le duc de Nemours sont-ils coupables ? Le jury hésite et se décide pour non. Mon tribunal intime les condamne. Il est, je suppose, inutile de dire que, les condamnant, il ne les condamne à rien. Les actes ne relèvent que d'un code. La débauche amoureuse de la princesse et du duc est effrayante. Mais elle n'intéresse que le tribunal de Dieu.

Jean Cocteau, préface à *la Princesse de Clèves,*
Nelson, D.R., 1958.

Cette relecture du roman de Mme de Lafayette va toujours dans le sens d'une interprétation moderne du conflit central de l'héroïne. Mme de Clèves n'est plus l'incarnation du triomphe de la vertu. De même, les motivations de chacun des personnages principaux apparaissent comme plus obscure, plus ambiguës. Serge Doubrovsky en donne un aperçu dans son étude critique.

L'amour, à toutes les étapes, n'est qu'une guerre des moi. Les propres sentiments de la princesse sont, d'ailleurs, la meilleure illustration de cette vérité. Fondée sur l'exclusive considération d'elle-même, sa décision est d'un égoïsme total : chez l'héroïne, nulle chaleur ni élan ; pas un seul instant elle ne pense à Nemours et à son bonheur à lui. Jamais elle ne va vraiment à sa rencontre. En face d'une double impossibilité métaphysique — l'amour ne pouvant être satisfait, en raison des relations qui existent nécessairement entre deux libertés, ni refoulé, du fait qu'il représente une irrésistible expression de nous-mêmes —, il ne reste plus de solution, ou plutôt il n'en reste qu'une : *le suicide.* Si la spontanéité ne peut être réprimée, elle peut être supprimée, et la destruction de soi est le seul issue.

Il était déjà évident que M. de Clèves n'était pas simplement mort, mais qu'il s'était laissé mourir, qu'il s'était donné la mort en se donnant à la mort : « Je mourrai..., mais sachez que vous me rendez la mort agréable... Que ferais-je de la vie... pour la passer avec une personne que j'ai tant aimée ? » Voyant soudain la vie à la lumière de la mort, il recouvre comme par enchantement le « calme » et la « raison », qui lui étaient si chers et qui l'avaient déserté : « Ce me sera toujours un *soulagement* d'emporter la pensée que vous êtes digne de l'esitme que j'ai eue pour vous. Je vous prie que je puisse encore avoir la *consolation* de croire que ma mémoire vous sera chère » [...] Les protestations que lui prodigue sa femme et qui, s'il avait continué à vivre, auraient toujours laissé place à un doute torturant, acquièrent en présence de la mort une vertu apaisante. De même, Mme de Clèves ne se prépare pas à vivre sans Nemours, mais seulement à mourir. Elle retrouve finalement sa liberté au moment où elle décide de regarder le monde avec les yeux de quelqu'un prêt et même résolu à le quitter : « La nécessité de mourir, dont elle se voyait si proche, l'accoutuma à se détacher de toutes choses. [...] Les passions et les engagements du monde lui parurent tels qu'ils paraissent aux personnes qui ont des vues plus grandes et plus éloignées ». Le « repos » et la « tranquillité » dont sa mère lui avait fait un but suprême dans l'existence comme l'unique moyen de préserver son autonomie absolue, ne sauraient être trouvés que dans la mort. Il y a la paix de la plénitude, et celle du vide et de l'absence, l'allègre coïncidence avec soi du héros cornélien et le repos enfin atteint sous le signe de la mort.

Serge Doubrovsky, « *la Princesse de Clèves* »,
une interprétation existentielle, la Table ronde, D.R., 1959.

Ce type d'interprétation a pour conséquence première de faire sortir le roman de son étroit contexte d'écriture. Par là même, le projet de la romancière apparaît dans toute sa complexité au point que l'ambiguïté puisse sembler le seul message laissé par le texte. Bernard Pingaud parlera même d'un « roman secret ».

Le raisonnement de Mme de Lafayette trouve ses limites dans le postulat sur lequel il s'appuie. Si la passion est bien le bouleversement total qu'elle décrit, le repos ne peut être qu'un refus total de la passion. Mais il y a dans cette idée quelque chose de chimérique, et l'on sent bien que Mme de Lafayette conserve toujours une certaine nostalgie pour les sentiments extraordinaires qu'elle combat.

[...] À l'arrière-plan d'une œuvre qui paraît consacrée tout entière à dévoiler les dangers réels de l'amour, rôde ainsi, comme une personne à qui l'âge a ôté beaucoup de ses charmes, mais qui reste encore très séduisante, d'autant plus séduisante peut-être qu'elle ne fait plus illusion, l'image romanesque d'une passion que Mme de Lafayette « condamne sans l'avoir écoutée ». On ne sait plus, finalement, qui sort vainqueur du combat, si c'est l'amour ou si c'est le repos. La leçon morale austère qui se dégage de *la Princesse de Clèves* n'exclut pas une complaisance trouble pour les sentiments qu'elle condamne. C'est pourquoi des critiques sourcilleux sur le chapitre de la vertu ont pu se demander si sa lecture n'était pas plus dangereuse qu'utile. L'abbé Prévost parle du « péril auquel on s'expose de s'amollir le cœur par une lecture trop tendre », et un certain Victor Fournel, au XIXe siècle, note que l'amour de Mme de Clèves est « encore si beau et si touchant dans sa défaite, il en sort une émotion si douce et si communicative, qu'il affaiblira certainement plus de cœurs que son dénouement n'en pourra raffermir ».

Peut-être toute grande œuvre est-elle forcément équivoque, dans la mesure où, se voulant exemplaire, elle témoigne aussi de l'inutilité de tout exemple. Quand on lit Mme de Lafayette avec attention, on ne saurait en tout cas se défendre de l'impression que ce qui est dit ne constitue que l'apparence, que l'histoire est un prétexte, et que sa séduction tient tout entière au « secret » qu'elle cache. Le roman d'« analyse » auquel elle a donné ses lettres de noblesse est toujours le roman d'un secret.

Bernard Pingaud, Mme de Lafayette par elle-même,
Le Seuil, 1959.

Au terme de ce parcours critique, on constate que le roman a connu une longue histoire et que chaque époque s'y est regardée comme dans un miroir. Baroque pour les uns, moralisant ou mystérieux pour les autres ; la beauté de *la Princesse de Clèves* réside dans cette multitude de visages, brillants et silencieux.

Avant ou après la lecture

Enquête historique

1. La cour de Louis XIV et celle d'Henri II. Prendre la mesure de l'écart, des différences qui les séparent dans la réalité, comme de ce qui les rapproche dans le roman (situation politique de la noblesse, mode, contexte historique). Cette recherche pourra être menée à partir de deux types de documents, soit historiques (manuels d'histoire et textes littéraires), soit picturaux.

Fiches de lecture

1. L'histoire de *Tristan et Yseut.*
2. Les romans précieux de Madeleine de Scudéry.
3. Les autres ouvrages de Mme de Lafayette. En faire ressortir les thèmes dominants : image de l'amour qui y est donnée, étude des amoureux et de leurs motivations (surtout dans *la Princesse de Montpensier*).
4. Les *Maximes,* de La Rochefoucauld.
5. La section « De la cour » dans *les Caractères,* de La Bruyère.
6. L'article « Divertissement » dans *les Pensées,* de Pascal.
7. Corneille, *Discours de la tragédie, Discours des trois unités* et sa dernière pièce, *Suréna.*
8. Raymond Radiguet, *le Bal du comte d'Orgel,* une réécriture de *la Princesse de Clèves.*

Exposés

1. Le mariage dans le roman de Mme de Lafayette.
2. L'éducation sentimentale.

3. La vertu.
4. Le repos.
5. La querelle lors de la parution de l'ouvrage.
6. Les personnages féminins du roman.
7. Les figures tutélaires.

Commentaires composés

1. La scène du bal. Vous analyserez le caractère exceptionnel du traitement de cette scène en regardant plus particulièrement comment s'exerce le pouvoir de la fatalité sur les personnages et comment le récit le fait constater.
2. La dernière entrevue. Grâce à une étude approfondie des motivations exprimées par la princesse, vous tenterez de mettre en lumière ce qui se cache sous les paroles, rendant tragique cette dernière rencontre des amants (attention, il convient de prendre le terme « tragique » dans son sens littéraire).

Réécritures et transpositions

1. Réécrire la longue scène d'ouverture en deux pages, en gardant les éléments essentiels que l'auteur semblait vouloir privilégier.
2. Transposition de la scène de la « canne des Indes » en langage moderne ; essayez de montrer clairement ce qui se passe entre les deux amants.
3. Transposition théâtrale de la scène du vol du portrait ; tenez compte de toutes les didascalies données par l'auteur. Cet exercice peut déboucher sur la constitution d'un « story-board » de cette scène.
4. Imaginez le destin de la princesse de Clèves si elle avait accepté le remariage avec le duc de Nemours.

5. Supprimez la présence de Nemours lors de la scène de l'aveu. Quelles suppressions et quelles modifications cela entraîne-t-il pour la suite ?

Débats

La parution de l'ouvrage a suscité un grand débat sur la vraisemblance. Vous reprendrez ce débat avec profit sur le point clé du roman : l'aveu et la présence de Nemours à cette scène. Il faut poser la question de l'utilité des choix romanesques de Mme de Lafayette et de leurs conséquences en rendant sensible la différence entre l'univers du roman et celui de la réalité. Ainsi, à la lumière de cette première réflexion sur la vraisemblance, vous pourrez étendre la même analyse à d'autres séquences du roman, qui serviront de support au débat (les morts de la mère et du mari, qui tombent à point nommé, par exemple).

Bibliographie, filmographie

Édition des œuvres de Mme de Lafayette
Romans et nouvelles, édition établie par E. Magne et A. Niderst, Bordas, coll. « Classiques Garnier », Paris, 1970, revue et complétée par A. Niderst en 1989.
La Princesse de Clèves et *la Princesse de Montpensier,* Magnard, coll. « Textes et contextes », par C. Biet et P. Ronzeaud, 1989. Le texte n'est pas revu, mais l'appareil critique est fort utile.
La Princesse de Clèves, Imprimerie nationale, édition établie par J. Mesnard, coll. « Lettres françaises », 1980.

Ouvrages du XVIIe siècle
Charnes (de), *Conversations sur la critique de « la Princesse de Clèves »,* Barbin, 1679. Réédition par F. Weil, université de Tours, 1973.
Valincour (J.H. du Trousset de), *Lettres à Mme la marquise de *** sur le sujet de « la Princesse de Clèves »,* 1678. Réédition par J. Chupeau, université de Tours, 1972.

Le roman avant la Révolution
Adam A., *Histoire de la littérature française au XVIIe siècle,* tome IV, Del Duca, 1968.
Coulet H., *le Roman jusqu'à la Révolution,* A. Colin, 1967.
Deloffre F., *la Nouvelle en France à l'âge classique,* Didier, 1967.
Godenne R., *Histoire de la nouvelle française aux XVIIe et XVIIIe siècles,* Droz, 1970.
Lever M., *le Roman français au XVIIe siècle,* P.U.F., 1981.

La Princesse de Clèves
Duchêne R., *Madame de Lafayette,* Fayard, 1988.
Francillon R., *l'Œuvre romanesque de Madame de Lafayette,* Corti, 1973.

Kreiter J.A., *le Problème du paraître dans l'œuvre de Madame de Lafayette,* Nizet, 1977.

Laugaa M., *Lectures de Madame de Lafayette,* A. Colin, 1971.

Malandain P., *la Princesse de Clèves,* P.U.F., coll. « E.L.F. », 1985.

Niderst A., *« la Princesse de Clèves »,* le roman paradoxal, Larousse, 1973.

Pingaud B., *Madame de Lafayette par elle-même,* coll. « Écrivains de toujours », Le Seuil, 1959.

Articles, revues et extraits d'ouvrages

Butor M., « Sur la Princesse de Clèves », in *Répertoire,* Éditions de Minuit, 1960.

Camus A., « L'intelligence et l'échafaud, problèmes du roman », n° spécial de *Confluences,* 1943.

Doubrovsky S., *« La Princesse de Clèves », une interprétation existentielle,* La Table ronde, 1959.

Fabre J., « L'art de l'analyse dans *la Princesse de Clèves »,* Travaux de la faculté de lettres de Strasbourg, 1946. Repris en plaquette, Ophrys, 1970.

Fabre J., « Bienséance et sentiment chez Mme de Lafayette », *Cahiers de l'Association internationale des études françaises,* n° 11, mai 1959.

Forestier G., « Mme de Chartres, personnage clé de *la Princesse de Clèves »,* les Lettres romanes, t. XXXIV, 1980.

Hipp M.T., « Le mythe de Tristan et Iseult et *la Princesse de Clèves »,* Revue d'histoire littéraire de la France, juill. 1965.

Malandain P., « Écriture de l'histoire dans *la Princesse de Clèves »,* Littérature, n° 36, déc. 1979.

Morel J., « Sur l'histoire de la lettre perdue dans *la Princesse de Clèves »,* Papers on French XVIIIth Century Literature, n° 19, 1983.

Poulet G., « Madame de Lafayette », in *Études sur le temps humain,* Plon, 1950.

Rousset J., *Forme et signification,* J. Corti, 1962.

Vigée C., *« La Princesse de Clèves* et la tradition du refus », *Critique,* août-septembre 1960.

Zumthor P., « Le sens de l'amour et du mariage dans la conception classique de l'homme. Madame de Lafayette », *Archiv für das Studium der neuen Sprachen,* Bd. 181, févr. 1942.

Filmographie
La Princesse de Clèves, film de Jean Delannoy, scénario de Jean Cocteau, avec Marina Vlady, Jean Marais, Jean-François Poron, 1961.

Petit dictionnaire pour commenter *la Princesse de Clèves*

action *(n. f.) :* ensemble des événements du récit ; enchaînement des faits qui d'une situation initiale aboutit à une situation finale.

analepse *(n. f.) :* récit évoquant un événement antérieur au point où le lecteur en est dans l'histoire. Ex. : les quatre récits secondaires qui opèrent des retours en arrière dans l'action.

auteur *(n. m.) :* la personne réelle qui écrit l'ouvrage, ici Mme de Lafayette. À distinguer souvent du narrateur, qui n'est qu'une création de l'auteur.

baroque *(n. m.) :* vient du portugais *barroco,* « perle irrégulière ». Définit, en littérature, les œuvres qui ne respectent pas les règles classiques. Le baroque, en France, connaît son apogée entre 1580 et 1630.

champ lexical : ensemble de mots ou d'expressions renvoyant à la même notion. Ex. : le lexique du regard dans la scène du vol du portrait.

classicisme *(n. m.) :* ensemble des caractéristiques des œuvres de la période classique, c'est-à-dire approximativement la seconde moitié du XVIIe siècle. Il s'agit d'œuvres qui s'attachaient à la clarté, la mesure et le respect des règles tirées des auteurs antiques. Par extension, sont dites classiques toutes les œuvres ultérieures qui se fixent le même programme (à opposer au baroque et au romantisme).

connotation *(n. f.) :* signification seconde qui s'ajoute au mot en fonction de codes que partagent l'auteur et le lecteur.

contexte *(n. m.)* : ensemble des données se rapportant à l'époque où l'écrivain a rédigé l'œuvre, et permettant de mieux comprendre celle-ci. Ex. : la cour de Louis XIV se reflétant dans l'image que l'auteur donne de la cour d'Henri II.

courtois *(adj.)* : désigne un ensemble de caractéristiques propres à la cour. Les termes de littérature ou de roman courtois renvoient aux œuvres nées dans les cours seigneuriales du Moyen Âge, qui exaltaient une idée subtile et chevaleresque de l'amour.

dénotation *(n. f.)* : sens du mot tel qu'on le trouve dans le dictionnaire, quel que soit son contexte. (Contraire de la connotation.)

dénouement *(n. m.)* : fin du récit où l'intrigue se résout. Ce mot est à prendre au sens propre pour *la Princesse de Clèves,* tant les nœuds qui relient le personnage principal au monde se défont tous après la dernière entrevue avec Nemours.

didascalie *(n. f.)* : indication du jeu de scène pour les pièces de théâtre. Elles peuvent être implicites, c'est-à-dire glissées dans le texte. C'est le cas de la scène du vol du portrait, qui multiplie les indications de lieu et de situation des personnages avant de livrer le récit de l'action elle-même.

discours rapporté : technique utilisée par le narrateur pour rendre compte des propos d'un personnage. Il peut le faire de trois manières :
• le discours (ou style) direct : les paroles sont transcrites comme elles ont été prononcées (guillemets, première et deuxième personnes). Ex. : la dernière entrevue entièrement au discours direct (p. 212 et suivantes).
• le discours (ou style) indirect : les paroles des personnages sont introduites par un verbe de déclaration et la conjonction de subordination « que ». Cela entraîne l'usage exclusif de la troisième personne et des modifications des temps verbaux.
• le discours (ou style) indirect libre : un mélange des deux précédents avec des paroles au discours indirect mais avec la suppression des mots introducteurs (verbes et conjonctions).

épisode *(n. m.)* : partie d'un récit qui, tout en s'intégrant à l'ensemble, peut être isolée. (Voir « séquence ».) Ex. : la mort de Mme de Chartres (p. 85 : « Mme de Chartres empira... » à p. 86 : « ... elle se sentait attachée »).

éponyme *(adj.)* : se dit du personnage qui donne son nom au titre du roman ; ici, la princesse de Clèves.

exposition *(n. f.)* : début du récit, qui apporte au lecteur toutes les informations nécessaires à la compréhension de la suite. La description de la cour est une exposition (p. 41 à p. 50).

esthétique *(adj.* ou *n. f.)* : qui concerne le sentiment du beau, la façon de concevoir la beauté.

euphémisme *(n. m.)* : façon de parler qui adoucit, minimise ce que l'on a à dire.

figure de rhétorique : mot ou expression qui choisit de dire les choses d'une manière détournée, de façon à ajouter une nuance de sens ; la litote, l'hyperbole, la métaphore sont des figures de rhétorique.

focalisation *(n. f.)* : point de vue adopté par le narrateur pour rendre compte de l'action. Trois situations sont possibles :
• la focalisation externe : l'histoire est racontée par un témoin extérieur qui ne sait rien des pensées des personnages. Le lecteur ne voit et n'entend que ce qui est visible ou audible pour le témoin.
• la focalisation interne : l'histoire est vue par un personnage. Le narrateur se glisse dans le personnage et ne livre que ce que celui-ci peut connaître ou percevoir. C'est souvent le cas dans *la Princesse de Clèves* puisque la narratrice adopte très souvent le point de vue de l'héroïne.
• la focalisation zéro : le narrateur sait tout et se place au-dessus des événements.

héros *(n. m.),* **héroïne** *(n. f.)* : au sens propre, celui ou celle dont les actions provoquent l'admiration. Par extension, le personnage principal d'une œuvre littéraire.

histoire *(n. f.)* : synonyme de récit ou d'intrigue. L'ensemble des événements qui sont racontés à l'intérieur d'une œuvre. Avec la majuscule utilisée par certains auteurs, le mot désigne l'ensemble des événements qui se sont produits dans le monde.

hyperbole *(n. f.)* : figure de rhétorique qui consiste à mettre l'accent sur une idée ou une chose par l'emploi de mots ou d'expressions qui exagèrent la pensée. Ex. : les sentiments du duc de Nemours (p. 194 : « C'est ce qui n'a jamais été goûté ni imaginé par nul autre amant... »).

incipit *(n. m.)* : le début d'un récit, la première phrase ou les premiers mots.

ironie *(n. f.)* : figure de rhétorique par laquelle on dit une chose pour faire comprendre qu'on pense le contraire. Ex. : la narratrice est ironique lorsqu'elle a l'air d'admirer la constance du prince dans sa mort (p. 205), alors qu'elle révèle tout autre chose par la formule « il mourut avec une constance admirable ».

litote *(n. f.)* : figure de rhétorique qui consiste à atténuer l'expression de sa pensée pour faire entendre le plus en disant le moins. C'est une figure très importante dans *la Princesse de Clèves.*

métaphore *(n. f.)* : figure de rhétorique qui consiste à employer un mot à la place d'un autre. C'est une comparaison sans mot introducteur. Le comparant se substitue au comparé. Le vocabulaire amoureux est très riche en métaphores qui permettent d'exprimer sans dire vraiment. Ex. : p. 69 « elle avait été touchée de la vue de ce prince », « touchée » est une métaphore.

métonymie *(n. f.)* : figure de rhétorique qui consiste à désigner une personne ou une chose par un mot qui en désigne une autre qui a un lien avec elle. Dans l'expression « boire un verre », on désigne ainsi le contenu par le contenant. Dans *la Princesse de Clèves,* les chiffres et couleurs, lors du tournoi, désignent la maîtresse. (Quand la partie désigne le tout, on parle de « synecdoque ».)

narrateur *(n. m.) :* celui qui raconte. Quelquefois il se confond avec l'auteur. Cette relation est très floue dans *la Princesse de Clèves.*

nouvelle *(n. f.) :* genre littéraire qui désigne une œuvre en prose de dimension plus réduite que le roman. Mais, au XVIIe siècle, ce mot est synonyme de roman.

pause *(n. f.) :* voir « rythme du récit ».

péripétie *(n. f.) :* au sens propre, moment où survient un élément nouveau ou imprévu. Retournement soudain de situation. La mort du roi (p. 181) ou l'accident de la lettre qui tombe de la poche du vidame (p. 122) sont des péripéties.

polysémie *(n. f.) :* multiplicité des sens possibles d'un mot. On peut étendre ce sens à une scène ou à une situation. La scène de l'aveu (p. 00) est polysémique selon que l'on adopte le point de vue de l'un ou l'autre des personnages présents.

préciosité *(n. f.) :* mouvement esthétique né dans les salons, qui définissait un ensemble de règles pour l'expression des sentiments, bannissant toute expression directe et brutale des mouvements du cœur.

prétérition *(n. f.) :* figure de rhétorique qui consiste à attirer l'attention sur une idée ou une chose en déclarant n'en pas parler. L'aveu de Mme de Clèves tout entier est une prétérition qui attire l'attention sur l'amant en disant ne pas vouloir en parler. Cette figure envahit le roman, qui repose sur un mécanisme complexe de prétérition.

prolepse *(n. f.) :* récit évoquant un événement qui n'a pas encore eu lieu (une prophétie, par exemple). Dans le roman, l'horoscope du roi (p. 112).

protagoniste *(n. m.) :* celui qui agit au premier plan, personnage principal d'un épisode ou de l'œuvre entière.

quiproquo *(n. m.) :* situation dans laquelle on prend une personne ou une chose pour une autre. La lettre perdue en est un parfait exemple.

récit *(n. m.)* : synonyme de narration ou d'histoire. Un récit peut être aussi secondaire (l'histoire de M. de Sancerre et de Mme de Tournon), c'est-à-dire inséré dans un récit que l'on appellera alors « récit encadrant », ou « récit premier ».

règles dramatiques : il s'agit des règles des trois unités (temps, lieu et action), de la bienséance et du vraisemblable, que les théoriciens et les auteurs du théâtre classique avaient adoptées.

romanesque *(adj.)* : qui appartient au roman, donc à une fiction riche en surprises et en invraisemblances. Cet adjectif est péjoratif à l'époque de Mme de Lafayette, qui essaie de donner au roman ses lettres de noblesse. Néanmoins, certains éléments du roman sont apparus aux contemporains comme très romanesques. Ex. : le duc de Nemours s'égarant dans la forêt (p. 153).

rythme du récit : le temps de l'action et celui du récit ne coïncident que rarement. La relation de ces deux temps est donc soumise à de grandes variations. Quand la durée de l'action et celle du récit se confondent, on parlera de « scène ». Quand l'action racontée est plus longue que le récit, on parlera de « sommaire ». Quand le récit et l'action s'arrêtent, on parlera de « pause ». Quand l'action continue sans que le récit ne la rapporte, on parlera d'« ellipse ».

séquence *(n. f.)* : scène (ou groupe de scènes) qui constitue une unité à l'intérieur de l'œuvre. La préparation de la scène ainsi que son interprétation par un ou plusieurs personnages font partie de la séquence.

structure *(n. f.)* : organisation, agencement des séquences d'un roman.

temps romanesque : temporalité propre au récit. On distinguera la chronologie, c'est-à-dire l'enchaînement des événements sur l'axe temporel, la durée et la fréquence.

vraisemblance *(n. f.)* : qualité de ce qui semble vrai, de ce qui pourrait être vrai même si c'est faux. La réaction vraisemblable à la mort de son mari est la douleur. Pourtant, dans la réalité, il est des gens qui ne réagissent pas ainsi. Leur réaction est vraie et cependant invraisemblable. Il s'agit ici d'une notion subtile que les auteurs de fiction, à l'époque de Mme de Lafayette, devaient respecter.

Nouvelle collection *Classiques Larousse*
Titres disponibles
et leur documentation thématique

Andersen : *la Petite Sirène et autres contes,* D'autres héros à la découverte du monde

Balzac : *les Chouans,* Chouannerie et littérature

Eugénie Grandet, La province chez Balzac ; le personnage de l'avare

Baudelaire : *les Fleurs du mal,* Le thème du cygne dans la poésie lyrique au XIXe siècle

Chateaubriand : *les Mémoires d'outre-tombe* (livres I à III), Souvenirs de jeunesse

René, Le « vague des passions » : crise d'adolescence ou mal métaphysique ?

Corneille : *le Cid,* Les amours contrariés

Cinna, La vengeance féminine dans le théâtre baroque et classique

Horace, Aimer malgré les frontières

L'Illusion comique, Quatre variations autour du soldat fanfaron

Polyeucte, Mourir pour des idées

Daudet : *Lettres de mon moulin,* Enfance en Provence

Diderot : *le Neveu de Rameau,* Éducation et morale

Flaubert : *Hérodias,* Le charme maléfique de la danse

Un cœur simple, Des cœurs simples au service des autres

Giraudoux : *La guerre de Troie n'aura pas lieu,* D'un texte, l'autre : du clin d'œil à la réécriture

Gautier : *La Morte amoureuse, Contes et récits fantastiques,* Les phénomènes étranges dans la littérature

Grimm : *Hansel et Gretel et autres contes,* Le diable dans les contes

Hugo : *Hernani,* Figures de rois

Ruy Blas, Les héros du drame romantique

Labiche : *la Cagnotte,* La comédie bourgeoise au XIXe siècle

Le Voyage de M. Perrichon, Le bourgeois, ce mal-aimé

La Bruyère : *les Caractères,* Portraits satiriques

La Fontaine : *Fables* (livres I à VI), Au temps où les bêtes parlaient

Mme de La Fayette : *la Princesse de Clèves,* La passion : l'héroïsme au féminin

Marivaux : *la Double Inconstance,* La séduction : piège ou révélation ?

Les Fausses Confidences, Les veuves dans la littérature classique

Le Jeu de l'amour et du hasard, Les déguisements au théâtre

Maupassant : *Boule de suif et autres nouvelles de guerre,* Les écrivains témoins de la guerre de 1870

Le Horla, Maupassant et le fantastique

La Peur et autres contes fantastiques, Quelques textes aux frontières du fantastique

Un réveillon, contes et nouvelles de Normandie, La terre : rêves et réalités

Mérimée : *Carmen,* De l'héroïne au mythe populaire

Colomba, L'exotisme à la portée de tous

Mateo Falcone et autres nouvelles, L'autorité paternelle

La Vénus d'Ille, Au cœur du fantastique : une interrogation

Molière : *Amphitryon,* Le personnage, double du comédien ?

L'Avare, Manger pour vivre et vivre pour manger

Le Bourgeois gentilhomme, La folie des grandeurs

Dom Juan, Destins de dom Juan

L'École des femmes, Couvent et mariage : deux modes de domination

Les Femmes savantes, Les héritières de Philaminte

Les Fourberies de Scapin, La farce à travers les âges

George Dandin, Affronter les inégalités sociales

Le Malade imaginaire, Malades des médecins ?

Le Médecin malgré lui, D'autres portraits de médecin

Le Misanthrope, L'histoire littéraire du misanthrope

Les Précieuses ridicules, De Rabelais à nos jours : figures du snobisme

Le Tartuffe, L'hypocrisie, un hommage du vice à la vertu ?

Montaigne : *les Essais,* Les approches de la mort

Montesquieu : *De l'esprit des lois,* Utopie et politique

Lettres persanes, Comment peut-on être français : regard étranger et forme épistolaire

Musset : *les Caprices de Marianne,* Marianne ou la libération de la parole

Lorenzaccio, L'homme et son meurtre

On ne badine pas avec l'amour, Jeunes filles au couvent

Nerval : *Sylvie,* Le temps retrouvé

Perrault : *Contes ou histoires du temps passé* Les métamorphoses du conte

Poe : *Double Assassinat dans la rue Morgue, la Lettre volée,* Quelques successeurs de Dupin

Racine : *Andromaque,* Permanence et évolution d'un mythe

Bajazet, Visages de l'Orient : la femme captive

Bérénice, Renoncer à l'amour

Britannicus, La tyrannie : nécessité, paradoxe ou perversion ?

Iphigénie, Père et fille

Phèdre, Le premier regard : récits au passé

Rostand : *Cyrano de Bergerac,* Le travail de l'écrivain : un bricolage de génie

Rousseau : *les Rêveries du promeneur solitaire,* Le projet autobiographique

Sand : *La Mare au diable,* Le sentiment de la nature

Le Surréalisme et ses alentours (anthologie), Théorie de la pratique surréaliste

Voltaire : *Candide,* Témoignages sur la question du mal au XVIIIe siècle

L'Ingénu, Bons sauvages, femmes vertueuses et hommes d'Église

Zadig, La recherche du bonheur

Collection fondée par Félix Guirand en 1933, poursuivie par Léon Lejealle de 1945 à 1968, puis par Jacques Demougin jusqu'en 1987.

Nouvelle édition
Conception éditoriale : Noëlle Degoud.
Conception graphique : François Weil.
Coordination éditoriale : Emmanuelle Fillion.
Collaboration rédactionnelle : Cécile Botlan.
Coordination de fabrication : Marlène Delbeken.
Documentation iconographique : Marie-Annick Réveillon.
Dessins p. 10 : Thierry Chauchat.
Schéma p. 10 et arbres généalogiques p. 32-33 et 34-35 : Henri-François Serres-Cousiné.

Sources des illustrations
Bibliothèque nationale : p. 12, 106.
Bridgeman-Giraudon : p. 230.
Christophe L. : p. 52, 92.
Giraudon : p. 14, 43, 67.
Jean Loup Charmet : p. 25.
Jean Vigne : p. 4.
Larousse : p. 15, 38, 209, 223, 226.
Lauros Giraudon : p. 7, 17, 31, 168, 184.
Roger Viollet-coll. Viollet : p. 8, 23, 113.

COMPOSITION : OPTIGRAPHIC
IMPRIMERIE HÉRISSEY. – 27000 ÉVREUX. – Nº 85928.
Dépôt légal 1ʳᵉ éd. : février 1995. – Dépôt légal : janvier 2000.
Nº éditeur : 10074139-(XVIII)-(2)-OSBP 70.
IMPRIMÉ EN FRANCE *(Printed in France).* Janvier 1999.